D0783708

DE JUWELEN VAN DE TSAAR

Tormod Haugen

De juwelen van de tsaar

LEMNISCAAT ROTTERDAM

Omslagillustratie: Henriette Sauvant
Nederlandse rechten Lemniscaat b.v. Rotterdam 1997
ISBN 90 5637 090 1

Oorspronkelijke titel: *Tsarens Juveler*
Oorspronkelijke uitgever: Gyldendal Norsk Forlag

Druk: Drukkerij C. Haasbeek, Alphen aan den Rijn

Dit boek is gedrukt op milieuvriendelijk, chloorvrij gebleekt en verouderingsbestendig papier en geproduceerd in de Benelux, waardoor onnodig en milieuverontreinigend transport is vermeden.

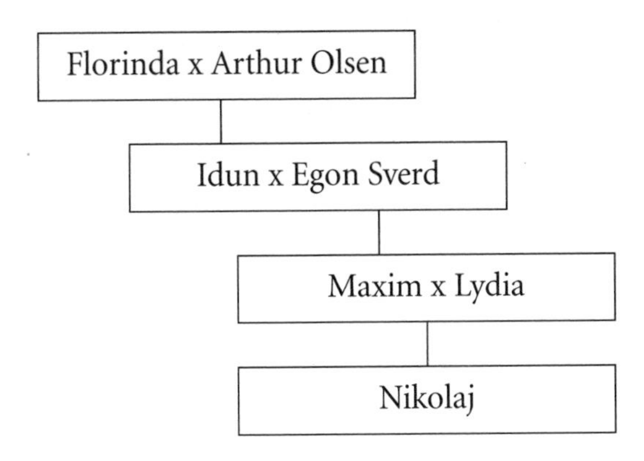

De twee broers van Lydia:
Patrick, getrouwd met Vera
Dieter, getrouwd met Ellen

In de halvemaantempels:
Eliam, novice
Alia, hogepriesteres
Olim, hogepriester
Dai-Chi, onderzoeker
van de legendes

In deze wereld:
Harry Lim
Terry
De engel met het zwaard
Een zwarte jaguar
De Ibisvrouw
De weefster
Vladimir
Anna Olsen

In de wereld van de legendes:
Adam
Eva
Li
Chun
Wang
Zij die de beek hoort dromen
Zij die huilde bij de stenen
Nebukadnezar
Amitria
Toetanchamon
Ankhesenamon
Klymene
Akamas
Ariadne
Minotaurus
Astyages
Mandane
Kyros
Almede
Tsaar Nikolaj II
Anastasia

De maan steeg op boven de stad, hij was groot en geel in de herfst. Nikolaj Sverd sliep tussen flarden van dromen door. Hij wist niet dat zijn leven vanaf morgen volledig zou veranderen...

Rondom de vlakte waarop de halvemaantempels stonden, lagen hoge bergen. Het leek of ze de tempels wilden beschermen en verbergen. Velen wisten dat ze er waren, maar wie er voor het eerst heen ging, moest een gids meenemen die de omgeving kende. De bergen waren woest en onherbergzaam, onbegaanbaar en vol gevaren.
Midden in het berggebied van Mongolië lag dit vlakke stuk met zijn warme zomers en korte, zachte winters, zo anders dan de rest van het land. De nacht was stil. De hemel was hoog en zwevend blauw. Boven de bergen schenen de sterren.
Eliam zat op haar knieën bij de maanspiegel. Ze hield haar handen uitgestrekt naar de waterkant, haar handpalmen naar boven gekeerd. Haar ogen staarden naar de middernachtsmonoliet.
Ze wachtte. Nog even en de maan zou vol en wit opstijgen boven de kroon van de monoliet en zijn schijnsel werpen op het kleine meertje, tussen de waterlelies en het riet.
De vlakte was volkomen stil. Geen zuchtje nachtwind streek door het gras. Geen wilde hond sloop zachtjes naar voren. Geen vogel vloog geschrokken schreeuwend door de nacht. Het middernachtsuur was de tijd van stilte voor alle leven op de maanvlakte.
Midden op de vlakte lag het cirkelvormige meertje; niemand wist hoe diep het was. Alleen de hogepriesteres wist waar de bodem was en wat daar verborgen lag. Zij kon de maantekens in het donkere water lezen.
Rondom het meertje liep een paadje tussen het riet door. Dat was

het danspad. Op een monolietlengte daarvandaan stond de cirkel van de zeven monolieten, steeds met een uur tussenruimte, voor elk van de zeven uren dat de maan 's nachts boven de vlakte tussen de bergen scheen. In de loop van de baan die de maan aflegde, wierpen de monolieten schaduwen over het meertje. Samen vormden ze een patroon dat de hogepriesteres kon verklaren.
Eliam was nu zeven jaar novice in de halvemaantempel. Tijdens de herfstmaan zou ze worden ingewijd tot priesteres. Ze begon nu met het eerste deel van de laatste voorbereidingen. Zeven nachten lang moest ze de hele nacht waken en het patroon van de schaduwen en het maanlicht op de waterspiegel aflezen. Dat moest ze dan overbrengen aan de hogepriesteres.
Nog even en ze zou de eerste aflezing in haar eentje doen. Ze was zenuwachtig, hoewel het altijd heel goed was gegaan als ze samen met een priesteres was. Daarom wist ze zeker dat ze het ook alleen kon. Maar toch...
Zoals altijd merkte ze dat haar hart sneller begon te kloppen als het maanlicht haar bescheen. Maar haar gedachten waren rustig. Een bijna onhoorbare zucht steeg op uit de waterlelies die zich over het meertje heen bogen. Er klonk een zacht geritsel in het riet. Eliam richtte zich een beetje op.
Daar kwam de bovenste maanboog boven de monoliet te voorschijn. De schaduw strekte zich uit tot het meertje, hij raakte net de rand van de spiegel. Eliam zou nu naar de maan moeten kijken, maar ze hield haar blik op de schaduw gericht. Ze wist dat ze de baan van de maan boven de monoliet moest volgen, maar er was iets vreemds aan de hand met de schaduw. Daar zou ze lichtgevende puntjes in moeten zien van zilver en smeulend vuur en warmgele en bleekblauwe vlekken – al de tekens die ze ook moest lezen en verklaren.
Maar de schaduw was dof. De lichtgevende puntjes waren gedoofd. De schaduw was zwart en zwaar. Het leek wel of het gras

plat ging liggen onder het gewicht van de schaduw, vond Eliam. Onrustig keek ze omhoog naar de maan, die nu tot meer dan halverwege boven de top van de monoliet geklommen was. Ook al was de verleiding groot om in het meertje te kijken, toch liet ze de maan niet los met haar blik. Ze wou hem volgen totdat hij boven de monoliet uit was en met zijn volle licht het meertje bescheen. Er verscheen een smal streepje hemel onder de maan, de schaduw van de monoliet schoof een beetje opzij. De andere schaduwen volgden. Toen boog Eliam zich voorzichtig over de maanspiegel. Verschrikt staarde ze in het donkere water dat glanzend en onbeweeglijk voor haar lag. De spiegel was leeg. Het water was donker en zwart als de nacht. Niet eens een zwakke gouden schittering was over het wateroppervlak gestrooid.

Eliam kon haar ogen niet geloven. Ze knipperde en keek naar de maan die lichtend aan de hemel stond. Daarna keek ze in de spiegel, die slechts gevuld was met de donkere nacht. Hoe was het mogelijk dat de maan zich niet spiegelde in zijn eigen meer, op de heiligste van alle plaatsen, tussen het riet en de waterlelies, in het midden van de zeven monolieten, waar een grote magische kracht werkzaam was?

Voor de derde keer staarde Eliam in de spiegel. Nog steeds was die slechts gevuld met nacht, geen licht.

Eliam kwam zo snel overeind dat ze struikelde en viel. Toen ze haar val probeerde te breken, kwam ze met haar handen in het water. Ze hapte naar lucht, omdat het water fris was, bijna koud, maar ook omdat ze de wet dat het water niet aangeraakt mocht worden had geschonden. Aan de oever was het ondiep, haar handen steunden op een zachte bodem. Tegelijkertijd daalde er een prettige rust op haar neer. De maanspiegel vergaf haar dat ze de heilige wet had geschonden.

Eliam kwam weer overeind en stond nog even met een gefronst voorhoofd in de spiegel te kijken. Daarna keek ze naar de bijna

witte maan, waar geen sterren omheen te zien waren. Toen draaide Eliam zich om en rende weg van de maanspiegel, ze rende de cirkel van monolieten uit, de vlakte over naar de tempel die in de schaduw van de hoge bergen onder de sterren lag.
Toen ze daar aankwam, was Eliam buiten adem. Ze stopte bij de eerste traptrede om uit te hijgen. Toen liep ze waardig de acht treden op; een voor elk uur dat de maan schijnt, de laatste voor de nacht zelf. Binnen in de tempel was het koel en fris. De dauw had een dun laagje op de stenen pilaren gevormd. Ze voelde de koele vloer onder de dunne zolen van haar sandalen.
In de grote tempelhal kwam een gestalte te voorschijn die haar staande hield. Eliam schrok, want ze kon niet zien wie het was.
'Wat is er met jou aan de hand?' zei de stem van Lyga. 'Moet jij niet bij de maanspiegel zijn?'
Eliam sloeg haar handen voor haar gezicht, zo wanhopig was ze. Lyga was haar beste vriendin en Eliam had haar niet herkend. Ze wist dat Lyga vannacht tempeldienst had, maar ze was het vergeten.
'Je moet me naar Alia brengen,' smeekte ze.
'Nu?' vroeg Lyga verbaasd. 'Naar Alia?'
'Ja, alsjeblieft, het is dringend...'
Even voelde Eliam dat hun vriendschap niet bestond.
'Ik moet met de hogepriesteres van de maanspiegel praten.'
Lyga keek haar lang aan voor ze zich omdraaide en de tempel binnenging. Eliam liep achter haar aan. Ze was pas een paar keer in het binnenste van de tempel geweest. De novices van de maanspiegel besteedden hun tijd aan de maantekens buiten de tempel, zoals in het gras en de planten, de wolken en de bergen. De novices van de tempeldienst leerden de maantekens binnen, in het licht dat door de spleten in het plafond wordt gefilterd en door de openingen en de grote kijkgaten naar beneden valt op de vloer met zijn ruiten, strepen en cirkels.

Lyga had Eliam niet gevraagd te wachten, dus ze had waarschijnlijk begrepen dat Eliam een belangrijke boodschap had. Ze liepen door de donkere gangen vol schaduwen, waar ook een merkwaardig zilverig licht hing. Af en toe maakte de gang een bocht naar een open ruimte onder de blote hemel, om dan aan de overkant van die ruimte weer verder te gaan.
Eindelijk bleef Lyga staan en ze fluisterde iets tegen een gestalte die in het donker voor een deur stond. De gestalte verdween naar binnen en kwam algauw weer naar buiten. Lyga deed een stap opzij en Eliam ging naar binnen. Ze bleef staan bij de deur, die achter haar werd gesloten. Het was een grote ruimte. Een van de wanden naar buiten, naar de nacht, ontbrak. Het donker en het maanlicht vormden een dansend patroon op de vloer. Het was eigenlijk moeilijk te zien waar de vloer was. Een heel eind van de open bogen waardoorheen je de nacht buiten kon zien, stond een tafel waarop zwak het licht van een lantaarn scheen.
Eliam zag niemand daarbinnen, maar uit het donker klonk een stem: 'Kom dichterbij Eliam, je had iets belangrijks te vertellen?'
Eliam richtte haar blik op het donker achter de lantaarn. Daar kon ze twee gestalten onderscheiden die over boeken en papieren gebogen zaten. De stem die ze had gehoord was van Alia, de hogepriesteres van de maanspiegel.
Toen Eliam aarzelde, hoorde ze een warme, donkere stem: 'Kom Eliam, vertel Alia maar wat er aan de hand is.'
Dat was Olim, de hogepriester van de halvemaantempel van de mannen. Eliam was verbaasd dat hij zo gebiedend sprak, want hij was ondergeschikt aan Alia in de maangemeenschap.
Eliam deed een paar onzekere stappen naar voren. Ze voelde zich een beetje duizelig door het glanzende maanlicht aan de hemel en het vage gevoel dat ze niet precies wist waar de grond onder haar voeten was, want het glinsterde en schitterde in de stofdeeltjes en de steentjes van het mozaïek.

Eliam bleef staan en zonder te wachten tot ze haar iets vroegen, begon ze te vertellen. Ze vertelde wat ze had gezien en wat ze niet had gezien bij het meertje.
De twee gestalten achter de lantaarn zwegen. Eliam durfde niet op te kijken om te zien hoe ze reageerden. Ze wist maar al te goed dat ze haar post als nachtwaakster bij de maanspiegel had verlaten. Ze was bang dat ze gestraft zou worden.
Het was stil achter de lantaarn. Eindelijk klonk Alia's stem:
'Ik hoop dat je het verkeerd hebt gezien, dat je niet goed genoeg in de maanspiegel hebt gekeken. Je bent immers nog novice en je kent nog niet alle wetten. Bovendien is het toch ook je eerste wacht alleen?'
Plotseling stond Alia links naast haar en Olim aan de andere kant.
'Kom,' zei Alia, 'je moet ons wijzen waar je was toen je zag dat de maan niet in de spiegel scheen.'
Het drietal haastte zich door de tempel de trap af, de lichte nacht in; het donker was geweken voor het zilveren licht van de maan. Geen van hen zei iets, maar Eliam voelde zich onwerkelijk terwijl ze de twee anderen meevoerde naar de maanspiegel. Normaal gesproken liepen novices achter de hogepriesteres en ze had nog nooit meegemaakt dat de hogepriester van de halvemaantempel erbij was. Daardoor leek alles veel belangrijker dan ze eerst had gedacht.
Toen ze in de buurt van het meertje kwamen, werd Eliam onzeker. Ze was bang dat ze het verkeerd had gezien en ze ging langzamer lopen. Alia en Olim haalden haar in en liepen verder naar de maanspiegel. Ze zag hoe ze het meertje naderden, hoe ze een nederige buiging maakten voor de monolieten en de maan. Toen gingen ze op hun knieën zitten en bogen zich voorzichtig over het stille, donkere wateroppervlak.
Eliam zag hoe ze allebei schrokken, overeind kwamen, zich weer voorover bogen, omhoog staarden naar de maan die op weg was

naar de volgende monoliet en daarna weer in het water keken. Eliam wist dat ze hetzelfde zagen dat zij had gezien: een maanspiegel zonder maan.
Alia was de eerste die opstond en ze draaide zich om naar Eliam. Ze zei niets totdat Olim naast haar stond.
'Wij kunnen de maan ook niet zien,' zei Alia somber, 'er is niets mis met jouw ogen.'
'Maar... hoe...?' zei Eliam, ook al wist ze dat ze niets hoorde te vragen.
Olim antwoordde: 'Iedereen buiten de halvemaantempel zegt dat de maan zijn licht van de zon krijgt. Dat klopt ook. Maar daarnaast heeft de maan zijn eigen licht. Het is zwak, maar je kunt het duidelijk zien als je weet waar je moet kijken. Het licht van de zon wordt versterkt door het eigen licht van de maan.'
Alia viel in en ze ging verder: 'Als de maan niet zijn eigen licht had, zou het zonlicht zich niet in de maan kunnen weerspiegelen, en dan zou hij voor de meeste mensen 's nachts donker zijn.'
Ze zweeg. Eliam wachtte, maar toen niemand iets zei, slikte ze moeizaam en vroeg: 'Wat betekent het dat de maan niet weerspiegelt in het meertje?'
Alia antwoordde: 'Dat betekent dat er iets vreselijks aan de hand is.'
'De maanspiegel laat het eigen licht van de maan zien,' zei Olim. 'Dat is er nu niet.'
Alia ging verder: 'En dat betekent dat de maan aan het uitdoven is...'
Dat was zo verschrikkelijk om te horen dat Eliam alleen nog maar kon fluisteren: 'Maar waarom?'
'Dat weten we niet,' zei Alia, 'maar ergens is er iets niet in balans.'
'Is er iets dat wij kunnen doen?' fluisterde Eliam.
'Ja, de kracht van het eigen licht van de maan *moet* hersteld worden. Als dat lukt...' zei Alia.

Ze deed een stap naar Eliam toe, pakte haar handen en zei: 'Eliam, je moet dit voor je houden. We hebben zeven etmalen om het licht van de maan weer te ontsteken, zo staat het in de geschriften van de halvemaantempel. Maar ik weet niet of dat genoeg is.'
Olim kwam ook naar haar toe. 'Eliam,' zei hij, 'jij moet een van de uitverkorenen zijn, want jij hebt dit ontdekt. Je moet absoluut zwijgen over wat je hebt gezien, want er is geen enkele reden om angst rond te spreiden voordat we hebben gedaan wat we kunnen om de zaken weer recht te zetten.'
Eliam knikte, ze kon niet praten.
Alia zei: 'De maan. Zonder de maan is er geen leven voor de aarde en de mensen. De kracht van de maan is groter dan de meeste mensen denken. De maan is sterker dan de zon. Maar daar ben jij nog niet aan toe, pas tijdens de herfstmaan zul jij horen over het leven van de maan. Als we tenminste op tijd kunnen ingrijpen...'

Nikolaj Sverd zat op zijn kamer. Hij was alleen in het grote huis, zoals bijna altijd 's middags en vroeg in de avond. Voor hem lag een kladblok. *Vertel over een klein ongelukje dat had kunnen uitgroeien tot een ramp.* Die kop stond daar nou al bijna een uur. Precies zo lang als hij daar zat. Het grootste deel van de tijd had hij naar de tuin zitten staren.

Het werd donker. De hemel was donkerblauw. De sterren schenen boven de appelbomen. De maan was nog niet te zien. Nikolaj beet op zijn potlood en kreeg een splinter in zijn lip. Hij zuchtte en keek naar de kop. *Vertel...* Hij had helemaal geen zin om te vertellen.

De stilte in het huis suisde door het donker. Die stilte kon zo gemakkelijk veranderen in geluiden: sluipende poten, schuifelende voetstappen, dreigende gevaren, rampen... Eigenlijk was hij niet bang. Toen hij nog klein was, was hij vaak bang geweest. Zijn ouders hadden gezegd dat er niets was om bang voor te zijn. Alle geluiden hadden een natuurlijke verklaring. Hij was gewoon veel te gevoelig. Nu was hij twaalf en kon hij de angst op een afstandje houden. Toch was er weinig voor nodig of hij hoorde weer geschuifel op de trap en sluipende stappen achter de deur.

Ik ben niet bang, zei hij zachtjes tegen zichzelf, maar hij keek wel over zijn schouder. Hij miste geluiden uit de keuken, of stemmen uit de studeerkamer van zijn vader. In het hele huis ontbraken geluiden. Af en toe ging er een zacht gekraak door een van de kamers heen, maar dat klonk als eenzame zuchten.

Nikolaj zuchtte ook en hij keek weer de tuin in. De sterren boven de appelbomen waren gedoofd in het licht van de maan die plotseling tussen de takken hing. De maan was mooi. Dat was hij altijd geweest. Als klein kind al was hij 's nachts wakker geworden als het volle maan was. Hij ging dan voor het raam zitten om te kijken naar het licht dat zich door de takken van de appelboom had gevlochten.
Hij zuchtte weer en keek naar zijn kladblok. *Vertel over...* Nee, hij wilde helemaal nergens over vertellen. Hij wilde weg, naar buiten, alles achter zich laten. Maar hij sloeg z'n kladblok niet dicht, hij liet zijn potlood niet los, hij stond niet op, ging de kamer niet uit. Hij bleef zitten staren naar de maan, die zich langzaam losmaakte van de takken die hem vasthielden.

Florinda Olsen liep rustig heen en weer door haar flat. Ze had geen licht aangedaan. De flat was halfdonker. Buiten glansde de nachthemel koud en blauw boven de daken van de huizen en de kastanjebomen stonden langs de stoep te bibberen. Ze hield van de schemering. Het was prettig om dan heen en weer te lopen en na te denken over haar lange leven.
Ze was negentig en ze wist dat ze honderd zou worden. Ze was niet bang voor de dood, maar ze hield zo ontzettend veel van het leven. De laatste tijd gingen haar gedachten steeds vaker terug naar haar thuis in Rusland, op de grasheuvel tussen de berken aan de oever van het Ladogameer, niet ver van Nazija. Haar gedachten waren heel helder en ze herinnerde zich gebeurtenissen waarvan ze dacht dat ze voorgoed verdwenen waren. Sterke gevoelens gingen door haar heen terwijl de beelden in haar hart en gedachten opdoken en weer weggleden.
Ze wilde zich zoveel mogelijk herinneren van haar jeugd in Rusland. Tijdens de revolutie had de liefde haar van haar vaderland weggevoerd naar Noorwegen. Ze had er geen spijt van. Ze miste

Rusland en ze miste Arthur Olsen, die veel te vroeg van haar was heengegaan.
'Ik ga even een ommetje maken,' had hij op een avond in januari, bijna zestig jaar geleden, gezegd en hij was nooit teruggekomen. Iemand had hem gevonden in het Frognerpark. Zijn hart had het plotseling begeven. Florinda had ervoor gekozen om in Noorwegen te blijven met haar dochter en de herinneringen aan haar man.
Ze voelde zich onrustig vanavond, ze wist niet waarom. Ze merkte dat ze sneller liep dan anders. Toen ze stilstond bij het raam en keek of de maan boven het schuine dak aan de overkant van de straat uitkwam, moest ze meteen verder lopen, want de maan liet zich niet zien.
Er zit me iets dwars, dacht ze, maar ik heb geen idee wat het is. Even was ze vol verwachting; ze hoopte dat het haar dochter was die met haar in contact probeerde te komen. Florinda had Idun niet gezien sinds ze op haar dertigste Noorwegen, haar man en haar zoon had verlaten om terug te keren naar een land dat ze nog nooit had gezien, maar dat ze altijd 'thuis' noemde.
Florinda wist dat ze haar toen niet had kunnen tegenhouden. Ze wist ook dat haar dochter misschien nooit zou terugkomen, ook al had ze dat beloofd. Ze had nooit geschreven, nooit gebeld, nooit iemand de groeten laten overbrengen. Toch voelde Florinda dat haar dochter dichtbij haar was. Ze werd 's nachts wel eens wakker omdat iemand over haar wang had geaaid of iets tegen haar had gefluisterd. Dat kon haar moeder of haar dochter zijn. Ze wilde graag dat het Idun was.
Florinda zuchtte en bleef weer bij het raam staan. Daar kwam eindelijk de maan op boven het dak. Ze wachtte tot hij over de nok van het dak was gerold en zich haastig had vrijgemaakt om weer naar de hemel te klimmen. Ze hield ontzettend veel van maannachten. Ze hoorde haar moeder nog lachen toen ze dat

had gezegd. 'Er is nog zoveel dat je niet weet van de maan,' had haar moeder gezegd.
Zonder een hand op te tillen had ze een glas verplaatst over de tafel die in het maanlicht stond. Toen het glas stopte bij de rand van de tafel, was ze nat van het zweet. Florinda had het prachtig gevonden.
'Dat is de maan,' had haar moeder gezegd, 'op een dag zul jij dat ook kunnen.'
Maar het was haar tot nu toe nog niet gelukt.
'Wij komen uit een geslacht van gedaanteverwisselaars,' had haar moeder gezegd, maar Florinda had niet begrepen wat dat betekende.
De maan was bijna uit haar raam verdwenen. Het enige nadeel van de mooie, grote flat aan de Bygdøy Allé was dat de maan maar zo kort te zien was in de vensterruiten.
Ze moest doorlopen; ze kon niet stil blijven staan en ze liep verder. Ineens stootten haar gedachten op Nikolaj, haar achterkleinzoon. Haar onrust werd meteen veel sterker. Ze rilde, want een dergelijk gevoel voorspelde meestal gevaar.

Maxim Sverd zat in het vliegtuig naar Johannesburg. Het was die avond opgestegen uit Frankfurt. De maan kwam groot en wit op in het vliegtuigraampje. Hij hield er niet van en keek de andere kant op. Hij was onrustig. Eigenlijk was daar geen reden voor, maar toch was het zo. Zijn zaak liep goed. Hij importeerde kunstvoorwerpen uit Afrikaanse landen, vooral uit Kenia, Tanzania en Zambia. Hij had succes met zijn ideeën. Afrikaanse volkskunst deed het erg goed in zijn land.
Nairobi was het knooppunt voor zijn zaken. Als hij daar was, maakte hij altijd een uitstapje naar Johannesburg. Iedere keer dat hij door de paspoortcontrole in Oslo liep, werd hij zenuwachtig. Stel je voor dat iemand vervelende vragen zou stellen waar hij

geen antwoord op kon geven. Als hij in de buurt van de paspoortcontrole kwam, wenste hij dat hij koelbloediger was dan hij eigenlijk was.
De stem van Gus van Daan was zo hard als diamant geweest toen hij een paar dagen geleden belde. Dat was geen goed teken en Maxim had gedacht dat hij iets verkeerds had gedaan. Die gedachte irriteerde hem verschrikkelijk. Hij was altijd bang dat het zíjn schuld was als er iets fout ging. Hij dacht aan zijn moeder, die hem had verlaten voordat hij zelfs maar de kans had gekregen om zich haar te herinneren. Hij wilde niet aan zijn moeder denken, maar ze dook overal op; in zijn dromen, als hij wakker was en als hij er het minst op bedacht was. Hij miste haar nog steeds en hij was razend op haar.
Maxim praatte nooit over Idun. Hij vond het moeilijk om haar naam uit te spreken en hij nam zijn grootmoeder kwalijk dat zij zijn moeder niet had tegengehouden toen ze weg was gegaan. Hij voelde ook een vreselijke woede ten opzichte van zijn grootmoeder, die hem niet bij haar had laten opgroeien. Haatte hij ze allebei? Ja. Nee.
Hij probeerde te doen alsof er niets aan de hand was. Maxim Sverd wilde graag alles onder controle hebben, sterk lijken en moedig zijn. Hij was blij met zijn achternaam, ook al was zijn vader er nooit voor hem geweest. Toen Idun naar Rusland was vertrokken, was hij de wijde wereld in verdwenen zonder een spoor achter te laten.
Ik herinner me mijn vader ook niet meer, dacht Maxim. Zijn grootmoeder had hem een foto gegeven van een statige, ernstige man die bij een boom in herfstkleuren stond. Dat was zijn vader. Toch vond hij dat zijn achternaam hem extra kracht gaf; die was scherp, helder, sterk en gevaarlijk als een zwaard. Maar hij wilde dat hij zijn ouders niet zo miste en dat hij geen last had van de verlangens en sombere gevoelens die hij vaak kreeg als het volle

maan was. Hij moest thuis wel opstaan om de maan boven de tuin te zien, of hij wilde of niet.
Je bent een sukkel, zei hij tegen zichzelf, en je zult ook nooit wat anders worden. Je zult nooit met de grote jongens mee kunnen doen. Je zult altijd als laatste bij de eindstreep zijn en je zult altijd als eerste gevonden worden, en nu heeft Gus van Daan je iets vervelends te vertellen.
Maxim bestelde een whisky. Hij dacht niet aan zijn vrouw. Hij dacht niet aan Nikolaj. Zijn zoon was maar zelden in zijn gedachten, en als hij daar plotseling opdook, voelde Maxim een pijn waar hij altijd even duizelig van werd. Hij dronk het glas leeg en bestelde dit keer een dubbele.

Lydia Sverd liep vastberaden over het trottoir. Haar hoge hakken tikten op het plaveisel. Haar strakke rok knelde onder haar knieën als ze te grote stappen nam en haar jas van lynxbont nestelde zich warm rond haar lijf. Ze wist dat ze er goed uitzag en dat veel mensen zich naar haar omdraaiden. Ze gooide haar hoofd naar achteren, want ze wist dat haar rode haar een gloed kreeg in het schemerlicht.
Toch huiverde ze. Dat deed ze de hele dag al. Ze had zichzelf erop betrapt dat ze uit het raam zat te kijken en luisterde of ze de telefoon of de deurbel hoorde, alsof ze iemand verwachtte. Maar ze wist niet wie of wat dat zou moeten zijn.
Ze vond het leuk om door de Karl Johansstraat te lopen. Ze vond het leuk om een beetje arrogant over te komen, alsof de mensen die ze tegenkwam haar niet interesseerden. Toch ving ze de reacties van de meesten op en ze was tevreden met wat ze zag. Want zij vonden het mooi wat ze zagen. Zij was mooi.
Ze ging rechtsaf de Dronningensstraat in. Ze had haast. Het zou laat worden die avond. Ineens bedacht ze zich dat ze geen briefje voor Nikolaj had neergelegd en ze had ook geen eten voor hem

uit de vriezer gehaald. Ze beet even op haar lip, maar tegelijkertijd wist ze dat hij zelf wel wat zou pakken.
Maxim was veilig op weg naar Johannesburg. Dat kwam haar nu heel goed uit. Ze wist best dat Maxim diamanten smokkelde. Dat had hij zelf verteld. En nu had Harry Lim haar verteld dat Maxim daarnaast ook diamanten smokkelde waar zij of de chef niets vanaf wisten. De chef was de onbekende koper, had Maxim haar verteld.
Ze ging het hek van Dronningensstraat 4B door, bleef even staan, keek rond, luisterde, maar er was niemand te zien, niets te horen. Toen deed ze met haar sleutel een solide houten deur open, liep langs de lift en ging stil en vlug de trap op. Ze bleef staan voor een deur op de derde verdieping. *Kirsten Vik, consulente*, stond er op het naambordje. Vlug maakte ze de deur open, liep naar binnen en deed de gordijnen dicht, voordat ze de lamp op het bureau aanknipte.
Het vertrek was klein en er stonden weinig meubels. Een bureau met een draaistoel erachter, en nog twee bezoekersstoelen ervoor. Verder een kleine archiefkast en een typemachine. Er lag geen velletje papier op het bureau. Ze deed haar jas van lynxbont uit, ging achter het bureau zitten, begon met haar vingertoppen tegen elkaar te trommelen, wierp vlug een blik op de klok en ging door met trommelen.
Er klonk zacht geschuifel op de gang. Ze ging rechtop zitten, luisterde. Er werd drie keer kort op de deur geklopt.
'Kom binnen,' zei ze zacht, maar het was hard genoeg, want de deur ging open en er kwam een man in een overjas met een ceintuur om zijn middel het vertrek binnen. Geruisloos deed hij de deur achter zich dicht voor hij zich omdraaide en naar Lydia lachte. Zijn zwarte haar was glad achterover gekamd en het glom in het licht van de bureaulamp. Zijn tanden glansden wit, zijn gezicht was gebruind, alsof hij in de zomerzon had gezeten, hoewel het oktober was. Zijn pikzwarte ogen lagen diep.

'Je bent laat, Harry,' zei ze koeltjes.
'Maar niet te laat,' zei hij, 'Harry Lim komt altijd op tijd.'
'Ga zitten,' zei Lydia. 'We moeten meteen aan de slag. Mijn man is over vier dagen terug, en dan moeten wij alles weten. Ik wil niet dat hij in de gaten krijgt dat ik hem door heb, dus we moeten zo voorzichtig mogelijk zijn.'
'Hij zal er niets van merken,' zei Harry Lim rustig. 'Je weet nog niet half hoe goed ik ben. Maar...'
'Maar wat?'
'Ik word natuurlijk beter als ik beter betaald krijg.'
Lydia zuchtte.
'Je krijgt je vijftig procent. We doen fifty-fifty. Niet meer en niet minder. Daar zou je tevreden mee moeten zijn.'
'Daar ben ik zeker tevreden mee,' zei hij, 'maar ik geloof niet dat jij hebt nagedacht over de gevaren die hierbij komen kijken. Als je daar over nadenkt, zou er misschien een financieel extraatje bij moeten. We handelen niet alleen achter jouw mans rug om; wat wij doen zal invloed hebben op dingen die ver buiten hem om gaan. Hij wordt scherp in de gaten gehouden, want er zijn veel mensen bij zijn zaken betrokken. Als die ontdekken wat jij doet, ja, dan kan je beter je tas pakken en met onbekende bestemming vertrekken. En vergeet je zoon niet...'
'Laat hem hierbuiten,' onderbrak Lydia hem scherp terwijl ze zich over de tafel boog. Haar mond was een dreigende rode streep en haar ogen waren klaar om te vuren.
Harry Lim deinsde verschrikt achteruit.
Ze zaten een poosje zwijgend naar elkaar te kijken.
'Kunnen we dan nu beginnen?' vroeg Lydia zacht.
'Ja, we kunnen beginnen,' zei Harry Lim nog zachter.

Er waren twee mannen in de tent. De ene zat op een geitenvel. Zijn handen waren achter op zijn rug gebonden, en zijn enkels waren stevig aan elkaar vastgesnoerd. Zijn naakte bovenlijf kreeg een gouden gloed door het schijnsel dat de vlammen van het kleine vuur op hem wierpen. Zijn hoofd was kaalgeschoren. Zijn ogen waren smalle streepjes. Zijn wimpers lagen als een ondoordringbare waaier over dat wat er van de pupillen te zien was. In zijn ene oorlel hing een halve maan van goud. Een van zijn broekspijpen was van zijn enkel tot zijn kruis gescheurd. Op zijn been zat een lange rode wond die niet meer bloedde. Langs de wond lag een zwarte streep opgedroogd bloed. Zijn broek was wit geweest, nu zat hij vol bloed- en moddervlekken.

Aan de andere kant van het vuur zat een man in een stoel met een hoge rugleuning. Hij zat met zijn benen over elkaar en zijn ene voet wipte zachtjes op en neer. Het vuur weerspiegelde in een lakschoen. Hij had een soepel katoenen pak van een donkere kleur aan. Zijn witte overhemd stond open bij zijn hals. Een gouden ketting rustte zwaar op een blanke, maar door de zon gebruinde huid. Aan zijn polsen glinsterde iets wit met groens. Dat waren zijn diamanten manchetknopen die elke keer dat de man zijn handen bewoog, schitterden in het donker. Een blonde lok haar werd bijna verborgen door een witte hoed, waarvan de rand een schaduw wierp tot aan zijn mond. Hij had geen baard of snor.

Het was warm in de tent, maar de man in de hoge stoel leek koel en ontspannen. Naast de stoel met de hoge rugleuning stond een

uitgesneden tafeltje van cederhout. Op het tafelblad stond een geslepen karaf met wijn zo donker rood dat hij wel zwart leek. De man pakte een hoog wijnglas met een elegant gedraaide voet en nipte voorzichtig aan de rode vloeistof. Hij smakte bijna onhoorbaar toen hij het glas weer neerzette en hij pakte met zijn duim en wijsvinger een tros druiven op. Een wit met groene vonkenregen volgde de boog die zijn hand naar zijn mond beschreef. Hij boog zijn hoofd een beetje naar achteren en hapte met zijn lippen een paar druiven van de tros af.
'Dit zijn uitstekende druiven,' zei hij in bijna foutloos Engels, 'sappig en precies rijp genoeg.'
De gevangene zei niets, maar hij slikte moeilijk toen de ander voorzichtig de druiven van de zware, vochtige blauwe tros afhapte. De ander merkte het waarschijnlijk, want zijn hand bleef stilhangen op zijn weg terug naar de schaal. De tros druiven hing tussen hem en de gevangene in.
'Ik weet zeker dat wij het eens zullen worden,' zei hij met een milde, bijna vriendelijke stem.
Toen liet hij de tros druiven op de witte albasten schaal vallen.
Buiten de tent huilde de wind zachtjes over de vlakte. Geiten mekkerden onrustig. Honden blaften waarschuwend. Ver weg klonk een langgerekt gehuil.
'Het wordt waarschijnlijk een wolvennacht,' zei de blonde man die zijn hoofd schuin hield. 'Maar daar ben jij zeker niet bang voor?'
Hij pakte zijn wijnglas weer op.
'Heb je dorst?' vroeg hij terwijl hij zich een beetje voorover boog naar het vuur. 'Ik zie dat je lippen beginnen te barsten. Je hebt vast een droge keel en je tong begint tegen je gehemelte te schuren. Het spijt me werkelijk dat ik zo ben opgehouden. Er gebeurden een paar onvoorziene dingen... Maar,' hij glimlachte breed, 'het voornaamste is dat ik er ben, en dat jij hier bent. Vervelend dat je dorst moet lijden.'

Hij nipte een paar keer aan zijn glas.
'Eigenlijk is het maar goed dat ik zo laat ben gekomen, want nu wil je vast wel praten.'
'Wie ben jij?' vroeg de gevangene hees. 'Wat wil je van me?'
'Tja,' zei de ander, 'de eerste vraag is niet belangrijk en op de tweede krijg je zo dadelijk antwoord. Ik wil iets van jou weten en hoe sneller je mij dat vertelt, hoe eerder je dorst gelest zal worden en hoe eerder je hier weg mag.'
'Ze missen mij vast al in de tempel,' fluisterde de gevangene.
Een zacht gelach vulde de tent. 'Ongelooflijk dat je nog zo'n onschuld kunt tegenkomen,' zei de vreemdeling, 'ik zou bijna gaan geloven dat er nog hoop is voor de wereld. Maar ik moet je toch teleurstellen. Je hebt geen idee hoezeer een financiële schenking ervoor kan zorgen dat zelfs een tempel vergeet.'
De gevangene schrok op en boog zijn hoofd toen weer naar voren.
'Wat wil je?' vroeg hij.
'Dat had je zo langzamerhand wel kunnen raden. Ik wil dat je mij alles vertelt over de maanstenen, die in deze tijd de juwelen van de tsaar genoemd worden.'
'Ik weet niets.'
'Ik weet dat je bijna alles weet.'
'Ik weet niet waar ze zijn.'
'Maar je kunt mij vast en zeker wel op het spoor brengen.'
'Niets zal mij aan het praten krijgen. Ik sterf nog liever.'
De vreemdeling zuchtte droevig. 'Zo praat een held,' zei hij, 'maar nu zullen we horen wat een mens zegt.'
Hij klapte in zijn handen. De dierenhuid die de ingang afsloot, werd opzij getrokken. Een klein figuurtje werd ruw naar binnen geschoven. Ze struikelde en bleef op haar knieën liggen met haar gezicht naar de gebonden man toe.
'Dai-Chi,' riep ze vertwijfeld.

De gevangene tilde verschrikt zijn hoofd op. Zijn ogen gingen open en hij staarde ongelovig naar het meisje dat op haar knieën voor hem lag. Ze strekte haar hand uit en voelde aan het touw rond zijn enkels.
'Wat gebeurt er toch?' jammerde ze zachtjes, 'moet je je been eens zien...'
'Lai Su,' fluisterde hij. De spieren in zijn armen en bovenlijf spanden zich, het zweet brak hem uit, maar hij kwam niet los.
De vreemdeling knikte naar de man die bij de ingang van de tent wachtte. Die trok het meisje weer op en sleurde haar mee naar buiten. Ze snikte met lange uithalen. De huid sloot de ingang weer af.
'Ik zag dat je je nichtje herkende.'
'Stuk slangengebroed.'
'Ik moet je helaas teleurstellen. Ik ben een mens, net als jij. Op het ogenblik heb ik meer macht dat jij, en die gebruik ik om iets te krijgen wat ik nodig heb.'
'Wie ben je?' vroeg de gevangene weer.
'Het is beter dat je dat niet weet,' antwoordde de vreemdeling.
De gevangene zweeg een poosje voor hij zei: 'Ik zal praten.'
'Ik wacht,' zei de vreemdeling en nadat hij nog wat donkerrode wijn had ingeschonken en het halve glas in één teug had geleegd, leunde hij gemakkelijk achterover in de stoel.
'Geef me eerst wat te drinken.'
'O, nee,' zei de blonde man terwijl hij zijn wijsvinger afwijzend heen en weer schudde. 'Dat is een truc waar ik niet intrap. Je krijgt pas te drinken als je bent begonnen en ik het gevoel heb dat je me niet probeert te belazeren.'
'Zorg er dan tenminste voor dat ik de maan kan zien,' fluisterde de gevangene.
'Er wordt geen enkel verzoek ingewilligd voor je begint te vertellen.'

De gevangene tilde zijn hoofd op en ontmoette de blik van de blonde man. 'Aangezien je van het bestaan van de maanstenen op de hoogte bent en je erachter bent gekomen dat ik er misschien wat vanaf weet, had ik eigenlijk gedacht dat je je ook wel bewust was van de magische kracht van de juwelen; je zou moeten weten dat ik zonder de maan niet kan vertellen wat jij wilt horen.'
De vreemdeling sloeg zijn blik neer en zonder een woord te zeggen stond hij op. Hij haalde een sabel uit een kist die in het donker stond. Besluiteloos keek hij rond.
'Waar staat de maan nu?' vroeg hij.
'De maan staat aan de hemel recht achter je stoel. Jouw gezicht zal in de schaduw zijn, maar mijn gezicht zal de maan aankijken.'
De vreemdeling liep terug naar de hoge stoel en met zijn rug naar de gevangene toe hief hij de sabel omhoog. Met twee vlugge slagen viel een grote flap geitenvel van het schuine dak naar beneden. In de opening rustte de maan.
De vreemdeling ging weer zitten en legde de sabel naast zich neer. De gevangene hief zijn gezicht op naar de maan. Even zat hij heel stil, de vreemdeling kon hem niet eens zien ademen. Toen begon hij te neuriën. Het waren klanken die de blonde man nog nooit eerder had gehoord. Hij zou het niet direct muziek willen noemen. Het deed nog het meest denken aan het ruisen van de wind door het riet langs een klein meertje bij een maanverlichte nacht. De gevangene zweeg. Het was stil in de tent. Je kon de wind niet langer horen. De geiten waren rustig geworden. De honden waren stil. Geen wolf huilde meer naar de maan.
'Het eerste juweel is een parel, dat is toch zo?' zei de blonde man. 'Dat heb ik tenminste gehoord. Maar sommigen zeggen dat het eerste juweel afkomstig is uit de...'
'Wacht,' zei de gevangene, en de vreemdeling zweeg.
'Ik krijg de indruk dat je de verhalen al kent. Waarom moet ik ze dan vertellen?'

'Ik heb gehoord dat er meerdere versies van bestaan, en blijkbaar weet niemand meer hoe de oorspronkelijke verhalen luiden,' zei de vreemdeling en hij pauzeerde even terwijl hij naar de ander keek. Toen deze geen aanstalten maakte om iets te zeggen, ging hij verder: 'Ik weet dat jij de oorspronkelijke verhalen kent, en die wil ik hebben. Want daarin ligt het antwoord op de vraag waar de maanstenen nu zijn. Ik heb gehoord dat het eerste juweel een parel is...'

'Ja, het eerste is een parel,' zei de gevangene. Zijn stem was krachtiger geworden. Hij staarde naar de maan en zijn woorden stegen met een bijna zangerige klank op naar de opening in de tent. 'Het eerste is een parel, maar het kan ook het laatste zijn. De volgorde is belangrijk, maar je kunt niet zien of je de juiste volgorde hebt gevonden voor ze er alle zeven zijn. Maar je moet ergens beginnen en het eerste juweel is een parel. Hij komt uit het paradijs, toen Adam en Eva daaruit werden verdreven. Het was een geschenk van de slang... en nu zul jij de verhalen uit mij wringen, zodat ik mijn nichtje kan redden... Vergeef mij, o maan, jij die de nacht vult met licht en de mens met dromen. Ik ben maar een mens, meer kan ik niet zijn en voor mij is een mens meer waard dan verhalen...'

'Ik wacht,' zei de vreemdeling zacht en hij schonk nog wat fonkelende wijn in.

Nikolaj schrok wakker doordat iemand zijn naam riep. Verward tilde hij zijn hoofd op van zijn bureau. Hij keek uit het raam. De kronkelige takken van de appelbomen staken nachtzwart af tegen de lichtende, witte hemel. Hij kon de maan niet langer zien, maar die verjoeg nog steeds met zijn schijnsel de donkerblauwe kleur van de hemel. Op straat reed een auto langs. De lichten streken vluchtig langs de appelbomen. Nikolaj hoorde het geluid van de motor niet.
Hij luisterde naar het huis. Iemand had hem geroepen. Hij hoorde de woorden nog in zijn hoofd: *Nikolaj, je moet helpen...*, de stem had nog iets gezegd, maar dat kon hij zich niet meer herinneren.
Het huis was stil. De wekker stond op kwart over twee. Hij had honger, dus hij stond op om naar de keuken te gaan. Verbaasd bleef hij in de deuropening staan. De grote hal die twee verdiepingen hoog was, was donker. Zelfs de twee lampen bovenaan de trap waren niet aan. Het kon zijn dat zijn moeder dat vergeten was, maar toch, ze was het nog nooit eerder vergeten. Voorzichtig liep hij naar haar kamer. De deur stond op een kier. Zachtjes duwde hij hem open. Het bed was leeg.
Nikolaj werd niet bang, maar het verwonderde hem wel. Wat raar dat ze niet was thuisgekomen, wat raar dat ze geen briefje had neergelegd of had gebeld. Wat raar dat...
Hij liep de trap af en deed het licht in de hal aan. De grote kroonluchter verspreidde een zacht schijnsel in het donker. Het grote

dakraam veranderde in een donker vlak en hij kon nu niet meer zien dat de maan buiten scheen.
Pas toen hij een grote hap van zijn boterham met cervelaat nam, werd hij bang. *Stel je voor dat er iets met mamma is gebeurd*; hij moest de hap uitspugen, hij kon hem niet doorslikken. Zijn benen trilden toen hij de trap weer op liep. Met zijn bureaulamp aan ging hij op zijn bed liggen wachten. Wat kon hij anders doen? Nikolaj voelde dat er iets niet klopte.

Florinda Olsen raakte haar onrust niet kwijt. Ze dronk twee koppen thee voordat ze naar bed ging en dat was er een meer dan anders. Ze lag in bed en kon niet slapen. Even na middernacht stond ze weer op, stak haar voeten in haar pantoffels en ging naar de boekenkamer. Ze deed geen licht aan. Het bleke schijnsel van een straatlantaarn viel naar binnen op het witte plafond, zodat de messingen en koperen voorwerpen tussen de boekenplanken smeulden en gloeiden.
Ze bleef staan voor de grote spiegel die van haar moeder was geweest. Florinda keek er een paar keer per dag in, maar het was en het bleef een gewone spiegel. Op een dag zul je zien wat er in de spiegel verborgen ligt, had haar moeder gezegd, maar voor Florinda was het gewoon een spiegel.
'Praat tegen me,' zei ze tegen de spiegel en ze dacht weer aan hoe haar moeder had verteld van de geheimen die in de spiegel verborgen lagen en die erop wachtten om opnieuw ontdekt te worden. Ze legde haar handen op de met houtsnijwerk versierde lijst en het leek net of ze het hout zachtjes voelde kloppen. 'Praat tegen me,' herhaalde ze.
Ze boog zich helemaal voorover naar de spiegel en ontmoette haar eigen blik. Daarbinnen zweefde een gezicht, maar ze zag dat ze het zelf was. Door het zwakke licht leken haar rimpels gladgestreken en in de spiegel hing haar grijze haar zwart en sluik over

haar schouders. Het was alsof ze zichzelf zag toen ze jong was. 'O, moeder, wat bedoelde je toen je het over de geheimen van de spiegel had? Dat heb ik nog steeds niet begrepen.'
Ze deed een stap naar achteren en het gezicht in de spiegel gleed verder weg in het donker. Achter zich zag Florinda een paar gloeiende puntjes. Dat moest de weerspiegeling van de straatlantaarns in de messingen kandelaars op tafel en de koperen schalen aan de muur zijn.
Ineens leek het alsof het donker achter haar in de spiegel zachtjes golfde. Florinda stond heel stil te kijken. Daar in de spiegel dook vaag een gezicht op, schuin boven het hare. Twee vreemde ogen ontmoetten haar blik. Florinda knipperde en de ogen in de spiegel waren weg. Toen ze zich eindelijk durfde om te draaien, was daar niemand.

Maxim Sverd was in een aanzienlijk beter humeur. Hij had Gus van Daan niets op te biechten en als er misverstanden waren gerezen, zou hij die vast wel weer recht kunnen zetten. Hij was niet meer zo bang om naar Johannesburg te gaan. Misschien lag er wel een nieuwe grote deal op hem te wachten als hij de zaak met van Daan had opgelost. Acht dubbele whisky's hadden zijn moed ook vergroot.
En als hem nog iets dwarszat, dan was het het smokkelen zelf. Tot nu toe was hij nog niet gepakt; het ergerde hem dat hij de uitdrukking *tot nu toe* gebruikte. Alsof zijn beurt nog wel zou komen.
Maxim verborg de diamanten nooit tussen de voorwerpen die hij vanuit Nairobi naar Noorwegen stuurde. Hij moest ze op zijn lichaam dragen of in zijn handbagage verstoppen. Dat stond vast voor hem. Het leek wel of hij zichzelf strafte voor het smokkelen. Hij droeg de diamanten bij zich, of vlak in de buurt, om zichzelf aan een zo groot mogelijk risico bloot te stellen.

Zijn bergplaatsen waren niet bijster origineel: in holle hakken, gecamoufleerd als knopen aan zijn jas, in het handvat van zijn attachékoffertje, in zijn wekker, in zijn haarborstel, in de schaakstukken die hij altijd bij zich had, in een donkere sherryfles... Er waren niet zoveel mogelijkheden. Maxim voelde dat hij niet genoeg fantasie had, iets dat Lydia al meerdere malen geërgerd had opgemerkt.
Deze keer had hij nog geen tijd gehad om een bergplaats voor te bereiden. Dat vatte hij op als een slecht voorteken. Misschien zou dit zijn laatste reis worden en wachtte de politie hem thuis op het vliegveld op.
Hij was van plan geweest om er een paar jaar mee door te gaan om een zo groot mogelijk geheim vermogen op te bouwen, maar... misschien moest hij deze keer geen diamanten meenemen? Maxim schrok ervan dat hij zo laf was. Hij klemde het halfvolle plastic bekertje stevig vast en plotseling had hij het stukgeknepen, zodat de whisky over het tafeltje en zijn broek liep.

Lydia Sverd hield de zaklantaarn vast terwijl Harry Lim de achterdeur opendeed.
'Waarom zo geheimzinnig?' vroeg Lydia. 'Ik heb de sleutel van mijn mans zaak. We hadden gewoon via de voordeur naar binnen kunnen gaan.'
'Het kan maar beter lijken of er ingebroken is, voor het geval uw man ontdekt dat we ergens aan hebben gezeten,' klonk het antwoord.
Lydia ergerde zich erover dat ze zoiets stoms had kunnen zeggen.
Er klonk een klik en de deur was open.
Harry Lim grinnikte zachtjes. 'Ik krijg het bijna altijd voor elkaar,' zei hij, 'ook al zijn er veel mensen die dat niet geloven.'
Lydia duwde hem opzij en ging de winkel binnen.
'Wijs me waar de geheime bergplaats is. Jij beweert wel dat mijn

man diamanten smokkelt die hij voor zichzelf verkoopt, maar ik geloof dat niet. Ik ken hem te goed, mij houdt hij niet voor de gek.'
'O, nee?' vroeg Harry Lim, en Lydia ergerde zich weer, dit keer over zijn plagerige toontje.
'Misschien doorzie jij hem meestal, maar als het om diamanten gaat, is hij hard en goed. Ik denk dat hij in dat verband iemand anders is dan jij in het dagelijks leven kent.'
Terwijl hij sprak, pakte hij de zaklantaarn uit Lydia's hand en liep door het kantoortje naar een bescheiden houten figuurtje op de kluis. Het was een uit een donkere houtsoort gesneden schildpad.
'Daarin?' vroeg ze ongelovig.
'Ja, in dit beeldje zitten ze nou,' antwoordde Harry Lim.
'Het zou in niemand opkomen om er aandacht aan te schenken. Het is slecht handwerk en vrij onopvallend. Maar het heeft een geheim. Houd de zaklantaarn even vast, wil je.'
Terwijl Lydia de lantaarn vasthield, pakte Harry Lim de schildpad op, duwde de kop van het dier omhoog en naar links en drukte op het staartstompje. Het schild deelde zich op een lijn tussen de bewerkte vlakjes en schoof uiteen. Onder de twee delen werd een holle ruimte zichtbaar. Die was leeg.
Harry Lim vloekte hardgrondig. 'Iemand is ons voor geweest! Vlak nadat hij weg was heb ik het nog gecontroleerd en toen zaten er zesendertig diamanten in de buik van de schildpad.'
Lydia keek hem aan.
'Geloof wat je wilt, maar ik weet wat ik heb gezien,' zei Harry Lim.
'Waar zijn ze nu?'
'Tja, er zijn natuurlijk meerdere mogelijkheden... hoe goed ken jij je twee broers eigenlijk?'
'Patrick en Dieter?' Lydia lachte. 'O nee, die zijn niet slim genoeg.'
Harry Lim zei niets.

‘Meen je dat serieus?’ vroeg ze geschrokken.
‘Ik weet dat jouw man veel meer diamanten smokkelt dan je denkt en dat hij een heleboel daarvan zelf verkoopt en dat hij het geld op een Zwitserse rekening zet waar jij niets vanaf weet.’
‘Maar waarom?’ barstte Lydia uit. Het ergerde haar dat ze Harry Lim haar gevoelens liet zien.
‘Tja, daar zeg je wat,’ zei Harry Lim, ‘jij weet het antwoord waarschijnlijk beter dan ik.’
Ze knikte en merkte dat haar rug koud was. Hij wil mij vast en zeker besodemieteren en in de steek laten, dacht ze.
‘Ik ga uitzoeken wat hier aan de hand is, Harry,’ zei ze hard. ‘Houd je ogen en oren open. We komen er wel achter, en we delen de winst. Doe je nog mee?’
‘Natuurlijk doe ik nog mee,’ antwoordde Harry Lim terwijl hij de zaklantaarn uitdeed.
Zachtjes liepen ze naar buiten het donker in.

De vreemdeling nipte voorzichtig van zijn wijn, bleef met het glas in zijn hand zitten, en hield zijn ogen niet van Dai-Chi af. Hij wachtte.
Dai-Chi hield zijn blik op de maan gericht zonder met zijn ogen te knipperen. Hij haalde een paar keer diep adem voordat hij eindelijk met een hese stem begon te vertellen. Het klonk bijna als gefluister. Maar de vreemdeling hoorde ieder woord duidelijk.
'Toen Adam en Eva verjaagd werden uit het paradijs, gleden er wolken voor de zon en het begon te regenen boven de hof. God stond onder een lage palmboom, beschut tegen de regen, en hij keek naar de twee die naar de uitgang liepen: "Wat een dwaasheid. Ik bied jullie hier een leven vol spel en onschuld. Eén enkel verbod geldt er voor jullie: je mag niet van de boom der kennis eten. Dat jullie nou net dat ene verbodene moesten doen, terwijl er oneindig veel andere dingen zijn die jullie wel mochten, dat begrijp ik niet. En ik begrijp ook niet hoe ik iets heb kunnen scheppen waarvan ik de gevolgen niet kon overzien. Misschien ben ik onoplettend geworden omdat ik in zeven dagen een hele wereld heb geschapen? Jullie hebben mij teleurgesteld, kinderen..." Toen draaide Adam zich om, keek God recht aan en zei: "Misschien stel jij óns wel teleur."
Hij liep verder, samen met Eva en ze hoorden Gods stem achter zich: "Wat zal er van de hof van Eden worden zonder mensen? Zij waren deel van een geheel. Ze hoorden bij het volmaakte. Het paradijs is niet langer volmaakt... Wat moet ik daarmee?"

Eva en Adam liepen naar het hoge hek van glanzend goud en klimop. Langzaam ging het hek open. Buiten was het avond en stil. Eva draaide zich vlug om. In het paradijs was het dag, voor hen wachtte het donker. Ze huiverde en ging dichter bij Adam staan.
Toen ze de poort door wilden gaan, klonk er een fluisterende stem. "Wacht, kinderen," zei de stem.
Ze draaiden zich om en zagen de slang die zich rond een tak van de boom met paradijsvruchten wikkelde.
"Ik weet niet wat jullie denken," siste de slang, "maar ik wil jullie dit zeggen: Jullie zijn een deel van Gods schepping, net als ik. God is de almachtige, dat beweert hij in elk geval zelf, en als wij zijn woorden moeten geloven, dan zijn wij allen schakels in zijn plannen. Ik *moest* Eva ertoe verleiden om de appel te nemen, en zij *moest* Adam ervan laten eten. Wij dragen geen schuld. God zelf heeft misschien niet de gevolgen overzien van alles wat hij heeft geschapen."
De slang kronkelde nog verder naar het uiteinde van de tak, zodat enkele goudkleurige vruchten in het natte gras vielen. De slangenkop zwaaide vlak voor de gezichten van Adam en Eva heen en weer.
"Ik weet niet waar jullie naartoe gaan, maar het is daar zeker anders dan in Eden. Onvruchtbaarder misschien, harder, niet zo overvloedig. Waarom zouden er anders hekken nodig zijn om het paradijs af te sluiten? Jullie mogen weg, ik moet blijven. Ik wil jullie iets geven voor het nieuwe leven dat jullie tegemoet gaan."
Hij begon harder te sissen, opende zijn bek en over zijn tong rolde en klein, glanzend kogeltje naar buiten; het was niet groter dan een kersenpit.
Eva strekte haar hand uit en de slang liet het kogeltje in haar hand vallen. Het kogeltje was doorzichtig en binnenin zat een kleine donkere kern.

"Neem dit mee," zei de slang, "het is een parel, de enige in zijn soort. Dus nu verdwijnen er drie levens uit de hof van Eden, jullie twee, Gods mensenkinderen, en de parel die in de heldere, koele beek lag, Ga nu. Ik weet niet wie van ons het hardst gestraft is."

Adam en Eva gingen de poort door en liepen naar buiten de nacht in. Het hek werd weer gesloten door twee engelen met vlammende zwaarden.

Toen het hek in het slot viel, drong Gods stem dwars door het goud en de klimop tot hen door: "Nooit zullen jullie oogsten van de boom des levens, zelfs als de angst jullie op jacht zal laten gaan naar het eeuwige leven. Van nu af aan zal het hek naar de hof van Eden worden bewaakt door engelen met vlammende zwaarden, zodat niemand het paradijs binnen kan."

De engelen dreven de twee mensen verder de nacht in. Adam en Eva durfden geen tegenstand te bieden, want de engelen waren overweldigende schepsels en de vlammende zwaarden waren angstaanjagend. Ze liepen snel verder, struikelden van een heuvel naar beneden, vielen en moesten elkaar ondersteunen. De nacht hierbuiten was donkerder en groter dan binnen in de hof van Eden.

Na een poosje waren hun ogen gewend aan de nieuwe duisternis en begonnen ze het landschap rondom zich te zien. Ze zagen gras en bomen die als pilaren naar de hemel reikten, en hoog boven de boomkruinen schitterden sterren. Ze bleven staan en keken om zich heen. De hemel was zo veel wijdser en hoger dan in Eden. Ze voelden zich klein en sloegen hun armen om elkaar heen, want alles was nieuw.

"Wat zullen we doen?" vroeg Eva.

"Waar zullen we heen gaan?" vroeg Adam.

Eva opende haar hand met de parel. Ze hield hem tussen twee vingers omhoog naar de sterrenhemel. Op dat moment werd de

maan boven een paar boomkruinen uitgetild en in het maanlicht ontbrandde de kern binnenin de parel. Een zilverig licht vulde de parel en legde zich als een golvend, glinsterend vlies tegen de buitenkant.
Meteen daalde er een rust op Adam en Eva neer. Hun angst werd minder en de onzekerheid was niet meer zo groot. Ze bleven staan en keken van de parel naar de maan en van de maan naar de parel, want het was de maan die de parel had aangestoken.
Eva zei zachtjes: "Buiten het paradijs lijkt de maan groter en vrijer, en we zien meer hemel."
"Hier is aarde," zei Adam. "Hier groeien gewassen. Kom, laten we aan de slag gaan. Hier zullen we leven."
Eva zei: "Ja, kom, laten we kijken hoe het eruitziet in ons nieuwe leven. De maan schijnt immers voor ons."
"Dit is het land waar de maan de weg wijst en onze levens stuurt," zei Adam, "en we zullen de aarde met dromen, verlangen en eerbied tegemoet treden."'

Dai-Chi zweeg. De vreemdeling zat voorovergebogen te luisteren, te wachten. Dai-Chi keek omlaag.
'En toen?' vroeg de vreemdeling ongeduldig. 'Wat gebeurde er toen?'
'Dat weet je heel goed, want wij zijn hier nu op aarde en je kent de geschiedenis van de mensheid.'
'Ja, maar de parel dan? Moet je niet vertellen over de kracht, de macht en de waarde van de parel?'
Dai-Chi tilde langzaam zijn hoofd op en ontmoette de blik van de ander. 'Je bent een slecht luisteraar,' zei hij alleen en keek weer naar beneden.
'Bedoel je dat er niet meer is?'
'Voor mij is dit veel, ja, alles.'
De vreemdeling zweeg. Het vuur was bijna uit. Door het gat in

het tentdak kwam frisse avondlucht naar binnen, zodat de tent, die te warm was geweest toen Dai-Chi begon te vertellen, nu bijna kil was. Dai-Chi zat in het donker. De maan was net voorbij de opening in het tentdak gegleden. Buiten was alles nog steeds stil. Hij kon haast niet begrijpen dat het grote kamp zo stil was.
De vreemdeling kneep plotseling zijn ogen tot spleetjes en zijn knokkels om het wijnglas werden wit. 'Je belazert me toch niet, hè?' zei hij; er lag een ijzige kou in zijn stem.
'Waarom zou ik?' antwoordde Dai-Chi rustig. 'Het verhaal is zoals ik het vertel. Zo kwam de eerste parel in de wereld, zegt men. Het is ook de enige in zijn soort.'
De vreemdeling leunde achterover en trok zijn hoed wat dieper over zijn voorhoofd, om te voorkomen dat Dai-Chi zijn ogen zou zien.
'Dan moet ik wachten tot ik meer heb gehoord. Vertel me over het volgende juweel,' zei hij.
Opnieuw tilde Dai-Chi zijn hoofd op. Ineens was een hond als een razende gaan blaffen tegen een vijand die ze in de tent niet konden horen. De geiten werden weer onrustig. Een paard hinnikte angstig.
De vreemdeling luisterde ingespannen. Hij bedacht dat het misschien zijn woorden waren die de onrust hadden veroorzaakt. Deze gedachte beviel hem helemaal niet, want hij geloofde niet in dingen die zijn zintuigen niet konden verklaren.
Dai-Chi antwoordde rustig: 'Dat jij niets af weet van het respect dat deze legendes vereisen en de wetten die rond de legendes zijn gevormd, kan makkelijk beledigend overkomen. Een paar generaties geleden zouden jouw woorden je dood hebben betekend.'
'Maar we zijn hier en nu,' zei de vreemdeling. Hij had iets koppigs en gespannens. 'En ik word niet met de dood gestraft.'
'Hoe kun je dat weten?' antwoordde Dai-Chi zo duidelijk dat de vreemdeling opschrok. 'Dat je een paar seconden na jouw woor-

den nog leeft, betekent niet dat je morgen nog in leven bent.'
'Naar dat soort onzin wil ik niet luisteren,' zei de vreemdeling boos. 'Ga door.'
'Dat kan ik niet,' antwoordde Dai-Chi. 'Zoals ik al zei, weet jij weinig af van de gebruiken die bij de juwelen horen. Degene die vertelt, kan slechts over één juweel per avond vertellen, gedurende het uur dat de maan het hoogst aan de hemel staat. Voor deze avond is die tijd nu voorbij. Morgen kan ik pas verder vertellen.'
'Maar dat betekent dat ik hier een week moet blijven,' riep de vreemdeling uit. 'Daar heb ik toch zeker geen tijd voor.'
Er klonk een bitter lachje in Dai-Chi's stem, toen hij antwoordde: 'De juwelen passen zich niet aan aan jouw tijd, vreemdeling. Ze volgen hun eigen tijd.'
'Misschien is het een truc,' zei de vreemdeling, 'maar denk niet dat je wordt vrijgelaten of dat je boeien worden losgemaakt voordat je klaar bent met vertellen.'
'Dat had ik al begrepen,' zei Dai-Chi, 'maar je kunt mij hier niet een hele week gevangen houden zonder me water te geven. Dan krijg je nooit datgene te horen waarvoor je gekomen bent.'
'Ik weet toch niet of ik te horen krijg waarvoor ik gekomen ben, als de rest van wat je gaat vertellen net zo is als wat je vanavond hebt verteld.'
Dai-Chi zweeg.
'Je krijgt eten en drinken,' zei de vreemdeling plotseling.
'Maar als ik ook maar het kleinste vermoeden heb dat je me belazert of misleidt, houd ik je gevangen tot je sterft van de dorst onder die koude maan waar je zo dol op bent.'
De vreemdeling deed zijn mond open om nog meer te zeggen, maar hij deed hem snel weer dicht toen hij de schouders van Dai-Chi zag schudden. Hij hoorde een zacht murmelend geluid. Die dorstende, vastgebonden maandienaar zat toch niet te lachen omdat hij dorst zou moeten lijden tot hij stierf?

De vreemdeling stond op en schopte razend tegen het lage tafeltje zodat het met wijnglas, karaf, druivenschaal en al omviel. Hij beende met grote passen de tent uit en riep naar de wachten dat ze Dai-Chi de hele nacht niet uit het oog mochten verliezen en hij riep een vrouw bij zich die Dai-Chi eten en drinken moest brengen. Toen kwam hij de tent weer binnen.
'Dan gaan we morgen verder. Wat is het volgende juweel?'
'Stel je me op de proef?' antwoordde Dai-Chi. 'Ik heb gemerkt dat je weet om wat voor juwelen het gaat. Je mag zelf kiezen.'
'Belazer je me?'
'Hoe zou ik je kunnen belazeren als ik je vraag te kiezen tussen de zes die er nog over zijn?'
De vreemdeling ging zonder een woord te zeggen de tent uit. Dai-Chi bleef met gesloten ogen zitten. Hij wist dat hij in gevaar was, maar hij wist niet wat voor gevaar. De nacht was vol waarschuwingen, ver weg en dichtbij. Er hing een spanning in de lucht, het was alsof er onzichtbare bliksem knetterde. De dieren merkten het ook.

Nikolaj Sverd was in de war. Zijn moeder was die nacht pas tegen drie uur thuisgekomen. Hoewel ze de deur bijna geruisloos had opengemaakt, was het zachte klikje van het slot toch duidelijk tot zijn kamer doorgedrongen.

Lydia was rechtstreeks de trap opgelopen en naar haar kamer gegaan, zonder nog even bij hem naar binnen te kijken. Eigenlijk had hij wel geweten dat het zo zou gaan, maar hij had gehoopt dat ze om de hoek van de deur zou kijken en zou fluisteren: 'Nikolaj, slaap je?' Dan zou hij slaperig wat mompelen en dan zou ze binnenkomen, op de rand van zijn bed gaan zitten en vertellen waar ze was geweest en wat ze had gedaan en ze zou een beetje ongerust zijn omdat het zo laat was geworden.

Maar waarom zou ze dat nou juist deze nacht doen, als ze het anders ook nooit deed? De avonden dat ze thuis was, stak ze hoogstens haar hoofd om de hoek van de deur en zei welterusten, maar meestal was ze er niet. Waar was ze als ze niet thuis was? Bij wie was ze als ze niet bij hem en zijn vader was? Ze had het wel eens over commissies en vergaderingen, maar hij was erachter gekomen dat hij niet wist welke commissies of wat voor vergaderingen. Ze had het nooit verteld en hij had het waarschijnlijk ook nooit gevraagd. En nu had ze tegen hem gelogen.

Lydia was nog niet opgestaan toen Nikolaj zich klaarmaakte om naar school te gaan. Voorzichtig had hij naar binnen gekeken in haar donkere slaapkamer. Ze was wakker.

'Goeiemorgen, Nikolaj,' zei ze. 'Sorry dat ik zo laat was gisteren.

Ik heb nog bij je om de hoek gekeken toen ik thuiskwam, maar je sliep zo lekker dat ik je niet wakker wilde maken.'
Hij wist heel erg zeker dat ze niet bij hem naar binnen had gekeken. Als ze dat had gedaan, had ze gezien dat hij helemaal aangekleed op zijn bed lag en dat was iets wat ze beslist niet goed vond. Ze zou hem wakker hebben gemaakt om te zorgen dat hij zich uitkleedde. Hij was zonder iets te zeggen haar kamer uitgelopen. Ze had nog iets achter hem aan geroepen, maar hij had gedaan alsof hij het niet hoorde.
En nu moest hij naar school. Bij het tuinhek bleef hij staan. Het was nog niet helemaal licht. De lucht had een zachte, roodachtige gloed. Het zou waarschijnlijk een mooie herfstdag worden. Het gras was wit van de rijp. De bomen en struiken stonden stil, geen zuchtje wind bewoog de takken.
Nikolaj bleef bij het hek staan, draaide zich om en keek naar de grote villa. Het grindpad dat tussen hem en het huis lag, was ineens ontzettend lang. Het grind was helder wit van de rijp. Zijn voetafdrukken waren grijze plekken.
Daar woon ik, dacht hij, daar woon ik al mijn hele leven. Samen met mijn vader en moeder. Ik ben de jongste, maar ik ben het meeste thuis. Ik ben het vaakst alleen thuis. Elke dag ben ik uren alleen in dit huis.
Hij liet zijn blik langs de ramen van de beide verdiepingen gaan. Op de eerste verdieping waren elf ramen aan de straatkant, op de begane grond tien en een grote voordeur. Het huis was wit en het glansde in het zwakke ochtendlicht. De tuin was groot. Hij keek naar de fruitbomen en de kale struiken en hij ontdekte dat hij niet meer precies wist hoe het er aan de achterkant van het huis uitzag. Dit is mijn thuis, dacht hij en plotseling rilde hij.
Nikolaj draaide zich weer om naar de straat. Het geluid van automotoren drong door tot zijn oren. Er snelden een paar auto's voorbij. Aan de overkant van de straat zag hij licht uit veel ramen

schijnen. In de keuken bij de familie Lie zag hij schaduwen langs het raam lopen. Daar kwam meneer Stenersen haastig het tuinhek door. Zijn blik was vast op de blauwe Volvo langs de stoeprand gericht. Hij moest de voorruit krabben.
Daar kwam Stefan aangeslenterd, gapend, rustig op weg naar de brievenbus. Mevrouw Carlsen kwam luidruchtig aan gefladderd met haar twee kleine kinderen die naar de crèche gebracht moesten worden voordat ze doorreed naar het rederijkantoor waar ze secretaresse was. Nikolaj zag ze allemaal. Niemand merkte hem op daar vlak achter het hek.
Wat zal ik doen? dacht hij. Wat zal ik doen? Hij voelde dat hij onmogelijk naar school kon gaan en hij kon onmogelijk thuisblijven.

Het was een droomloze nacht geweest en merkwaardig genoeg had Florinda Olsen geslapen. Maar ze had flarden van een liedje in haar hoofd. Pas toen ze met haar theekopje voor zich in de keuken zat, schoten de woorden haar te binnen:

De rivier stopt nooit,
de wind suist eeuwig,
maar een hart kan ophouden met kloppen...

Dat had haar moeder gezongen als op donkere herfstavonden de eenzaamheid het grasveldje tussen de bijgebouwen vulde en haar vader op ziekenbezoek was en de maan zich niet liet zien.
Florinda stond op, ze kon niet langer stilzitten. Ze liep door de hele flat. Eerst door de lange gang en dan terug door de kamers. Ze liet de deuren achter zich openstaan. Ze liep en liep, rondje na rondje. Ze voelde zich bedroefd. Plotseling stopte ze bij de erker in de woonkamer en pakte de vensterbank vast alsof ze zichzelf wilde dwingen om stil te staan.
'Waarom verlang ik in vredesnaam plotseling zo erg naar huis, naar Rusland?' zei ze hardop. Verwonderd luisterde ze naar haar

eigen stem die voor het eerst na al die jaren in Noorwegen 'naar huis, naar Rusland' zei.
'Thuis is toch hier,' fluisterde ze.
'Idun,' zei ze, 'o Idun.'
Toen ze zwanger was, hadden Arthur en zij een weekje zomervakantie gehad in het binnenland. Op een morgen heel vroeg waren ze langs een groot moeras gereden. De zon kwam op en het moeras glinsterde alsof het van goud was. Verderop liep een jong meisje met gebogen rug door het moeras. Ze was wollegras aan het plukken. Een lange blonde vlecht viel over haar schouder. Toen kwam ze overeind en keek naar de auto. Florinda was er zeker van dat ze haar blik had ontmoet. Het meisje in het moeras glimlachte, maar ze was toch bedroefd. Het schort dat ze met haar ene hand vasthield, zat vol wollegras.
Arthur was langzamer gaan rijden. 'Ik geloof dat ze Idun heet,' zei hij zacht.
'Waarom ben ik zo onrustig?' zei Florinda hardop en deze keer schrok ze van haar eigen stem, want ze praatte eigenlijk nooit in zichzelf.
Plotseling draaide ze zich om en ging naar het een na laatste kamertje, dat haar werkkamer was. Ze ging achter het bureau zitten, deed het schrift dat erop lag open, greep haar pen en wilde verder schrijven. Elke dag zat ze 's morgens drie uur achter haar bureau en schreef op wat ze zich herinnerde van haar jongste jaren. Ze wist niet goed waarom, maar het was wel belangrijk.
Soms moest ze opstaan en van het bureau weglopen, omdat ze plotseling werd overvallen door vergeten herinneringen. Beelden die ze heel veel jaren niet had gezien. Het was aangrijpend, want het maakte andere gevoelens in haar los dan ze had verwacht. Waar ze dacht dat de zon had geschenen, regende het vaak. Waar ze dacht dat er was gelachen, lagen soms tranen verborgen. Maar ze ging altijd weer terug naar haar bureau om op te schrijven wat

ze zich herinnerde. Het deed pijn, maar ze voelde dat het nodig was.
De lach van haar moeder werd steeds droeviger en in de glimlach en de liefdevolle handen van haar vader zag ze steeds meer eenzaamheid en vertwijfeling.
Florinda boog zich over het schrift en schreef. Ze hield van het zachte geluid van de ballpoint die over het papier ging. Plotseling hield ze haar hand stil. Ze luisterde naar de flat. Er was daar iets, iets dat er niet hoorde te zijn.
'Wie bent u?' vroeg Florinda. 'Waar bent u?' fluisterde ze.
Er kwam geen antwoord, maar Florinda kon niet verder schrijven.
'Wat gebeurt er toch?' dacht ze angstig.

Eigenlijk had Lydia Sverd geen zin om wakker te worden, maar ze kon zich niet afschermen voor Nikolaj's zachte voetstappen. Toen hij heel voorzichtig de deur openduwde, moest ze denken aan een aantal jaren terug, toen hij nog heel klein was en binnenkwam om te kijken of ze sliepen. Dat was toen ze nog met Maxim in een tweepersoonsbed sliep.
Ze zuchtte en ging op haar rug liggen. Haar hoofd deed zeer, haar rug was stijf, ze had een pijnlijke nek en ze loog tegen Nikolaj. Ze voelde dat hij wist dat ze loog. Ze hoorde zijn voetstappen de trap afgaan; even was het stil in de hal voordat de deur achter hem dichtsloeg.
Plotseling begon het te branden achter haar oogleden. Ze ging met een ruk overeind zitten en gooide haar hoofd naar achteren. 'Ik heb zo veel te doen vandaag, zo veel belangrijks,' zei ze hardop in de donkere kamer. Maar ze hoorde nog steeds de zachte voetstappen van Nikolaj. Ineens hoorde ze dat hij nog nooit zo had gelopen en ze hoorde haar eigen leugen. 'Je sliep toen ik bij je om de hoek keek.'

Terwijl ze niet eens aan hem had gedacht toen ze thuis was gekomen na de schokkende ontdekking van die nacht.
'Een mens moet altijd kiezen,' zei ze. 'Op dit moment vind ik mijzelf en mijn plannen belangrijker dan Nikolaj.'
Maar ze kreeg een brok in haar keel toen ze die laatste woorden zei. Zijn naam klonk zo vreemd in haar mond.
Ze verborg haar gezicht in haar handen. 'Oooh,' kreunde ze, klom haar bed uit en liep wankelend naar de badkamer om een paar aspirientjes te pakken. Ze zag zichzelf in de spiegel en verschrikt deed ze een stap naar achteren. Je bent niet mooi, dacht ze. Je gezicht is hard en koud. Ze draaide zich vlug om naar de trap, want ze hoorde voorzichtige, zachte voetstappen. Er was niemand.
Niet nu, dacht ze. 'Niet nu,' zei ze.
Ik heb vandaag een hoop te doen. Ik moet afmaken waar ik mee begonnen ben. Want niemand zal mij, Lydia Sverd, te pakken krijgen, zelfs mijn eigen man niet. Ze beefde en moest zich aan de wastafel vasthouden. Duizelig en misselijk zakte ze op de rand van de wc in elkaar en bleef zitten.
Wat is er met me aan de hand? dacht ze. Ik ben mezelf niet vandaag. Heel diep achter in haar hoofd klonk een vervelend gefluister: 'Misschien ben je toch wel jezelf, voor het eerst sinds een hele lange tijd...'

Maxim Sverd deed die nacht geen oog dicht. Zelfs alle whisky die hij had gedronken hielp niet. Hij vertrouwde Lydia. Hij vertrouwde zijn gezin. Nikolaj? Hij had niet zo'n goed contact met hem. Vaak dacht hij: het wordt wel beter. Maar als hij naar zijn zoon keek, dook steeds het beeld van zijn moeder op. Van de foto die bij Florinda aan de muur hing. Het open gezicht, de donkere ogen, de iets te brede mond die zo makkelijk blijdschap of verdriet uitdrukte.
Het lukte hem niet om toenadering te vinden tot zijn zoon, om-

dat die te veel op zijn eigen moeder leek. Is dat het, dacht hij. Heb ik dat nooit eerder gezien? En waarom zie ik het nu ineens? Het is Florinda's fout. Zij heeft mijn moeder laten gaan en ze wilde mij niet bij zich hebben. Ze heeft mij uit haar leven gebannen, ik ben niemand voor haar. En ze doet niets om mijn moeder te vinden, haar eigen dochter.
Hij schudde zijn hoofd, leegde nog een glas whisky en dacht: Ik ben nu tweeënveertig en nog steeds denk ik zo. Houd ik daar dan nooit mee op? In gedachten zag hij de zwart-wit foto van Idun. Ze zat op Florinda's veranda, aan de muur in de woonkamer. Ineens glimlachte ze, kneep haar ogen tot spleetjes, stond op en liep de trap af. Ze ging op haar hurken zitten en opende haar armen, haar mond begon een woord te zeggen dat hij niet verstond, maar hij wist dat ze riep: 'Maxim, kom maar bij me.' Plotseling was het Nikolaj die daar met open armen zat en huilde: 'Pappa, waar ben je?'
Vlug dronk hij zijn glas whisky leeg en bestelde nog een dubbele. Hij zag dat de stewardess onderzoekend naar hem keek, maar dat kon hem niets schelen.
Het was heet in Johannesburg. Hij kreeg bijna geen lucht toen hij het vliegtuig uit stapte. Hij kwam goed door de paspoortcontrole en toen hij de aankomsthal uitkwam, bleef hij staan om rond te kijken. Meestal kwam Gus van Daan hem met zijn open cabriolet afhalen. Nu zag hij een donkere, gesloten auto. Hij wist dat die hem opwachtte. Een onbekende man met enorme spierbundels stond op van de bestuurdersplaats. Hij droeg een chauffeursuniform.
Maxim had ineens een akelig voorgevoel van narigheid.

Die nacht kon Eliam niet slapen. Ze hoefde de rest van de nacht niet meer te waken. Alia zou dat zelf doen. Olim had Eliam gevraagd om heel stil te zijn op haar kleine kamer, zodat niemand zou merken dat ze daar was. Want eigenlijk moest ze bij de maanspiegel zijn. De rest van de nacht had Eliam op haar rug naar het plafond liggen staren. Af en toe viel ze in een lichte slaap, maar dan staarde het zwarte, donkere meertje haar vanuit haar dromen aan als een dreigend oog, zodat ze weer wakker schrok.
Vlak na zonsopgang sliep ze eindelijk in. Een tijdje later werd ze verschrikt wakker; ze had zich verslapen. Ze had zich drie uur na het einde van haar nachtwake bij Alia moeten melden en ze had moeten ontbijten voor ze weer drie uur mocht gaan slapen.
Eliam keek uit het raam en zag aan de zon dat ze veel langer dan drie uur had geslapen. Toen ontdekte ze een blad met melk, brood en jam op haar tafel, met een briefje van Alia erbij: *Blijf maar slapen en maak je geen zorgen. Ik kom straks bij je. Wacht daar tot ik kom.*
Eliam kon niets eten. In plaats daarvan ging ze voor haar kleine spiegel zitten en begon haar haar te borstelen. Het gezicht in het oude, vlekkerige glas zag er moe en vertrokken uit. Haar huid was bleek en ze zag er ouder uit dan haar zeventien jaar.
Haar hand stopte halverwege op weg naar haar hoofd. Ze zat naar het vreemde gezicht te kijken. Zo zie ik er misschien over tien, vijftien jaar uit, dacht Eliam. En dan zit ik hier nog en borstel mijn haar en zie mijn gezicht in de spiegel en denk: zo zie ik er

over tien, vijftien jaar uit. Jaar in jaar uit zal ik leven op deze vlakte tussen de bergen, waar de maan er zeven uur over doet om van de bergtoppen aan de ene kant van de vlakte tot achter de pieken aan de andere kant te komen.

Ze rilde alsof ze het koud had, maar haar kamer was warm, bijna heet, door de zon. Maar dat is toch wat ik wil, dacht ze. Of niet?

Ze kon het spiegelbeeld niet loslaten. Plotseling gebeurde er iets daarbinnen. De lichte muur achter het gezicht in de spiegel werd donkerder en veranderde in nacht. Ver achter in de donkere kamer in de spiegel, lichtten vlekken op. Er was een gloed als van kampvuren in de verte en voor haar eigen gezicht verscheen een ander gezicht, een onbekend gezicht. Het was een vrouw die ze nog nooit had gezien.

Voorzichtig bewoog Eliam haar hoofd een beetje opzij. Vaag zag ze haar spiegelbeeld achter de vreemde vrouw. De vrouw daarbinnen leek jong. Eliam boog zich naar voren en zag toen dat het een oud gezicht was. In het zwakke licht kwamen de rimpels te voorschijn. Ze lagen als donkere golvende groeven onder de ogen en trokken losse sporen over de wangen naar de mond en verder naar de kin. Maar de ogen die de hare ontmoetten, waren sterk en glanzend.

Toen zag ze dat de ogen in de spiegel zich opensperden van verbazing of angst. Eliam schrok. Ze hoorde zichzelf schreeuwen en vloog overeind zodat haar kruk omviel en haar borstel op de grond kletterde.

Ze rukte de deur open en rende de gang op. Zonder erbij na te denken of om zich heen te kijken, holde ze halsoverkop het binnenste gedeelte van de tempel in. Iemand riep haar iets achterna, maar ze bleef niet staan. Toen de wachter voor Alia's deur haar de weg wilde versperren, glipte ze onder zijn arm door, gooide de deur naar Alia's kamer open en stortte zich naar binnen.

'Alia!' gilde ze. 'Alia!'

‘Maar kind toch, wat is er?’ Alia kwam uit het donker achterin de kamer naar haar toe.
‘Ik... de spiegel... dat gezicht.’
‘Wat is er aan de hand, kind? Ga zitten en vertel eens rustig wat er is.’
Eliam liet zich door Alia naar een stoel leiden en zakte erop neer. Alia liet haar hand op Eliams schouder liggen totdat ze weer wat op adem was gekomen en samenhangend kon praten. Toen vertelde ze wat ze had gezien en dat het niet door vermoeidheid kwam. Ze had écht naar binnen gekeken in een vreemde kamer op een andere plek en een vrouw gezien die ze nog nooit eerder had gezien.
Eliam had verwacht dat Alia haar niet zou geloven, want ze hoorde zelf wel hoe vreemd het klonk. Het klonk nog het meest als iets uit een droom. Maar Alia hurkte voor haar neer en pakte haar beide handen in een warme, stevige greep. Verbaasd keek Eliam op en ontmoette haar ogen.
‘Eliam,’ zei Alia zacht, ‘wat je daar vertelt is fantastisch. In al mijn tijd als hogepriesteres is nog nooit iemand erin geslaagd om de spiegel binnen te gaan. Ik weet dat het kan. Jij wist het niet. Er zijn bijzondere gaven voor nodig; maar weinig mensen hebben die.’
‘Geloof... geloof je me?’ vroeg Eliam verbaasd.
‘Ja,’ zei Alia, ‘natuurlijk geloof ik je. Het geheim van de spiegels onthult zich alleen aan degenen die een bijzondere gave hebben. O, Eliam, dit is een geweldige dag voor de halvemaantempels. Wacht maar tot Olim dit hoort.’
Eliam staarde Alia zwijgend aan. Ze had gehoopt dat Alia zou zeggen dat ze zich maar wat had verbeeld, dat het kwam door haar vermoeidheid, door het maanloze meertje, maar tegelijkertijd wist ze dat het waar was wat ze had gezien. Ze had in een vreemde kamer naar binnen gekeken. Twee vrouwen hadden vanaf verschillende plaatsen naar elkaar gekeken.

'Daarom geloof ik niet dat het toeval was dat uitgerekend jij het maanloze meertje ontdekte,' ging Alia verder. 'Ik geloof dat dit betekent dat jij bent uitverkoren en dat jij de kracht moet vinden die het eigen licht van de maan weer kan herstellen.'
'De kracht?' zei Eliam mat. Het werd haar allemaal een beetje te veel wat Alia zei.
'Ja, de kracht... O, Eliam, misschien ben jij wel de redding. Ik zal Olim meteen laten halen, we moeten onmiddellijk beginnen.'
'Beginnen, met wat?' fluisterde Eliam die duizelig begon te worden.
'Wacht maar, kind, wacht maar af. Je zou trots moeten zijn. Ik moet naar de archieven van de tempel om te kijken wanneer de spiegel zich voor het laatst voor iemand geopend heeft.'
'Is de kracht dan in die kamer waar ik naar binnen heb gekeken?' Eliams stem was nauwelijks hoorbaar, maar Alia begreep elk woord.
'Ja, dat is mogelijk. In elk geval heb jij naar binnen gekeken in een kamer die iets met de maan en de kracht te maken heeft. Jij bent waarlijk een dienares van de maan, Eliam. Je bent gezegend, kind.'
Meer hoorde Eliam niet, want ze viel flauw en gleed van de stoel op de grond. Toen ze weer bijkwam, lag ze op een bank in Alia's kamer. Ze had een vochtige doek op haar voorhoofd. Olim stond met Alia bij de tafel.
'Gelukkig, je bent weer wakker, mijn kind,' zei hij en ze kwamen allebei naar haar toe. Alia pakte haar hand en Olim streek over haar voorhoofd. Eliam raakte in de war van al die zorgzaamheid. Ze voelde zich een beetje verlegen.
'Wat naar dat het allemaal te veel voor je werd,' zei Alia. 'Eerst het maanloze meertje tijdens je eerste nachtwake alleen en toen de spiegel die zich voor jou opende.'
'Ik begrijp best dat dit alles je bang maakt, Eliam,' zei Olim, 'maar

het is eigenlijk fantastisch dat het is gebeurd. Dat zul je zelf ook inzien als je gewend bent geraakt aan de gaven die je hebt.'
'Je bent er misschien wel erg plotseling in verwikkeld geraakt. Je bent eigenlijk nog niet klaar met je tijd als novice,' zei Alia.
'Luister eens,' zei Olim. 'Kun je wat vertellen over dat gezicht? Hoe het eruit zag?'
Eliam schudde haar hoofd. 'Nee,' zei ze. 'Ik dacht eerst dat het mijn eigen gezicht was, want op de een of andere manier leek het op mij. De ogen, de huid en het haar waren net als van mij, alleen ouder.'
Ze merkte dat Alia en Olim elkaar aankeken en ze hoorde Olim zachtjes zeggen: 'Kan het zijn dat we in ons eigen land moeten zoeken?'
Alia boog zich naar Eliam toe. 'Kun je ons vertellen waarom je hebt gekozen voor een leven in de halvemaantempel? Ik geloof niet dat je daar ooit iets over verteld hebt. In tegendeel zelfs. De keren dat je ernaar gevraagd werd, weigerde je iets te zeggen.'
Eliams blik gleed opzij. Ze deed haar mond open, maar de woorden wilden niet komen. Alia hield haar hand zacht en vriendelijk vast. 'Het is niet gevaarlijk, kind, ik denk dat het ons kan helpen.'
'Zo lang ik me kan herinneren, werd ik wakker als het volle maan was en moest ik naar buiten. Zodra ik kon lopen, begon ik het huis uit te glippen, vertelde mijn moeder. Ook al deden ze de ramen en deuren dicht, ik kwam er toch uit. En als het niet lukte, ging ik zitten schreeuwen alsof ik doodging. Ze moesten de deuren open laten en op me letten als het volle maan was. Ik liep langs de wegen en mijn vader of moeder volgde me om ervoor te zorgen dat mij niks ergs overkwam.'
Ze zweeg. De beide anderen wachtten.
'Ik werd altijd wakker van dezelfde droom. In mijn slaap bescheen de maan een landschap. Dat was zo mooi. Ik hoorde de bloemen groeien, de harten van de vogels kloppen en de aarde

zacht ademen in de rust van het maanlicht. Alles verzamelde kracht voor het harde leven onder de zon. En de mensen die overdag bang zijn om te dromen en te verlangen, konden hun dromen en verlangens loslaten als ze onder het maanlicht sliepen. En dan...'
Eliam snakte plotseling naar adem. Olim maakte de doek weer nat en legde hem op haar voorhoofd. Alia gaf een geruststellend kneepje in haar hand.
'... begon de maan aan de randen te trillen. Het leek of hij aan het uitdoven was. En iemand riep mijn naam. Dan werd ik wakker en moest ik gaan kijken of de maan scheen. Ik moest naar buiten om degene die mij riep te zoeken.'
'Ja,' fluisterde Olim, 'zo is het.'
Alia knikte. 'Precies dezelfde droom staat al honderden jaren in de geschriften van de halvemaantempel beschreven. Degenen die kunnen zien hoe de spiegel zich opent, vertellen dezelfde droom over de stem die hen al roept vanaf hun kindertijd.'
'Maar wat betekent dat?' fluisterde Eliam.
'Dat betekent dat jij dicht bij de krachten van de maan staat, dat de maan jou tekens geeft die wij anderen niet zo duidelijk begrijpen.'
'De maan trilt aan de randen,' mompelde Olim. En hardop zei hij: 'Ik wil dat je vannacht met mij meegaat, Eliam. In onze tempel is iets belangrijks dat ik je wil laten zien.'
Alia knikte. 'Ja, ik ben het met je eens,' zei ze.
'Maar Eliam,' zei Olim ernstig, 'ik moet je iets vragen. Denk goed na voordat je antwoord geeft.'
Ze knikte.
'Heb je iets of iemand in de buurt van de monolieten of het meertje gezien in de tijd dat je daar vannacht geweest bent?'
Ze schudde haar hoofd. Als ze ergens zeker van was, dan was het dat ze helemaal alleen was geweest.

'Ik vraag het omdat een van mijn maandienaars wordt vermist. Hij heeft speciale belangstelling voor mythen en sprookjes en hij zoekt in onze archieven naar vergeten legendes over de maan. Een van de andere maandienaars zegt dat hij gisteren plotseling verdwenen was, zonder een woord tegen iemand te zeggen en dat vind ik heel merkwaardig. Hij had mij daar namelijk niets over verteld en ik had ook niet de indruk dat hij van plan was om weg te gaan. Ik weet niet of het iets betekent, maar ik maak me zorgen over zijn afwezigheid. Ik denk dat we gewoon overal op moeten letten en geloven dat alles een betekenis of samenhang kan hebben.'
'Nu mag je weer naar je kamer,' zei Alia, 'dan zien we je straks.'
Eliam liep terug en dacht: Ik begrijp er niets van en ik weet niet of ik hier wel aan mee wil doen.
Toen ze op haar kamer kwam, liep ze rechtstreeks naar haar bed. Ze durfde niet in de spiegel te kijken. Ze viel meteen in een diepe, droomloze slaap.

Wat zou hij gaan doen? Nikolaj Sverd wist het niet. Voor het eerst in zijn leven leek de dag die voor hem lag hopeloos lang en moeilijk. Terwijl de zon opkwam boven het dal van Oslo en de rijp langzaam wegsmolt, liep hij rustig de straat uit. In de schaduw lag de witte rijp nog te schitteren, maar waar de zon wist door te dringen, fonkelden de waterdruppels. Hij zag het en dacht: Heb ik dit eerder gezien?

Hij wilde niet naar school gaan, maar zijn benen voerden hem langs de weg die hij iedere ochtend liep. Hij had een brok in zijn keel waardoor hij moeilijk ademde en af en toe voelde hij een steekje in zijn hart.

Ik ben toch nog te jong om dood te gaan? dacht hij en hij ging wat harder lopen om er vanaf te komen.

De bel was al gegaan toen hij bij zijn school kwam. Het gebouw torende hoog op tegen de hemel. De ramen waren dicht, maar er scheen wit licht uit, het was een beetje angstaanjagend. Het schoolplein was leeg. Er liep een kat schuin over het plein. Met een paar grote sprongen vloog hij de hoek om.

Nikolaj was niet van plan om naar binnen te gaan. Hij stond naar de school te kijken. Die zag er zo gek uit nadat de bel was gegaan. Het schoolplein was zo gigantisch groot en het gebouw zo stil, ook al waren er binnen honderden leerlingen en leraren hardop aan het praten.

Het was de eerste keer dat Nikolaj spijbelde. Wat was dat makkelijk. Terwijl hij daar stond te kijken naar zijn klas, had hij het ge-

voel dat hij hier misschien nooit meer naartoe terug kon gaan. In elk geval niet zolang die brok in zijn keel niet wegging.
De kat kwam weer terug en liep met grote sprongen weg van de school. Nikolaj begon weer te lopen. Zijn benen voerden hem verder de straat door, ook hij liep weg van de school. Plotseling voelde hij een ijzige windvlaag door de lucht gaan. Hij keek rond. De takken van de bomen in de tuinen om hem heen beefden. Een koude wind trok door de vroege ochtend. Hij keek naar de lucht. Grote wolken hadden zich ineens samengepakt, de zon was weg, de ochtendschemering kwam zachtjes teruggeslopen.
Nikolaj merkte dat hij mensen tegenkwam op het trottoir, maar hij keek niet op en ontweek ze zo goed hij kon. Hij hoorde de auto's heel duidelijk. Af en toe schenen de felle koplampen recht in zijn gezicht, zodat hij zijn ogen dicht moest doen.
Toen stopten zijn voeten en ze wilden niet verder. Nikolaj keek op en ontdekte dat hij was blijven staan voor het huis waar Florinda woonde. Haar ramen waren donker. Hij wilde niet naar binnen. Hij dwong zijn benen verder te gaan en liep door naar het centrum. Hij liep en hij liep, hij wist niet waarheen en waarom, maar hij stopte niet. De wolken bedekten bijna de hele lucht en het ging harder waaien. Algauw kwam er een sneeuwbui op hem af. Toen bleef hij staan en keek weer op. Ik ben van de herfst de winter in gelopen, dacht hij en hij voelde hoe moe zijn voeten waren en hoe zwaar zijn rugzak op z'n schouders drukte.
Hij keek op zijn horloge en ontdekte dat hij drie uur aan een stuk door had gelopen. Hij keek om zich heen en wist niet meteen waar hij was. Toen liep hij naar een bushalte om naar huis te gaan, want hij wist zeker dat zijn moeder nu naar een van haar vergaderingen was.
Hij stapte de bus uit en telde de honderd stappen naar het hek. Daar bleef hij staan en keek naar het huis. De buitenlamp brandde nog. Misschien was mevrouw Halvorsen aan het schoonma-

ken en opruimen. Ze kwam drie keer per week. Hij zou gewoon zeggen dat hij ziek was geworden als ze ernaar vroeg. Maar toen hij naar binnen ging, was ze er niet en hij kon ook niet zien of ze geweest was.
De telefoon ging en hij schrok. Het geluid was dreigend, hij nam niet op. Hij liep direct naar boven naar zijn kamer met zijn jas en rugzak nog aan. Daar ging hij achter zijn bureau zitten en staarde naar de tuin en de weg. Het sneeuwde nog steeds. Er lag een dun laagje sneeuw op het gras. De appelbomen waren nog zwart, want de wind blies de sneeuw meteen weer van de takken.
Er liep een man over het trottoir aan de overkant. Zijn hoofd was gebogen en hij hield zijn hoed vast zodat de wind hem niet te pakken kon krijgen. Nikolaj zat te staren. Na een poosje kwam de man terug. Hij draaide zijn gezicht vlug naar Nikolaj's huis, maar hij kon niet zien hoe de man eruit zag. Toen was hij weg. Na een poosje kwam hij nog een keer terug. Toen werd Nikolaj ongerust. Er was iets geheimzinnigs aan de man die op het trottoir heen en weer liep. Hij liep nog een keer de andere kant op.
De telefoon ging weer. Het huis luisterde en Nikolaj hield zijn adem in. Het was een opluchting toen de telefoon ophield met rinkelen. De man kwam opnieuw de straat door en na een paar minuten kwam hij weer terug. Hij bespioneert ons huis, dacht Nikolaj terwijl hij zich naar voren boog om het wat beter te kunnen zien. Het sneeuwde nu harder en het was moeilijk om tussen de appelbomen door te kijken. Hij zag alleen een hoed, een hand in een handschoen die de hoedrand vasthield en een wijde bruine jas met een ceintuur, een bruine broek en donkere schoenen. Het kon wie dan ook zijn.
Toen kwam de man niet meer terug, dacht Nikolaj, maar na een tijdje was hij er weer. Nikolaj bleef lang zitten, om de man die onafgebroken heen en weer liep in de gaten te houden. Toen was de straat leeg. De man was weg. Er was niemand anders te zien. Het

sneeuwde nog steeds. De wind was iets gaan liggen. Ik hoop niet dat het al winter wordt, dacht Nikolaj.
Nikolaj...
Met een ruk draaide hij zich om. Iemand had hem geroepen. Hij wist het zeker. Iemand ergens in het huis. Een vreemde stem. Hij bleef staan luisteren, maar er werd niet meer geroepen.

Florinda Olsen keek met afschuw naar de sneeuw. Krijgen we dat weer, dacht ze, en meteen kwamen er beelden in haar hoofd naar boven van groene berken en een glooiende grasheuvel aan de oevers van het Ladogameer. Waarom zie ik mijn ouderlijk huis toch bijna altijd in de zomer voor me? zei ze tegen zichzelf en ze raakte een beetje in de war.
Ze dwong zichzelf naar de winkel op de hoek te gaan. Een beetje onthutst bleef ze voor de schappen staan. Voor het eerst kon ze zich niet herinneren wat ze eigenlijk moest hebben. Thee, brood, dacht ze, en kaas.
Toen ze thuiskwam, ontdekte ze dat ze eigenlijk magere melk, appels en avondeten had moeten kopen. Ze deed haar jas uit, hing hem op en zette de overbodige spullen op hun plaats. Toen voelde ze weer dat er iets niet klopte. Alsof er iemand binnen was geweest terwijl zij in de winkel was, maar ze wist dat dat onmogelijk was. En toch was er iets veranderd. Het was geen geur of iets dat van z'n plaats was gehaald. Het was alsof er iemand was – een onzichtbaar iemand.
'Idun?' zei Florinda tegen de kamers. 'Idun, ben jij het?'
Er kwam geen antwoord.
Toen moest Florinda gaan zitten. Haar benen wilden haar niet meer dragen. Plotseling voelde ze hoe erg ze haar dochter miste. Haar lichaam begon te schokken, ze huilde. Niet geluidloos, maar met lange snikken en ze kon niet meer ophouden. Ze zag Iduns ogen voor zich. Ineens veranderden ze in Maxims ogen. Ze had

geprobeerd het te vergeten; de uitdrukking in die ogen toen ze tegen hem zei dat hij niet langer bij haar kon wonen.
Ze kon er niet tegen dat hij zo ontzettend op Idun leek. Hij herinnerde haar er de hele tijd aan dat ze haar dochter miste en dat kon ze niet verdragen. Daarom had ze Maxim in de steek gelaten.
'Ik heb hem opgeofferd, zodat ik er niet steeds aan hoefde te denken,' zei ze half hardop. Het klonk zo verschrikkelijk dat haar tranen weer bovenkwamen.
Arme Maxim, dacht ze, hij kan er toch niks aan doen dat zijn moeder is weggegaan, maar ik heb nooit geprobeerd om hem te troosten. Ik heb me nooit over hem ontfermd.
Plotseling stopte ze met huilen. Ze beet haar tanden op elkaar. Ze voelde een brandende pijn in haar borst. Ik wil er niet aan denken. Waarom denk ik hier nu aan – na al die jaren? Misschien is Idun dood. Ze is immers een oude vrouw nu. Bijna zeventig. Is mijn dochter echt bijna zeventig?
Florinda staarde met een lege blik voor zich uit. Ze wilde de groene berken en de grasheuvel die op het roze tapijt te voorschijn kwamen wegknipperen. Maar het beeld ging niet weg. Ze zag het roodgeverfde huis, de stal met de koeien en de hooischuur. Ze hoorde het geluid van de zeis in het gras. Ze rook de zoete geur van pas gemaaid hooi. Ze hoorde een melodie waar langzaam woorden bij kwamen, en een man die zong: *De zomer is kort, het leven is lang, maar de winter is wit en koud.* Haar moeder kwam het beeld binnen; ze liep vlug over de grasheuvel naar een paard en wagen die de weg opkwamen. Was dat haar vader die thuiskwam van ziekenbezoek?
En zij, waar was zij? Ze zag haar zusjes Nina en Katja in witte jurken over het land hollen en haar broer Peter die met de kat op de trap zat.
Ze zijn dood, dacht ze, iedereen is dood. Ik ben de enige die nog leeft. De man zong verder: *En het voorjaar is de tijd van het ver-*

driet. Ineens rende Nikolaj over het veldje tussen de bijgebouwen. Jij hoort daar helemaal niet, dacht ze, maar hij wilde niet weggaan. Na hem kwam Idun in beeld en Florinda hoorde gehuil. Dat was Maxim die schreeuwde om zijn moeder die nooit terug zou komen en zij, Florinda, troostte hem niet, troostte hem nooit, maar liet hem huilen... ik ben niet in orde, dacht ze. Ik moet mijn herinneringen niet zo door elkaar gooien...
De telefoon ging. Na een hele tijd drong het tot haar door. Ze liep er langzaam naartoe en nam op.
'U spreekt met Florinda Olsen,' zei ze.
Er kwam geen antwoord.
'Hallo?' zei ze. 'Is daar iemand?'
Ze hoorde een suizend geluid aan de andere kant, maar er was wel iemand. De hoorn werd er niet opgelegd. Iemand luisterde een hele tijd voordat de verbinding werd verbroken.

De chauffeur had tijdens de hele rit van het vliegveld naar het hotel geen woord gezegd. Maxim Sverd wist nu zeker dat hij de man al eens eerder had gezien, in de buurt van Gus van Daan, maar nu zat hij stijf naar de weg te staren alsof hij, Maxim, een volkomen vreemde voor hem was. Daar werd Maxim nog onrustiger van. Ja, het maakte hem bijna bang. Een paar keer schraapte hij zijn keel om iets te zeggen, maar elke keer bedacht hij zich.
De taxi stopte voor het Grand Hotel. De chauffeur stapte uit, opende de deur voor Maxim en toen die eindelijk verward op het trottoir stond, zei hij: 'Van Daan neemt in de loop van de avond contact met u op. Zorg dat u in het hotel bent.'
Toen stapte de chauffeur weer in de auto en reed weg.
Zorg dat u in het hotel bent. Misschien een hele gewone zin, maar het had geklonken als een dreigement.
Maxim kreeg de sleutel van zijn kamer en ontdekte dat het precies dezelfde kamer was als de vorige keer dat hij hier was ge-

weest. Dat vond hij niet prettig. Het leek of iemand zijn doen en laten bestuurde.
Hij ging in een stoel zitten wachten. De telefoon ging niet. Hij werd zenuwachtig, stond op en begon door de kamer heen en weer te lopen. Waarom doe ik dit? dacht hij. Waarom pik ik dit? Ik moet toch zeker kunnen doen en laten wat ik wil? Waarom moet ik op bevelen gaan zitten wachten?
Vastbesloten liep hij naar de deur, maar toen drong de klank in de stem van de chauffeur tot hem door en hij ging weer zitten. Als ik nou maar wist wat ik verkeerd heb gedaan, dacht Maxim bijna vertwijfeld. Hij voelde zich hulpeloos en er was niemand die hij om raad kon vragen. Even dacht hij aan Lydia, maar hij wilde haar niet bellen. Ze wist te weinig van de dingen waarmee hij zich bezighield. Ineens wilde hij dat hij haar niet overal buiten had gehouden.
Toen de telefoon eindelijk ging, schrok hij. Hij bleef zitten en staarde ernaar. De telefoon hield op met rinkelen, maar toen ging hij weer, tien keer, voordat hij ophield.
Wat moet ik nou doen? dacht Maxim. Plotseling schoot het door hem heen dat er vast vanaf de receptie werd gebeld en daar konden ze zien dat hij er was. Hij struikelde naar de deur, griste de sleutel uit het slot, haastte zich naar buiten, deed de deur op slot, liet de sleutel vallen, pakte hem weer op, rende naar de lift, bleef staan en liep weer weg. Niemand mocht hem vinden. Hij vond het trappenhuis, rukte de deur open en stortte zich van de trappen af.
Waar ben ik nou mee bezig? dacht hij. Ik loop te rennen als een nijlpaard, iedereen kan me horen. En waarom ren ik eigenlijk? Hij bleef staan luisteren. Het was stil in het trappenhuis, maar hij vertrouwde die stilte niet. Er sluipt iemand naar boven, zei een stem in zijn hoofd. Er is iemand over de gang op weg naar mijn kamer. Wat zal ik doen? Ik kan niet terug. Ik kan niet naar beneden.

Daarom ging hij de trappen op naar boven, maar nu liep hij zachtjes, zo zachtjes dat hij zijn eigen voetstappen nauwelijks hoorde. Zijn kamer was op de tiende verdieping. Op de vijfde bleef hij staan en deed de deur naar de hotelgang open. Er was niemand te zien. Vlug glipte hij de gang op en liep zo kalm als hij kon naar de liften. Hij voelde de opluchting toen hij in de lift stond, op weg naar de receptie. Maar toen hij beneden was en de deur van de lift openging, merkte hij hoe hopeloos het was. Daar stond de chauffeur die hem koud aankeek.
'Goed dat u er eindelijk bent,' zei hij. 'Van Daan wacht op u.'
Maxim had geen andere keus dan de chauffeur te volgen, het hotel uit. Hij kon wel om hulp kon roepen, want het krioelde van de mensen in de grote, open lobby. Maar wat moest hij zeggen? Hoe moest hij uitleggen waarom hij had geroepen? Er was toch geen enkel bewijs dat hij werd bedreigd of dat iemand hem kwaad wilde doen?
Het was koel in de auto. De ramen waren dicht en de chauffeur deed de achterportieren op slot door een knop op het dashboard in te drukken. Als een gevangene, dacht Maxim.

Lydia Sverd was blij dat haar kantoor op zo'n onopvallende plek lag. De kamers om haar heen werden gebruikt als opslagruimte. Helemaal achterin de gang was een klein accountantskantoor waar ze weinig mee te maken had. De twee mannen van middelbare leeftijd leken het niet vreemd te vinden dat ze niet iedere dag op kantoor was. Als ze hen tegenkwam op de gang, liepen ze altijd met dossiermappen onder hun arm of papieren in hun hand en knikten vriendelijk, maar afwezig naar haar.
Lydia leegde haar postvakje, dat ze alleen had voor de uiterlijke schijn. Ze had dit adres aan niemand doorgegeven, dus ze kreeg alleen maar reclamefolders.
Voordat ze naar binnen ging, stond ze even stil voor de deur om

te luisteren, en ze keek of iemand de deurknop had aangeraakt. Telkens als ze wegging, strooide ze een licht, kleurloos poeder op het handvat. Als dat weg zou zijn, was ze op haar hoede. Alles was in orde, dus ze deed de deur rustig open, sloot hem weer achter zich, deed de gordijnen dicht en huiverde even toen ze de sneeuw zag die recht tegen de ramen aan waaide. Toen deed ze de bureaulamp aan en ging zitten.
Ze miste bloemen, maar ze kon geen bloemen hebben omdat ze hier niet iedere dag was. En ze miste schilderijen aan de muur, maar ze durfde het risico niet te nemen om hier mooie dingen te hebben – ze was bang dat ze gestolen zouden worden omdat haar kantoor zo afgelegen was.
Ze bladerde door de reclamefolders. Tussen alle aanbiedingen vond ze een langwerpige, witte, ongefrankeerde envelop met het adres erop getypt. Geen afzender. Dat beviel haar niet. Onrustig scheurde ze de envelop open, terwijl ze er anders altijd op stond dat enveloppen met een briefopener opengemaakt werden. Lydia vouwde een wit vel papier open en las:
Wij zien ons genoodzaakt de identiteit van Kirsten Vik te onthullen als u zich niet bereid toont om met ons samen te werken inzake de juwelen van de tsaar. Wij weten dat u daar iets mee te maken heeft. Wacht op nader bericht.
Er stond geen naam onder.
Lydia kreeg het koud. Haar handen begonnen te trillen, de brief glipte uit haar vingers. Het papier was zo fel wit onder de lamp, dat ze haar ogen moest beschermen voordat ze het uit de lichtcirkel kon schuiven.
Dreigementen. Daar was ze steeds bang voor geweest. Wat stond er ook weer? De juwelen van de tsaar? Daar had ze nog nooit van gehoord en in die brief werd nog wel beweerd dat ze er iets mee te maken had. Ze huiverde. Wat ze heel goed begreep, was dat iemand haar geheim had ontdekt en dat gebruikte om haar onder

druk te zetten. En dat nu ze zo dicht bij haar doel was. Ze had uitgerekend dat ze nog een half jaar nodig had. Dan zou ze rijk zijn – zelfstandig en rijk, en dan zou ze kunnen doen wat ze wilde. Ze zou bij Maxim kunnen blijven of hem en het huis verlaten. Ze hoefde zich geen zorgen te maken over de toekomst of over geld. En toen kwam deze brief.

Hoe kon iemand weten wie Kirsten Vik eigenlijk was? Tenzij iemand haar kantoor in de gaten hield, en waarom zouden ze dat doen? Ze had nooit gemerkt dat iemand haar hier had bespioneerd. Ze was altijd voorzichtig als ze naar haar kantoor ging. Misschien had iemand haar bedrogen... Iemand – dat kon dan alleen Harry Lim zijn, want niemand anders wist dat Lydia Sverd en Kirsten Vik een en dezelfde persoon waren.

Maar waarom zou hij haar hebben verraden? Hij verdiende toch ook geld aan de slag die zij ging slaan? Misschien had iemand hem meer geboden dan wat hij aan zijn samenwerking met haar zou verdienen.

Het duizelde Lydia. Waarom zou iemand hem meer dan een miljoen kronen willen betalen om Kirsten Vik te verraden? Voor het eerst sinds lange tijd was Lydia bang. Er gebeurde iets in haar omgeving waar zij geen controle over had. Ze scheurde haar gedachten los van de angst en greep het vel papier. De juwelen van de tsaar... dat klonk als... als... Ze had de uitdrukking nog nooit eerder gehoord.

Ze legde de brief weer neer en sloeg haar handen voor haar ogen. Ineens voelde ze de behoefte om te huilen, maar dat wilde ze niet. De dag voor haar belijdenis had ze besloten om haar hele leven niet meer te huilen. Dat was de dag geweest dat haar moeder woedend was weggelopen en haar vader alleen maar zijn schouders had opgehaald en er ook vandoor was gegaan. Daar had ze gezeten, alleen, terwijl haar twee oudere broers weg waren en niet wisten wat er aan de hand was.

Toen haar moeder 's avonds laat was thuisgekomen en haar vader ergens diep in de nacht, was Lydia er niet geweest. Ze was pas twee dagen na haar belijdenis teruggekomen en het schandaal was voor iedereen duidelijk geweest. De gasten waren gekomen, haar ouders hadden een groot familiefeest voorbereid, maar Lydia was er niet geweest. En ze zou er ook nooit meer zijn.
Het huis in Bergen wilde ze het liefst vergeten, maar ze dacht er toch aan. Ze wilde de eenzaamheid vergeten, de kou thuis, de harde woorden, de ruzies tussen haar ouders, die zeiden dat ze van elkaar hielden. De rekeningen die niet werden betaald, de belastingaanslagen waar geen geld voor was, en dan ineens was er overvloed en niemand klaagde, niemand dreigde met rechtszaken en alles ging goed, een hele tijd, totdat het opnieuw begon.
Pas toen ze volwassen was, had Lydia begrepen dat haar ouders zich bezighielden met zaken die het daglicht niet konden verdragen. En wat deed ze nu zelf?
Ze graaide de brief naar zich toe en verfrommelde hem tot een harde bal die ze tegen de muur gooide terwijl ze haar tanden op elkaar beet.
Toen had ze Maxim Sverd ontmoet. Alleen zijn naam was al romantisch geweest. Hij had een beetje verlegen over zijn afkomst verteld. Lydia was erg onder de indruk van het verhaal van zijn moeder die naar Rusland was gegaan, haar man en kind had achtergelaten en toen niets meer van zich had laten horen. En het verhaal van zijn grootmoeder, die de revolutie had meegemaakt en de liefde had gevonden bij een Noorse zeeman die was achtergebleven in St. Petersburg en midden in de omwenteling van de geschiedenis terecht was gekomen. De grootmoeder die bij de tsaar was geweest toen ze klein was...
Lydia fronste haar voorhoofd. De tsaar... wat had Maxim eigenlijk verteld? Haar gedachten dwaalden weg en het huis in Bergen verscheen weer voor haar.

Ze zei: 'Ik wil niet arm zijn, ik wil niet bang zijn, ik wil het goed hebben en over mijn eigen leven beslissen.'
Ze hoorde haar stem als een echo tussen de muren.
'Maxim,' fluisterde ze, 'vergeef me, alhoewel ik weet dat je dat niet zult kunnen als je erachter komt wat ik heb gedaan.'
Ze stond met een ruk op, de stoel vloog onder haar vandaan, de wieltjes maakten een piepend geluid.
'Ik wil niet huilen,' fluisterde ze terwijl ze van het bureau wegliep. 'Ik wil niet huilen.'
Op dat moment ging de telefoon. Ze stond meteen stil. Ze wist dat het iets met de brief te maken had. Hij ging zes keer over voordat ze hem op durfde te nemen. Ze zei niets.
'Kirsten Vik?' zij een zware mannenstem in haar oor.
'Ja,' antwoorde ze effen.
'U hebt vandaag een brief gekregen?'
'Ik heb er wel meer dan een gekregen,' wist ze uit te brengen.
De stem lachte. 'U weet wat ik bedoel,' zei hij.
'Ja, ik weet wat u bedoelt,' echode Lydia.
'Wilt u over de juwelen van de tsaar vertellen?'
'Ik weet niet wat de juwelen van de tsaar zijn,' antwoordde ze. Het leek wel of ze droomde.
Het werd stil aan de andere kant; toen barstte er een bulderend gelach los.
'Nu houdt u mij voor de gek,' zei de stem nog steeds lachend.
'Nee, ik houd u niet voor de gek,' antwoordde Lydia koel. 'Ik heb nog nooit van de juwelen van de tsaar gehoord.'
'In dat geval,' zei de stem nog koeler dan de hare, 'moet ik later terugbellen. Blijf in uw kantoor tot u bericht krijgt. Ik *weet* dat u bekend bent met de juwelen van de tsaar, maar misschien herinnert u het zich niet?'
De stem klonk bijna nog koeler toen hij die laatste woorden zei.
'Blijf daar tot ik weer bel. Ga niet weg. Misschien kan de gedach-

te aan uw zoon uw geheugen opfrissen? Wij weten dat hij nu alleen thuis is.'

Aan de andere kant werd opgehangen. Langzaam liet Lydia haar hand zakken, de hoorn viel op de haak.

'Nee,' fluisterde ze, 'dit mag niet waar zijn.'

Nikolaj had nooit deel uitgemaakt van haar plannen. Hij had hier niets mee te maken.

Ze schoof de stoel terug naar het bureau, liet zich erop vallen en wachtte tot de telefoon weer zou gaan. Ze zag Nikolaj voor zich. Hij leek niet op haar, maar op zijn overgrootmoeder. Dat vond ze niet leuk. Nikolaj was op de een of andere manier niet haar kind, ook al had ze hem gebaard. Hij hoorde het meest bij Maxim en zijn familie.

Ze hoorde haar broers fluisteren in haar hoofd: 'Maak er het beste van, Lydia,' zei Dieter.

'Ze hebben vast geheimen waar je achter kunt komen,' zei Patrick.

Ze had een hekel aan ze. Ze had een hekel aan zichzelf.

Lydia stond op. Ze wilde hier niet zitten wachten alsof ze bang was voor de man die had gebeld. Ze zou weggaan. Ze wist zeker dat hij haar met het dreigement over Nikolaj alleen maar bang wilde maken, verder niets. Maar ze voelde zich toch niet helemaal gerust toen ze de deur achter zich op slot deed.

Het was de tweede avond en de maan naderde zijn hoogste punt aan de hemel. De vreemdeling kwam de tent binnen, maar Dai-Chi keek niet op. Er brandde een klein vuur. Schaduwen zweefden onder het tentdak. De tent leek groter dan hij eigenlijk was.
De vreemdeling bleef voor Dai-Chi staan, die op dezelfde plek zat als de avond ervoor. Zijn armen waren niet meer gebonden, maar zijn voeten waren vastgeketend aan een stevige paal die in de grond was geslagen. Voor Dai-Chi stonden twee schalen met onaangeroerd eten.
'Smaakt het eten dat ik je geef je niet, Dai-Chi?' vroeg de vreemdeling.
'Het eten is vast goed,' antwoordde Dai-Chi, 'maar ik kan niet eten als ik niet vrij ben.'
'Maar drinken kun je wel?' zei de vreemdeling een beetje spottend en hij schopte zachtjes tegen een lege metalen beker zodat die omviel.
'Ik moet wel drinken om jou te kunnen vertellen wat je wilt weten.'
'Je moet niets,' zei de vreemdeling, 'je hebt ervoor gekozen om het te doen.'
'Ik weet wanneer ik moet praten en wanneer ik niet moet praten,' antwoordde Dai-Chi zonder op te kijken.
De vreemdeling ging zitten in de stoel met de hoge rugleuning waar hij de avond ervoor ook in had gezeten. Hij deed zijn benen

over elkaar en trok zijn hoed over zijn voorhoofd, zodat de onderkant van zijn gezicht in de schaduw was.
'Ik geloof toch dat je me belazert,' zei hij zacht.
'Ik doe alleen wat je me vraagt,' antwoordde Dai-Chi.
'Ja, maar toch is er iets dat je me niet vertelt,' zei de vreemdeling. 'Ik weet niet wat het is, maar er is iets.'
'Gisteren heb ik verteld wat je me vroeg, wat verwacht je nog meer?'
'Ik weet het nog niet, maar ik kom er wel achter hoe je me belazert, want dat doe je.'
Dai-Chi richtte zijn blik op en keek de vreemdeling aan. 'Als ik vanavond moet vertellen, moet ik wel opschieten. De stand van de maan is maar korte tijd goed.
'Ja, dat is zo, maar het is vanavond ook volle maan.'
'Volle maan,' zei Dai-Chi, 'de mens kan de volle maan niet zien. De maan is voortdurend in beweging, als een godin die langzaam in- en uitademt, als de langzame ademhaling van een slapende godin. Maar de mens kan nooit de volle maan zien. Die is weer weg voordat wij adem kunnen halen. Wij denken dat het volle maan is; wij willen zo graag dat het volle maan is dat we vasthouden aan iets dat we denken te zien. De mens is bang voor verandering, dat wat zich wijzigt. Daarom zien wij de volle maan een etmaal na het moment dat hij echt vol is. Het kan zelfs gebeuren dat er niemand naar de maan kijkt precies op het onmetelijk korte tijdstip dat hij vol is.'
'Bespaar me de ideeën van jouw tempel en vertel me liever over een van de andere zes juwelen.'
'Over welke zal ik vertellen?'
'Volgens mij is dat het punt waarop je me belazert. De volgorde is *wel* belangrijk,' zei de vreemdeling terwijl hij zich vlug en geërgerd voorover boog.
'Jij hebt jouw volgorde, ik heb de mijne,' zei Dai-Chi.
De vreemdeling zweeg. Dai-Chi voelde zijn blik.

'Vertel,' zei de vreemdeling eindelijk.
'Ik kan niet vertellen zonder dat de maan hier is,' zei Dai-Chi.
De vreemdeling stond wild op. Zonder iets te zeggen greep hij de flap van de avond ervoor en trok de huid opzij, zodat de gele schijf van de maan de opening vulde. Dai-Chi haalde diep adem en sloot zijn ogen. De vreemdeling ging weer zitten.
'Ik zal vertellen over het juweel uit China,' zei Dai-Chi.
'Is dat niet van ongeveer achthonderd jaar voor onze jaartelling?'
'Je maakt je druk over onbelangrijke dingen,' zei Dai-Chi.
'De tijd is niet het belangrijkst, maar het feit dat het is gebeurd.'
'Vertel,' herhaalde de vreemdeling.
'Vul eerst mijn beker met water,' zei Dai-Chi.
'Eerst moet je vertellen.'
'Waarom zou ik niet vertellen als ik iets te drinken krijg? Hoe kan ik daar onderuit komen? Wil je dat ik midden tijdens mijn verhaal mijn stem kwijtraak, zodat een hele maannacht verloren is?'
De vreemdeling bleef zitten zonder iets te zeggen.
'De maan is voortdurend in beweging,' zei Dai-Chi. 'Het duurt niet zo lang voordat hij weg is uit de opening in het tentdak.'
De vreemdeling stond op, vulde de beker van Dai-Chi met water uit een kan en ging toen weer zitten.
'Het gaat over Li,' begon Dai-Chi. 'Ze was de dochter van Wang en Chun. Zij hadden vijf kinderen gekregen, maar vier waren er vlak na de geboorte gestorven. Li was de enige die bleef leven. Ze waren lijfeigenen, boeren, in de Kantouri-streek. Hun landheer was erg machtig en hij werd bewonderd. Wang werkte op de rijstvelden en Chun weefde de prachtigste zijde die je je kunt indenken. Ze hadden een hard leven, maar ze waren blij dat een van hun kinderen was blijven leven. Hoewel de winters koud waren, en er een harde noordenwind blies, klaagden ze niet. Want niemand kon ze vertellen wat er zonder de bescherming van de machtige landheer met hen zou gebeuren.'

'Moet je nou echt al die kleine details vertellen,' onderbrak de vreemdeling hem geïrriteerd. Hij zwaaide heftig met zijn hand, het wijnglas wankelde, maar hij kreeg het te pakken voor het viel. 'Kun je niet gewoon over de amethist vertellen?'
Zonder zijn stem te verheffen antwoordde Dai-Chi: 'De verhalen hebben hun eigen wegen, hun eigen loop. Als luisteraar moet jij die ook volgen.'
Dai-Chi ging verder met vertellen; hij wachtte niet op het protest dat van de ander leek te zullen komen. De vreemdeling zonk terug in de stoel, pakte zijn wijnglas op en bleef met het glas aan zijn mond zitten, zonder te drinken.
'Wang werkte op de rijstvelden. Hij ploegde in de ijskoude wind, die de herinnering aan de winter nog met zich meedroeg. De nachten waren koud en soms wist hij niet hoe hij en zijn gezin zich in leven moesten houden tot de volgende morgen. In de zaaitijd was iedereen aan het werk op de velden, ook de vrouwen en kinderen. Li was al vroeg gewend om samen met haar ouders verschillende soorten werk te doen. Ze probeerden om het zo makkelijk mogelijk voor haar te maken, maar ze werkte hard en deed haar best.
Ze was pas acht toen ze op een dag haar stijve rug strekte en een ruiter langs de lage heuvelrug zag galopperen. Ze kneep haar ogen dicht tegen de zon en dacht dat het een vuurgod moest zijn die ze zag.
Ze vroeg het Chun, en haar moeder antwoordde: "Dat is de landheer. Beloof me dat je niet te veel naar hem kijkt."
"Waarom?" vroeg Li, maar toen begon haar moeder te huilen en zei: "Daar kom je gauw genoeg achter, lieve Li."
Toen het drukste werk op de velden klaar was, ging Li met haar moeder mee naar de weefkamer waar ze de prachtigste zijden stoffen weefde. Haar moeder liet haar hand over een vlammend rode stof glijden. "Kijk," zei ze terwijl haar vingertoppen over de

stof dansten, "de zon is ondergegaan in de stof; zie je hoe het vuur gloeit? Voel deze stof eens, voorzichtig, Li, voorzichtig, voel je hoe koel hij op je huid is? Zo zacht en troostrijk... tot ver buiten ons rijk is er vraag naar deze stoffen. Nergens worden zulke mooie weefsels gemaakt. Binnenkort zul jij ook worden ingewijd in de geheimen van de stof."

Ze volgde haar moeder naar de zijderupsen en ze mocht moerbeibladeren voor hen neerleggen. De mannen haalden de bladeren altijd maar de vrouwen voederden de rupsen en zorgden voor hen.

"We moeten hier stil zijn," fluisterde Chun, "want de zijderupsen hebben rust nodig om hun tere draden te kunnen spinnen. Ze moeten zich prettig voelen en daarom zing ik voor hen; een liedje over verre bossen vol geurige moerbeibladeren."

"Zou je daar graag heen willen?" vroeg Li.

"O ja, want ik denk dat daar een beter leven wacht."

De landheer reed regelmatig op zijn witte paard over de heuvelrug.

Op een dag toen Li de weefkamer uitkwam, reed de landheer de binnenplaats op en hield zijn paard stil. Hij moest met de mannen pra...'

Opnieuw onderbrak de vreemdeling Dai-Chi: 'Is het nou echt nodig om dit allemaal te vertellen? Het gaat toch uiteindelijk om een juweel?'

'Jij weet weinig van juwelen,' zei Dai-Chi, 'en je weet nog minder van deze stenen die in verschillende legendes bij elkaar horen. Juist om het bijzondere karakter van de juwelen te begrijpen, moet je luisteren naar de mensen die erachter zitten.'

De vreemdeling zweeg en Dai-Chi ging verder:

'De landheer wilde met de staljongens praten, die net de binnenplaats over liepen. Maar toen hij van z'n paard wilde stappen, ontmoette zijn blik de ogen van Li, die achter zich iemand ver-

schrikt naar adem hoorde happen. Dat was haar moeder, die nog in de schaduw van de deuropening stond.
"O nee," fluisterde ze, "nu is het te laat."
"Wat is te laat?" vroeg Li.
De landheer maakte zich klaar om verder te rijden, maar hij liet zijn blik nog één keer langs Li dwalen, die voor het weefhuis stond.
"Je wordt zijn concubine."
"Moet hij dat dan niet aan mij vragen?"
"Nee, mijn lieve kind. Hij trouwt met een vrouw van zijn eigen stand, een die rijkdom en overvloed uitstraalt, een die geen littekens van bevriezing op haar huid heeft of wiens wangen zijn getekend door de honger. Maar zijn begeerte wil op meerdere plaatsen gestild worden. Hij heeft het recht om onze dochters tot minnares te nemen. Wij hebben hem dat recht niet gegeven."
"Maar ik wil het niet," zei Li.
"Niemand vraagt wat jij wilt. Wij hebben niets te zeggen. Hij geeft ons een plek om te wonen, hij beschermt ons tegen vijanden en biedt ons veiligheid. Zonder hem zouden wij verloren zijn, zegt hij."
"Maar ik *wil* het niet," zei Li.
"Waarom denk je dat jonge meisjes verdriet in hun hart dragen als het voorjaarslicht zichtbaar wordt boven de heuvelrug? Waarom denk je dat ze zingen over verlies en verlangen als ze hun manden met door de zon verwarmde moerbeibladeren vullen? Binnenkort wordt dat ook jouw leven. Ik had gehoopt dat ik je ertegen kon beschermen."
Iedere herfst betrok Wang met zijn gezin de koude lemen hut om op de winter te wachten. De voorraad eten was altijd krap, maar het zou genoeg zijn voor de periode van kou.
Toen brak het voorjaar aan dat Li veertien werd en ze begon te weven in het huis van de weefsters. Ze leerde vlug en ze vond het

leuk om te zien hoe de draden zich bij elkaar voegden en veranderden in rood vuur, blauwe lucht of groen voorjaar. Ze neuriede in zichzelf dat ze een vogel was die over de heuvelrug vloog, of een wind die uit verre, naar honing ruikende bossen kwam. Ze neuriede dat ze een rivier was die zonder begin of einde door een wisselend landschap stroomde. Boten met vreemde mensen, die spraken over dingen waar zij nog nooit van had gehoord, dreven stroomafwaarts. Maar de rivier verzamelde woorden die naar beneden zonken en voelde zich rijker.
Op een dag hoorde ze een vreemde taal voor de weefkamer. De dunne bamboewand was aan de schaduwkant opgerold, de vroege zomerlucht trilde in de schaduwen. Zelfs de wielewaal was stil en zocht zijn toevlucht tussen de diepste, nog koele schaduwen van de bomen. Ze hoorde de onbekende vrouwenstem duidelijk. Li wist dat ze niet moest letten op wat er om haar heen gebeurde, maar ze stond op van haar weefgetouw. Ze kon niet bij haar spoel blijven zitten en zich afsluiten voor wat er buiten gebeurde. Ze merkte dat de vogel binnen in haar zachtjes met zijn vleugels sloeg, dat de wind haar gedachten vulde en dat de rivier door haar lichaam begon te stromen...'
'Nu voor de laatste keer, ik wil niet naar al die dingen luisteren. Ik begrijp niet waarom je dit vertelt. Ik geloof dat je me voor de gek probeert te houden,' zei de vreemdeling met een stem die trilde van kwaadheid.
'Ik begrijp niet waarom je mij vraagt over de juwelen te vertellen, als je zo weinig begrip hebt voor samenhang en betekenis. Mijn verhaal volgt precies de rustige boog van de maan tussen twee sterrenpunten. Als je mij nog eens onderbreekt, kan ik het verhaal niet afmaken, want dan is de maan al te ver. Dan heb jij je kans gemist om iets over de juwelen te weten te komen. Als ik langer vertel dan de maanboog duurt, gaat het ook verkeerd. Dan wordt de samenhang verbroken.'

Dai-Chi's stem was sterk en krachtig geworden. De vreemdeling keek wantrouwig naar hem. Dai-Chi keek terug.
'Ik kan het niet helpen dat jij niet begrijpt waarom de weg is zoals hij is. Misschien begrijp je het aan het einde, als ik het verhaal van het laatste juweel heb verteld. Omdat mijn leven van jou afhangt, vraag ik je om erop te vertrouwen dat ik je niet voor de gek houd. Jij denkt te eenzijdig over de juwelen. Gun jezelf de tijd. Geef mij de tijd. Ik ben nog niet klaar om te sterven.'
'Ga verder,' zei de vreemdeling zacht en hij liet zich helemaal terugzakken in de schaduw.
'Li liep het huis van de weefsters uit. Ze hoorde de stem weer. Het was een taal die ze nog nooit eerder had gehoord, met onbekende klanken. Ze keek rond, maar ze zag geen vreemde. Opnieuw klonk de stem. Toen hoorde ze de vogel binnen in haar tjilpen: "Ga, nu het nog kan, het leven zal lang en gelukkig zijn als je nu vertrekt."
"Waar ben je?" riep Li en ze rende een paar stappen de open binnenplaats op. Ze zag geen onbekenden in haar buurt. Ze merkte niet dat mensen zich oprichtten en zich omdraaiden om naar haar te kijken. Ze merkte helemaal niet dat de landheer kwam aanrijden.
"Wie ben je?" riep ze harder en rende naar de waterput, maar daar was niemand.
Ze liep verder naar het kleine groentetuintje, maar nergens was een vreemdeling te zien.
Toen hoorde ze de wind suizend door haar gedachten fluisteren: "Er ligt zoveel te wachten, er is zoveel te vinden, kom naar het leven achter de heuvelrug, achter de dennenbossen, achter de ruisende rivieren."
"Wie ben je?" schreeuwde Li. "Waar kom je vandaan? Laat je zien, neem me mee!"
Chun was achter haar dochter aangelopen. Vertwijfeld stond ze in

de deuropening naar haar te kijken. "Li," riep ze. "Kom terug, er is daar niets."
Li draaide zich om en kwam aanrennen over de binnenplaats. Ze merkte de landheer niet op die van zijn paard was gekomen en het snuivende, schrikachtige dier stevig bij de teugels hield. Maar de landheer had Li wel gezien. Haar ogen schitterden en er lag een verlangende gloed in. De huid van haar gezicht glansde zo stralend dat het wel van binnenuit moest komen. Ze liep met een rechte rug en zekere passen over de binnenplaats. De landheer had nog nooit iemand gezien die zo zelfverzekerd en mooi was.
Chun zag de landheer, en ze zag wat hij zag. Ze kreunde en zocht steun tegen de muur. Nu was het te laat om in te grijpen.
Terwijl ze liep, voerde de rivier binnen in Li een couplet van een onbekend lied mee: "Geen zee zal jouw voet stoppen, geen berg is te hoog, geen dal te diep, want het leven is overal, het lokt..."
"Kom te voorschijn!" schreeuwde Li, terwijl ze in het rond rende zonder te weten waar ze naartoe moest. "Ik wil mee."
Plotseling werd ze tegengehouden door een sterke hand die haar bij haar bovenarm pakte. Ze keek verbaasd naar de vreemde hand en wist dat hij niet was van degene die haar had geroepen. Ze keek op en ontmoette de blik van de landheer.
"Je bent mooi," zei hij, "jij bent de mooiste, geen voorjaarsdag, geen zomerbloem kan zich met jou meten. Jouw ogen zijn mooier dan de mooiste diamant. Kom vanavond bij mij."
Hij liet haar los en sprong weer op zijn paard, zeker van zijn macht. Li stond onbeweeglijk terwijl hij wegreed. Het geluid van de paardenhoeven trof haar in het hart en ze hapte naar adem van de pijn.
Zodra de landheer uit het zicht was, haastte Chun zich naar haar toe. Ze huilde en jammerde, maar Li zei niets.
Toen ze 's avonds bij hun hutje kwamen, zei Wang: "Ik geloof dat het goed is. Ik heb gehoord dat de landheer over haar sprak zoals

hij nog nooit over een van de andere vrouwen hier heeft gesproken. Ik denk dat dat betekent dat we het beter zullen krijgen, dat we zoveel zullen kunnen eten als we willen, dat we het niet meer koud hoeven te hebben 's winters, als Li doet wat hij wil."
Chun schreeuwde toen ze die woorden hoorde en ze klemde zich vast aan haar dochter, alsof ze haar wilde beschermen tegen de woorden van haar vader. Ze riep allerlei verwensingen uit over haar man die het over zijn hart kon verkrijgen om zulke dingen te zeggen.
"Heb jij dan geen honger?" vroeg hij. "Heb jij het dan niet koud? Ben je niet bang dat je vroeg zult sterven?"
Chun gaf geen antwoord, want wat hij zei was waar.
Toen het avond was geworden, stond Li op om te gaan. Haar moeder had haar zo mooi mogelijk gemaakt, en ze keek haar dochter na. Ze hadden die middag niets tegen elkaar gezegd.
Maar Li ging niet naar het huis van de landheer. Ze liep rustig naar het westen, daarheen vloog de vogel binnen in haar, dat voelde ze. De wind in haar droeg haar vederlicht mee en ze voelde de warme golven van de rivier tegen haar huid. Ze liep de nacht in, de maan kwam te voorschijn, ze rustte niet. Toen ze bij de top van de heuvelrug was gekomen, bleef ze staan en keek om. Ze dacht dat ze het hutje van haar ouders zag, en was dat niet haar moeder die naar haar zwaaide?
Ze keek de andere kant op. De heuvels liepen zachtjes glooiend een heel eind naar beneden, naar een vlakte waar bomen die ze niet kende scheve schaduwen wierpen. En heel ver weg rees een blauwe muur met pieken op. Bergen die haar blik tegenhielden.
Li was moe, ze had honger en dorst. Ze ging op de grond zitten. Het was kil, de dauw lag als grijze parels op de smalle grasspriten. Ze wilde verder gaan, maar ze kon het niet. Ze wilde niet weg, want ze dacht aan wat er met haar ouders zou gebeuren.
"Wat moet ik doen?" zei ze.

Weer hoorde ze de vrouwenstem die de vreemde taal sprak. Haar bloed bonsde de woorden in haar hart.
"Ik ben weggegaan en ik kan ook weer teruggaan."
Li keek op. De volle maan stond aan een prachtige, pas geweven zijdeblauwe hemel. De maan, dacht ze. "Maan," zei ze en de maan bescheen haar. Li voelde een nieuwe rust en ze wilde huilen. "Huil maar," zei de maan, "huil maar."
Wat moet ik doen? dacht Li. Hoe kan ik teruggaan naar de landheer zonder dat mijn ouders gestraft worden en ikzelf ook? Ik wil alles geven om dat te voorkomen.
Ze huilde. De maan scheen troostend op haar neer en een stem fluisterde: "Je kunt de landheer het mooiste juweel geven dat hij ooit heeft gezien; jouw ene oog."
Li jammerde zachtjes. "O, nee, dat niet."
Ze huilde een poosje. Ik kan niet verdergaan, dacht ze, maar hoe kan ik nou mijn ene oog geven?
Ze begon weer te huilen, zo hard dat haar kleine gestalte ervan beefde.
"Stil maar," troostte de maan, "ik zal je helpen."
Li haalde haar handen voor haar ogen weg en daar lag een violet juweel in haar ene hand. Verschrikt voelde ze aan haar ogen, maar die leken er allebei nog te zijn. Voorzichtig keek ze in het rond. Toen ontdekte ze dat ze maar met een oog zag.
Het juweel in haar hand schitterde met een weemoedige glans. Het was mooi. Diep binnenin lichtte een maanbeschenen landschap op. Het beeld veranderde telkens, van verre bossen in brede vlaktes en in de golvende zee. Opgelucht stond ze op en liep terug. Nu had ze een verzoeningsgeschenk om aan de landheer te geven.
Alles was in rep en roer toen ze terugkwam. Een heleboel mensen waren haar aan het zoeken, maar ze ging onopgemerkt naar de landheer.

“Ik ben terug,” zei ze.
De landheer bekeek haar. “Ik ken jou niet,” zei hij.
“Maar ik ben het, ik ben Li,” zei ze dringend.
“Ga weg vreemdeling,” zei de landheer, “Li is verdwenen en ik zal nooit meer gelukkig worden.”
“Ik heb een geschenk voor u,” zei Li. “Ik hoop dat u mij en mijn ouders niet te hard zult straffen.”
Ze hield hem haar geopende hand met het juweel voor.
De landheer keek ernaar, boog zich voorover, hapte naar lucht en deinsde achteruit. “Maar dat is Li’s oog,” zei hij. “Wat is er met haar gebeurd?”
“Hier ben ik toch,” zei Li vertwijfeld.
De landheer pakte voorzichtig het violette juweel tussen twee vingers en hield het omhoog naar de maan. “Zo mooi waren haar ogen,” zei hij.
Voorzichtig kuste hij het juweel. Li keek ernaar zonder precies te weten wat ze moest doen.
“Vanwege dit juweel zullen Li’s ouders gespaard worden, maar jij moet hier meteen vandaan gaan. Zorg dat ik je nooit meer te zien krijg, want je herinnert me aan Li. Ga!”
Li ging weg. Ze wist niet waar ze naartoe liep of hoe lang. Het was nacht toen ze stopte en om zich heen keek. Ik kan niet meer, dacht ze, ik kom niet verder. Toen was de vreemde stem er weer. Ze hoorde ook de vogel tjilpen, vlak boven haar hoofd en de wind ritselde door de bomen, vlak daarachter bruiste de rivier. Li stond op, de maan scheen op haar neer. Ze strekte haar handen ernaar uit en zei: “Ik red het wel...”’

Dai-Chi zweeg.
De vreemdeling zei niets.
Het was een tijdje stil.
‘Is dat alles?’ vroeg de vreemdeling, ‘ik dacht da...’

Op dat ogenblik klonk er buiten de tent geroep en sabelgekletter. Er hinnikte een paard, een paar honden begonnen hard te blaffen.
'Wat is dat?' zei de vreemdeling terwijl hij van zijn stoel opsprong.
Dai-Chi zei nog steeds niets.
'Is dit het einde van de legende?' vroeg de vreemdeling.
'Ja, en nu is de maan te ver gekomen,' zei Dai-Chi.
'Weet jij wat hier gebeurt?' vroeg de vreemdeling. 'Heb jij het kamp betoverd met die legende?'
'Ben je er zo door geraakt?' zei Dai-Chi. 'Dan ben je dichter bij de weg die je niet denkt te kunnen zien.'
Er klonk opgewonden geroep bij de ingang van de tent.
'Dit is jouw werk,' siste de vreemdeling, 'wacht jij maar,' en daarmee liep hij de tent uit.

Weer werd Nikolaj Sverd 's morgens wakker na een bijna slapeloze nacht. Weer was zijn moeder 's nachts laat thuisgekomen en direct naar haar slaapkamer gegaan. Nikolaj zorgde ervoor dat hij geruisloos het huis uit sloop. Hij wilde zijn moeder niet wakker maken. Hij wilde ook niet met haar praten en hij wilde al helemaal niet nog meer leugens horen.

Die morgen ging Nikolaj weer niet naar school. Hij hing rond in de stad, in het grauwe weer. Hij ging naar de film, maar hij kon zijn aandacht er niet bij houden, dus hij ging weg voordat de film halverwege was.

Hij liep een platenzaak binnen, een boekhandel, een sigarenwinkel, nog een platenzaak en een sportwinkel om naar ijshockeyspullen te kijken. Toen ging hij een Burger King binnen, at een whopper en speelde wat op de automaten. Hij was op een heleboel plaatsen zonder iets te zien en zonder er echt te zijn.

Dit is echt heel erg, dacht hij toen hij vroeg in de middag zijn huis binnenging. Zijn moeder was natuurlijk niet thuis. Op dit moment was hij daar blij om.

Florinda Olsen voelde zich niet in orde toen ze opstond. Haar lijf deed pijn, ze had slecht geslapen; ze was de hele nacht door dromen achtervolgd. Ze zette thee, stak de kaarsen op de keukentafel aan, keek met een sombere blik naar buiten, naar de grijze lucht en dacht eraan dat de maan die avond niet zou schijnen en dat het misschien wel zou gaan sneeuwen later op de dag.

Een restant van de dromen van die nacht zweefde nog door haar gedachten: ze hield haar vaders hand vast. Hij was heel groot en hij had donkere kleren aan. Zij was heel klein en ze had witte kleren aan. Vreemd genoeg zag ze zichzelf van achteren. Ze liepen een brede trap met hoge treden op en het rook naar seringen. Opeens stond haar vader met zijn hand uitgestrekt en iemand liet er glinsterende, natte stenen in vallen.
Florinda begon ineens te lachen. O ja, dat was die dag aan het strand van het Ladogameer. Ze had mooie kleine steentjes gevonden die ze aan haar vader had gegeven. Dat was een zondag in juni geweest, de zon scheen warm en in de verte had ze een eenzame koeienbel gehoord.
Ze zette haar theekopje neer, haar gezicht werd ernstig. Het was een vreemde droom. Ze hield nog steeds haar vaders hand vast, terwijl de glinsterende stenen in zijn hand vielen. Ze keek naar haar theekopje en naar de fluitketel op het fornuis.
Plotseling voelde ze een sterk verlangen naar een samowar. Die had ze nooit meer gemist sinds haar eerste jaren in Noorwegen. Vladimir dook op in haar gedachten en daar was ze niet op voorbereid.

Maxim Sverd werd met hoofdpijn wakker in het hotel. Toen hij met een trillende hand zijn achterhoofd betastte, voelde hij een bobbel die daar niet hoorde. Hij kreunde en probeerde te gaan zitten, maar dat lukte hem niet. Hoe was hij teruggekomen in het hotel? Hoe was hij in bed gekomen? Maxim wist het niet meer.
Zijn hoofd was leeg en het deed pijn en hij had er steeds meer spijt van dat hij aan deze reis was begonnen. Hij hoorde een geluid in zijn hoofd, een geluid dat in een stem veranderde, en hij ving een paar woorden op: '... mij niet voor de gek houden... zo lang samengewerkt en dan probeer jij...'
De stem kreeg een gezicht dat hij dacht te herkennen en het gezicht kreeg koude blauwe ogen met een ijzige glans. Meer kon hij

zich niet herinneren, maar hij kreeg steeds meer het vermoeden dat hij verwikkeld was geraakt in iets waar hij zich ver buiten had moeten houden.

Lydia Sverd zag de man die even verderop in de straat uit een taxi stapte meteen. Hij keek om zich heen voordat hij zijn blik op haar huis liet rusten. Gelukkig stond zij in de halfdonkere keuken, verborgen achter de gordijnen. Ze had geleerd om voorzichtig te zijn. Al voor hij begon te lopen, wist ze dat hij naar haar toe kwam. Hij had iets met de brief en het telefoontje van gisteren te maken.
De juwelen van de tsaar, dacht ze. De juwelen van de tsaar?
Er werd niet aangebeld. Toen ze uit het raam keek, was de man nergens te zien. Heel stil en voorzichtig liep ze van kamer naar kamer, van raam naar raam, op allebei de verdiepingen, maar ze zag de man nergens. Voor zover ze kon zien, stond hij niet tegen een lantaarnpaal geleund en zat hij ook niet in elkaar gedoken achter de struiken in de tuin.
De woonkamer durfde ze niet binnen te gaan. De gordijnen waren niet voor de grote openslaande deuren getrokken. Stel je voor dat hij nou net daar, met zijn gezicht tegen het glas aan gedrukt, stond te wachten tot zij zou verraden dat ze thuis was.
Uiteindelijk ging ze onder de trap in de hal zitten, waar ze door geen van de ramen te zien was. Er gebeurde niets. Ze begon te zweten en voelde zich niet lekker. Hoorde ze geen onbekende, vreemde geluiden, buiten en binnen?
Tenslotte pakte ze de telefoon, belde de politie en zei dat er een geheimzinnige man in haar tuin rondsloop en dat ze bang was. Een uur later kwam er een vriendelijke politieagent. Hij stelde haar gerust en zei dat er niets te zien was in de tuin. Lydia bedankte hem koeltjes. Pas toen de politie-auto niet meer te zien was, ging ze het huis uit. Ze had die dag al te veel tijd verspild. Ze vond het niet prettig dat ze zich zo makkelijk bang liet maken.

Eliam was nog nooit in de halvemaantempel van de mannen geweest. Ze had de tijd niet om er veel van te zien voor ze werd binnengeleid in een grote ruimte die haar deed denken aan Alia's kamer. Toen begreep ze dat de twee tempels misschien wel hetzelfde waren.
Olim deed geen lantaarn of lamp aan toen ze zijn kamer binnenkwamen. Alia hield zich een beetje op de achtergrond en Eliam bleef vlak bij de deur staan. Olim verdween in het donker. Eliam zag dat de open bogen waardoorheen je de nacht buiten kon zien, gevuld waren met een goudachtiger licht dan bij Alia. Maar dat kon ook komen doordat de maan vanaf een andere plek aan de hemel scheen dan toen ze van de halvemaantempel van de vrouwen wegreden.
Plotseling verschenen er drie kijkgaten in het donker. Olim moest een gordijn opzij hebben getrokken.
'Kom hier, Eliam,' zei hij, 'ik wil dat je door deze openingen naar buiten kijkt en Alia en mij vertelt wat je ziet.'
Zijn stem klonk opgewonden, Eliam begreep niet waarom.
'Ga nou,' fluisterde Alia en ze gaf haar een voorzichtig duwtje.
Eliam aarzelde. Er was zoveel gebeurd de laatste paar uur, dat ze niet zeker wist of ze nog meer kon hebben.
'Het is niet gevaarlijk, Eliam,' zei Olims rustige stem, 'we willen alleen horen wat je ziet. Dat is ontzettend belangrijk, voor ons en voor jou en helemaal voor de maan.'
Alia pakte haar zacht bij haar elleboog.

'Kom, Eliam,' zei ze. Haar naam klonk opeens zo plechtig toen Alia hem uitsprak.
Verbaasd liep ze mee naar Olim.
Hij leidde haar naar de eerste opening.
'Ik wil dat je naar buiten kijkt en vertelt wat je ziet,' zei hij. Zijn stem was ernstig, maar ook verwachtingsvol.
Eliam begreep niet wat er zo bijzonder aan was om uit te kijken over de vlakte in het maanlicht, maar ze liep naar de eerste opening en keek naar buiten. Daar was alleen de hemel te zien. Ze bedacht een beetje verbaasd dat het vreemd was dat ze de vlakte of de bergen in de verte niet zag.
'Wat zie je?' vroeg Olim.
'Ik zie... de hemel,' antwoordde Eliam onzeker.
'En verder?' Dat was Alia's stem, opgewonden en verwachtingsvol.
'Ja,' zei Eliam, 'ik zie zeven sterren schitteren, zeven grote sterren. Ik geloof niet dat ik ooit zulke grote sterren heb gezien.'
'Zeven?' zei Olim. 'Weet je zeker dat het er zeven zijn?'
'Ja,' antwoordde ze. 'Het zijn er zeven. Ze hangen in een boog.'
'Een boog,' zei Alia zacht. 'Het is inderdaad een boog...'
'En je weet zeker dat het er zeven zijn en dat ze zo hangen als je zegt?' zei Olim.
'Ja,' antwoordde Eliam, 'het zijn zeven grote sterren in een hangende boog.'
Olim nam haar mee naar de volgende opening. Hij zei niets, maar nu wist Eliam dat ze moest zeggen wat ze zag.
'Ik zie een... planeet,' zei ze verwonderd, 'met een lichtgevende blauwe ring eromheen.'
Olim en Alia zwegen even, toen zei Olim: 'Heb je dat gehoord Alia, er is een planeet in de ring.'
Alia antwoordde niet, Eliam ving alleen een zucht op.
'En wat zie je nu?' zei Olim toen ze voor de derde opening stond.

Eliam hoorde dat hij opgewonden en vol verwachting was.
'Ik zie... heel, heel ver weg... alles is donker, of nacht... en verder zie ik... ik zie vreemde sterren en planeten.'
Eliam luisterde verwonderd naar zichzelf. Wat wist zij van sterren en planeten?
'En daar... ik zie licht... licht van onze maan die op een vreemde maan schijnt, en die geeft weer licht aan een onbekende zon die op een vreemde wereld schijnt.'
'Maar ik heb nog nooit eerder een planeet gezien,' voegde ze er in de war aan toe en ze liep weg van de opening. Ze was bang geworden door wat ze zag, door wat ze zei. Olim snelde naar haar toe om haar te ondersteunen.
'Het was geweldig om naar je te luisteren, Eliam,' zei hij. 'Ga nu maar zitten.'
Eliam liet zich op een zachte stoel zakken en Alia liep naar de eerste opening.
'Eliam,' zei Olim ernstig, 'je hebt trouw gezworen aan Alia en de tempel.'
'Ja,' antwoordde ze.
'Je gelooft wat Alia zegt?'
'Ja.'
'Ze heeft jou nooit verboden om te denken wat je denkt en te zien wat je ziet?'
'Nee.'
'Luister heel goed nu.'
Olim wendde zich tot Alia en zei kalm: 'Vertel Eliam wat je ziet, Alia.'
Het was even stil voor Alia antwoordde: 'Ik zie drie sterren die geen figuur vormen.'
'Maar...,' begon Eliam, maar Olim beduidde haar stil te zijn.
Voor de volgende opening zei Alia: 'Ik zie een lichtgevende blauwe ring.'

'Maar de planeet,' fluisterde Eliam van haar stuk gebracht. Ze kreeg geen antwoord en voor de derde opening zei Alia: 'Ik zie onze eigen vlakte met de bergen eromheen.'
Eliam was opgestaan. 'Maar... ik zag toch...,' begon ze.
Meteen was Alia bij haar en legde een arm om haar schouders. Olim liep snel heen en weer voor de openingen. 'Het is ongelooflijk,' zei hij, 'het is meer dan ongelooflijk. Eindelijk is er iemand die meer ziet dan wij...'
'Wat betekent dat?' fluisterde Eliam angstig.
'Dat betekent dat jij een maankind bent, Eliam,' zei Alia ernstig. 'Dat hebben wij vele honderden jaren niet meegemaakt in onze tempels.'
'Maar... we hebben toch door dezelfde openingen gekeken?' zei ze nog even verward.
'Ja, maar dat betekent niet dat we hetzelfde moeten zien,' zei Alia. 'Ik zie wat ik zie. Jij ziet meer. Ik kan de leegte geen betekenis geven, jij vult hem in.'
'En dat betekent,' zei Olim, 'dat jij uitverkoren bent. Jij staat rechtstreeks in dienst van de maan.'
'Maar...' Eliam moest haar keel schrapen, want haar stem was bijna weg. 'Maar wat betekent dat, en hoe kan dat...'
'Kom hier,' zei Olim. 'Ik wil dat je in deze spiegel kijkt.'
Zonder dat ze het eigenlijk wilde, stond ze op. Ze had een hekel gekregen aan spiegels. Toch liet ze zich door Olim en Alia meevoeren. Een van hen stak een kaars aan en ze zag een spiegel die een groot deel van een muur besloeg. Alia nam haar mee tot midden voor de spiegel en liep toen terug.
Eliam stond alleen voor de spiegel. Haar gezicht was helder wit daarbinnen, haar lichaam verdween in de donkere achtergrond. Eliam merkte dat haar ademhaling sneller begon te gaan en haar hart klopte zo dat ze er duizelig van werd.
Ineens werden er achter haar lichtpuntjes ontstoken in de spiegel.

Ze wilde zich omdraaien om te kijken waar het licht vandaan kwam, maar de puntjes daarbinnen werden steeds helderder en sterker. Ze wilde achteruit lopen, maar in plaats daarvan dwongen haar voeten haar naar voren, ze kon er niets tegen beginnen. Eliam zag in de spiegel vaag iets wat misschien een kamer was. Ze wilde er niet dichter naartoe gaan. 'Nee,' fluisterde ze, maar ze kon onmogelijk stoppen.

Olim en Alia stonden naar haar te kijken. Ze zagen dat Eliam langzaam en tegenstribbelend naar de spiegel liep. Olim deed een stap naar voren om haar tegen te houden en Alia riep haar naam. Maar Eliam stopte niet.

Voor een van beiden kon ingrijpen, was Eliam weg. Ze was in de spiegel verdwenen en ze hoorden alleen haar stem; een klaaglijk gejammer, alsof het van de bodem van een put kwam.

Er liep een engel door de tuin. Hij was groot, veel groter dan een gewoon mens. Lang krullend haar golfde op zijn rug. Zijn witte gewaad sleepte over het grasveld. In zijn hand had hij een zwaard. Plotseling draaide hij zijn hoofd om en staarde Nikolaj recht aan. Die werd zo bang dat hij zijn ogen dichtdeed. Toen hij ze weer opendeed, was de engel weg.
Dat was de middag van achttien oktober. Het donker dat de tuin binnensloop, werd een beetje lichter door de sneeuw. Je kon echt merken dat het winter werd. Nikolaj zat in het souterrain bij het grote raam dat de hele wand besloeg. Hij vond het fijn om daar 's middags te zitten met een stripboek, een glas cola en wat snoep. Hij had zich vast laten beetnemen door de struiken met hun wijd uitstaande takken, de kale appelbomen, het donker en de natte sneeuw die door de wind schuin de tuin in werd geblazen. Waarom zou hij een engel zien? Hij dacht toch nooit aan engelen; hij geloofde er niet eens in. Wat hem onzeker maakte, ja, zelfs een beetje bang, was dat de engel hem had aangekeken. Hij had het gevoel gehad dat de engel hem streng en scherp had aangestaard met heldere, blauwe ogen. Die blik was echt geweest. Maar het *kon* geen engel zijn. Dat was onmogelijk!
Hij ging meer in het midden van de kamer zitten, zodat je hem vanuit de tuin niet zou kunnen zien. Het was bijna donker in de kamer en hij hoorde de trap naar het souterrain zachtjes kraken. De deur werd langzaam opengeduwd. De deuropening werd steeds groter en vulde zich met iets zwarts.

Nikolaj sprong op van zijn stoel en deed de lamp op de schoorsteenmantel aan. Toen draaide hij zich vlug om, klaar om zich te verdedigen, maar er was niemand. De deur stond nog steeds op een kier, precies zoals hij hem had achtergelaten. In het lamplicht veranderde de tuin plotseling in een donkere avond die tegen het grote raam aan drukte.
Nikolaj stond op en deed de gordijnen dicht. Het ging beter nu hij de tuin niet meer zag, maar hij voelde zich toch niet veilig. De onrust wilde hem niet loslaten. Hij kon zichzelf er niet van overtuigen dat de engel was voortgekomen uit zijn eigen fantasie. Er hing iets geheimzinnigs om hem heen. Misschien was de engel een teken, een waarschuwing – maar waarvoor?

Ik voel me niet in orde, nee, ik voel me echt niet goed, dacht Florinda Olsen. Ze stond bij het erkerraam in de grote woonkamer en keek mistroostig naar de lucht. De grijze wolken versmolten met de schemering. Er zou die avond geen maan zijn.
Ze draaide zich om en staarde de kamer in. Ze voelde zwakke golven door het donker gaan. Het deed haar een beetje denken aan de deining van de zee die haar uit haar evenwicht probeerde te brengen als ze tot aan haar middel in het water stond.
Snel liep ze naar de deuren van de eetkamer en gooide ze open. Hier voelde ze de golven ook, maar nu sterker. Ze was niet bang, eerder verbaasd. Toen deed ze de deuren van haar werkkamer open. Het leek wel of ze het donker daar zag bewegen, maar ze dacht dat dat kwam omdat ze zo ingespannen keek om te zien of er iemand was.
Tenslotte deed ze de hoge dubbele deuren van de boekenkamer open en ging voor de spiegel staan. Florinda voelde rillingen over haar huid gaan en ze kreeg kippenvel. Ineens werd ze bang voor de spiegel, maar toch deed ze er een paar stappen naartoe. Ze zag zichzelf in het donkere, glanzende oppervlak. Haar gezicht was

niet helemaal duidelijk te onderscheiden daarbinnen. Het deed haar denken aan een witte lelie die met iedere stap dat ze dichterbij kwam meer openging.
Een zwakke windvlaag streek licht langs de gordijnen. Florinda voelde dat hij uit de spiegel kwam. De wind werd iets sterker, maakte haar haar in de war en speelde met haar rok, die zich vervolgens tegen haar benen vleide. Het voelde zacht aan tegen haar huid.
Het glanzende, donkere spiegelglas begon een beetje te schitteren, het deed denken aan water; een lichte rimpeling verspreidde zich over het oppervlak. Haar gezicht werd een golvende witte vlek, toen tekende het zich weer duidelijker af in de spiegel. Maar het was niet haar gezicht. Het was een vreemde. Dit gezicht had ze gisteren gezien.
Onder het gezicht verscheen een mager, sterk lichaam. Achter de gestalte zag ze een halfdonkere ruimte waar de maan naar binnen scheen. Florinda dacht dat ze verderop in de ruimte, achter de vreemdelinge die dichterbij kwam, nog een paar figuren kon onderscheiden.
Opeens barstte het oppervlak van de spiegel zonder dat er glassplinters over de vloer vlogen. De vreemdelinge stond in haar kamer, recht tegenover haar. Geen van beide zeiden ze iets. Ze keken elkaar alleen aan.
Florinda zag dat de vreemdelinge jong was en dat haar ogen angstig keken. Florinda was niet bang en ze kon helder denken: dit gebeurt echt en niet omdat ik oud word en mijn gedachten niet meer in de hand heb.
De vreemdelinge keek rond, snel, onzeker. Toen richtte ze haar blik weer op Florinda en deed haar mond open alsof ze wilde schreeuwen, maar er kwam geen geluid over haar lippen. Ze draaide zich vlug om en strekte haar handen uit naar de spiegel, die opnieuw barstte. Florinda kon de barsten zien die kris kras

door elkaar in het glas sprongen. De vreemde vrouw wrong zich ertussendoor en was verdwenen.
Toen was de spiegel weer helemaal gaaf en hij weerspiegelde alleen Florinda.

Ik moet naar huis, dacht Maxim Sverd. Ik wil hier geen uur langer blijven. Hij was duizelig van vermoeidheid en honger, maar daar was niets aan te doen. Hij wilde weg van dit vreselijke dat hem in zijn greep had.
Maxim kon niet begrijpen dat Gus van Daan hem beschuldigde van bedriegerij. Inderdaad hield hij wat diamanten achter, voor zijn contacten thuis, maar dat wist Gus van Daan toch. Wat ze met die diamanten verdienden, deelden ze immers.
'Als je mij belazert, moet ik mijn maatregelen nemen,' had Gus van Daan gezegd.
Maxim rilde toen hij de chauffeur met zijn sterke, zware lijf en zijn onbeweeglijke gezicht weer voor zich zag, en de ogen van van Daan die nooit lachten.
Er werd voorzichtig op de deur geklopt. Maxim sprong op van het bed, greep naar zijn hoofd en viel op een stoel neer.
Er werd weer geklopt en een stem riep: 'Telegram voor Mister Sverd.'
Wankelend liep Maxim naar de deur en deed hem open. Buiten stond een bezorger die hem een telegram voorhield. Maxim bedankte hem en nam het aan. Pas toen hij de deur had dichtgedaan, drong het tot hem door dat de jongen hem kwaad had aangekeken omdat hij hem geen fooi had gegeven.
Hij scheurde het telegram open en las: *Kom meteen thuis. Ontzettend belangrijk. Niet bellen, maakt het alleen maar erger.*
Er was geen afzender.
Maxim liet het telegram op de grond vallen en kreunde: 'Was dit maar een droom.'

Maar zijn hoofd vertelde hem wel heel duidelijk dat hij helaas wakker was.

Lydia Sverd liep vastbesloten de studeerkamer van haar man binnen. Dat was zijn privé-heiligdom en tegenover hem deed ze net alsof ze dat respecteerde. Ze wist heel zeker dat hij niet had ontdekt dat ze er vaak binnenkwam; om overzicht over de zaken te houden, zoals ze tegen zichzelf zei. Ze had zijn valstrikken altijd door; de manier waarop hij zijn papieren neerlegde, de hoek tussen de pennenhouder en de nietmachine, de afstand tussen de drie pennen, de haar voor de sleutelgaten van de laden...
Toen ze had ontdekt dat hij deze trucs gebruikte, was ze teleurgesteld geweest dat hij haar niet vertrouwde.
Lydia liep rechtstreeks naar het schilderij *De meisjes op de brug* van Edvard Munch en haalde het van de muur. Daarna was het een fluitje van een cent. Ze drukte op de verborgen veer in het muurpaneel, zodat een bijna onzichtbare deur opengleed. Nu zag ze de kluis voor zich. De cijfercombinatie van de deur had ze al een hele tijd geleden ontdekt.
De code die hij voor zijn kasboeken gebruikte, had ze nog niet kunnen kraken. Dat irriteerde haar ontzettend. Nu zou ze een nieuwe poging ondernemen. Ze kon de getallen niet eens kloppend krijgen. Deze keer zou ze de laatste bladzijden van de drie boeken heel nauwkeurig lezen en een getal zoeken dat op de een of andere manier in verband gebracht kon worden met 36, het aantal juwelen dat volgens Harry Lim verdwenen was.
Lydia wist dat ze niet veel aanknopingspunten had, maar misschien kon een eenvoudig getal als 36 haar helpen om de code te kraken. Ze was best onder de indruk van Maxim, want ze had niet verwacht dat hij zo uitgekookt was dat hij haar met een code te slim af zou zijn.
De deur van de kluis ging open. Verbijsterd stond ze te kijken. De

kluis was leeg. Er lag geen velletje papier meer in. Lydia kneep haar lippen zo hard op elkaar, dat haar kaken pijn deden.
'Zo zo,' siste ze, 'hij heeft alles goed voorbereid. Hij gaat bij me weg. Hij laat ons huis en alles, zelfs zijn eigen zoon, achter en hij gaat grote rijkdom tegemoet.'
Ze smeet de deur dicht, sloeg met een harde klap het muurpaneel weer op z'n plek en hing *De meisjes op de brug* zo hardhandig weer op dat het linnen golfde.
'Je houdt van mij,' schreeuwde ze. 'Je zegt dat je van me houdt en je zegt steeds hoe goed we het hebben. Jij... jij...'
Ze kon geen scheldwoord vinden dat erg genoeg was.
Ineens sloeg ze een hand voor haar mond, want ze realiseerde zich dat Nikolaj boven op zijn kamer zat. Ze stormde de kamer uit, deed haar jas aan en belde een taxi. Ze nam anders nooit een taxi als ze naar haar kantoor ging; daar kon ze niet voorzichtig genoeg mee zijn. Er mocht geen zichtbaar verband zijn tussen hun huis en het kantoor van Kirsten Vik. Maar nu had ze haast. Ze moest erheen om na te denken, om een aantal dingen te onderzoeken, om met Harry Lim te praten.
O nee, Maxim Sverd, dacht ze terwijl ze achterin de taxi zat, ik dacht dat ik je goed kende, maar nu zul jij merken dat je mij helemaal niet kent. Ze vroeg de chauffeur of ze mocht roken, hoewel ze de sticker 'verboden te roken' had gezien.
Zijn blik ontmoette de hare in de achteruitkijkspiegel. Ze hield hem lang vast. 'Ja, ga uw gang,' zei hij.
Lydia glimlachte triomfantelijk over haar eigen macht. Het komt wel goed, dacht ze, en stak een lange roze sigaret op. Ze vond de geparfumeerde lucht van de sigaret lekker en hoopte dat de chauffeur dat ook vond.
Commissievergadering. Ze werd bijna vrolijk als ze daaraan dacht. Maxim geloofde het. Nikolaj was nog maar een kind en makkelijk om de tuin te leiden. De avonden op haar kantoor,

waarop ze plannen maakte voor haar vele geheime bronnen van inkomsten, maakten deel uit van die commissievergaderingen. Haar vrolijkheid verdween net zo snel als hij was gekomen. Ze begreep niet waarom ze zich zo verdrietig voelde.

Het was bijna donker in de grote hal die twee verdiepingen besloeg. Nikolaj stond bij de voordeur en keek rond alsof het de eerste keer was dat hij hier was. Het leek net of hij door het zien van de engel op een andere manier naar veel dingen keek.

De brede trap in het midden van de halfdonkere hal leidde omhoog naar een galerij die langs alle muren liep. Er waren deuren naar twaalf kamers. Nikolaj's kamer lag in de verste hoek links; hij had een raam aan de straatkant en een aan de tuinkant.

Waar de trap op de galerij uitkwam, stonden twee antieke olielampen met elektrisch licht, dat zwak gloeide in de ronde glazen bollen. Eigenlijk verlichtten ze de hal en de galerij niet echt; het waren eerder vriendelijke bakens in een grote donkere ruimte.

Nikolaj was een beetje bang. Hij had zijn moeders woedende geschreeuw gehoord, maar hij had niet kunnen verstaan wat ze zei. Hij had ook gehoord dat ze het huis zo ongeveer was uit gerend en zoals gewoonlijk had ze niet gezegd waar ze heen ging. Zoals gewoonlijk? Nee, dat was niet helemaal waar. Een paar dagen geleden had ze tenminste nog naar hem geroepen dat ze naar een vergadering ging.

Toen ging de telefoon, maar hij nam hem niet op. Hij stond nog tegen de deur geleund en de telefoon was net weer stil, toen er hard en driftig werd aangebeld. Pas toen hij op de onderste traptrede stond, begreep Nikolaj dat hij was weggelopen voor het geluid van de bel.

Er werd weer gebeld en Nikolaj liep snel de trap op. Toen hij de hoek van de galerij om ging, werd er voor de derde keer gebeld. Hij bleef staan en keek naar de deur, die hij maar vaag kon onderscheiden als een plat vierkant dat donkerder was dan het avondlicht in de hal. Toen werd er een sleutel in het slot gestoken. Vlug dook hij in elkaar bij de balustrade. Er kwam iemand binnen en een vrouwenstem zei: 'Weet je zeker dat er niemand thuis is?'

Een andere vrouw antwoordde: 'Ja, en dat weet jij net zo goed als ik. Lydia zei dat ze naar een vergadering moest die zeker niet voor elf uur vanavond afgelopen zou zijn. Nikolaj is naar ijshockeytraining. Maxim is zoals gewoonlijk op reis.'

IJshockeytraining, dat was hij helemaal vergeten.

'Maar...'

'Je ziet toch zelf hoe belachelijk donker het hier is. Ze zijn inderdaad niet bang dat er ingebroken wordt. Dat zouden ze anders wel moeten zijn met al die dure meubels en dat antiek en die schilderijen en...'

'Je hoeft niet alles op te sommen, ik weet ook wel wat ze hebben.'

Plotseling voelde Nikolaj zich opgelucht, want die twee vrouwen waren Vera en Ellen, de vrouwen van zijn twee ooms. Maar wat hij verder hoorde beviel hem helemaal niet.

'Stel je voor dat er toch iemand thuiskomt terwijl wij hier zijn?' Dat was Ellen.

'We weten te veel van ze; ze durven ons toch niet van inbraak te beschuldigen.'

'Waar moeten we zoeken?'

'Waarschijnlijk kunnen we het het beste in Maxims heilige studeerkamer proberen. Kom, we kunnen hier beter geen licht aandoen.'

Waar hadden ze het in godsnaam over?

Nikolaj wist heel zeker dat zijn vader hun geen sleutel had gegeven. Hij wilde namelijk absoluut niet dat iemand anders behalve zij drieën een sleutel zou hebben. Er lagen nog drie reservesleutels in een keukenla. Zijn vader keek regelmatig of ze er nog lagen.

Vera en Ellen waren de kamer van zijn vader binnengegaan. Nikolaj liep zachtjes over de galerij naar de trap, blij dat er dikke kleden op de vloer lagen. Hij liep de twintig traptreden af. Elke keer dat hij naar boven of naar beneden ging, telde hij ze. Dat kon hij gewoon niet laten.
Vlug glipte hij de donkere ruimte onder de trap in. Hij vergat bijna het rococotafeltje dat daar stond. Gelukkig stootte zijn hand ertegenaan voordat hij het om kon schoppen en er klonk alleen een zachte plof op het tapijt. Nikolaj hield zijn adem in, maar Vera en Ellen hadden het vast niet gehoord. Ze hadden de deur naar de studeerkamer bijna helemaal dichtgedaan, maar door een kier scheen een strook helder licht de donkere hal in.
Aan de andere kant van de deur stond een ouderwetse fauteuil. Zijn moeder klaagde erover dat die daar zo stom stond, maar zijn vader hield vol dat hij daar moest staan. 'In die stoel kan ik uitstekend problemen oplossen als dat in mijn kamer niet lukt.'
Nikolaj sloop vlug langs de deur en ging aan de andere kant van de stoel op zijn hurken zitten. Nu hoorde hij wat ze zeiden.
'Waar zou hij die verdraaide sleutel van zijn bureau hebben?' zei Vera.
'Die ligt hier ergens. Dat heeft hij een keer verteld om te laten zien hoe slim hij was. Hij denkt dat niemand zijn bergplaats kan vinden. O, als er maar niemand komt!'
'Ik begrijp niet dat jij zo zenuwachtig bent over wat we doen,' zei Vera. 'Vind je dat Lydia en Maxim alles moeten krijgen?'
'Nee, niet echt...'
'Je hebt toch zelf gehoord wat Dieter zei, en jij woont met hem samen, dus jij weet dat hij meent wat hij zegt. En als hij zegt dat Lydia iedereen kan belazeren als ze iets wil bereiken, geloof dan maar dat dat zo is.'
'Patrick is toch óók haar broer,' zei Ellen een beetje zeurderig, 'maar ik heb hém nog nooit zoiets horen zeggen.'

Vera lachte hard. 'Misschien is Dieter niet zo'n kletskous als Patrick, maar je moest eens weten wat hij allemaal denkt. Ik weet het, want ik ben met hem getrouwd.'
'Patrick is toch geen...'
'We moeten nu geen ruzie maken. Hij wacht nou wel in de auto om Lydia of de jongen aan de praat te houden als ze onverwachts thuis zouden komen, maar hij houdt niet van wachten.'
Nikolaj hoorde dat ze de spullen op het bureau verschoven en in de boekenkast snuffelden.
'Waar moeten we naar zoeken als we die sleutel vinden?' vroeg Ellen. 'Je denkt toch zeker niet dat hij die juwelen hier heeft liggen?'
'Nee, ik denk dat hij ze nog niet heeft. Florinda, die ouwe heks, die heeft ze en ze wil ze niet afstaan.'
'Waar zoeken we dan naar?'
'Als we de sleutel vinden, dan moeten we brieven of papieren of zoiets zoeken, zodat we Maxim in onze macht kunnen krijgen. Dan moet hij ons wel ons deel van de juwelen geven. Ik geloof dat ze een onwaarschijnlijke hoeveelheid geld waard zijn, zoveel dat ik het niet eens in getallen kan uitdrukken,' antwoordde Vera.
Nikolaj wilde niet meer luisteren. Hij had haar nog nooit zo gemeen horen praten. Hij wilde niet langer samen met die twee indringsters in het huis zijn. En hij zou hier nooit met ze over kunnen praten.
Als Patrick voor het huis in de auto zat te wachten, kon hij aan die kant niet naar buiten. Hij kon het beste aan de achterkant naar buiten gaan, door de keuken. Nikolaj liep op een holletje over het tapijt naar de keukendeur. Onderweg griste hij zijn donsjack en zijn laarzen uit de garderobekast naast de keuken. Zachtjes deed hij de deur achter zich dicht. Hij durfde het licht in de keuken niet aan te doen voor het geval dat Patrick het huis in de gaten zat te houden.
Nikolaj worstelde een poosje met zijn jack, voordat hij begreep

dat hij het binnenstebuiten probeerde aan te trekken. Zijn laarzen gingen makkelijk. Onderweg naar de achterdeur schopte hij tegen een keukenstoel. Het gaf een scherp, duidelijk hoorbaar geluid, maar hij draaide de sleutel om en ging vlug naar buiten, zonder zich er druk over te maken of de anderen het misschien gehoord hadden.

De natte sneeuw waaide in zijn gezicht. Hij moest zijn ogen dichtdoen. Had hij maar een muts opgedaan. Met zijn ogen half dichtgeknepen liep hij tegen de wind in. Hij keek om de hoek van het huis naar de straat. Niemand. Voorzichtig liep hij verder, bijna tot aan het hek. Tien meter verderop stond de rode Audi van Patrick. Nikolaj kon niet zien of er iemand in zat.

Aan de achterkant van het huis was het donkerder dan aan de straatkant. Hij dacht aan de engel die door de schemering had rondgedwaald. Hij wist nu bijna zeker dat het echt was geweest, en meteen werd hij bang dat de lange gestalte met de vurige blik en het glimmende zwaard weer zou opduiken.

Hij rende de tuin door. Het gras was glad geworden van de regen en de sneeuw en hij gleed een paar keer uit. De derde keer viel hij en gleed van een heuveltje naar beneden. Zijn rug werd nat. Het voelde koud en naar aan toen hij weer opstond.

Voordat hij bij het hek aankwam, begon de sneeuw in zijn haar en op zijn gezicht te smelten. Het droop in zijn nek en hals. Hij was zijn sjaal vergeten. Hij klom over het hek en was opgelucht dat hij het licht van de buren zag. Er liep hier een smal paadje tussen de twee tuinen. Nikolaj rende naar rechts. Hij stopte vlak voor hij bij de straat was. De straatlantaarns schenen als gezonken maantjes. De natte sneeuw joeg als snelle pijlen schuin door de lichtbundels naar het asfalt. Op de stoep lag een dunne witte deken zonder voetsporen. Over de weg liepen zwarte strepen van de autobanden door het zachte wit.

Nikolaj moest met iemand praten. Hij rende weg over de stoep.

De natte sneeuw spatte op onder zijn laarzen. Zijn haar voelde zwaar aan. Toen hij zijn hand erdoor haalde, veegde hij een natte witte sneeuwhoed weg.
De telefooncel lichtte rood op in de avond. Hij wist wie hij kon bellen. Florinda. Hij trok de deur van de cel open en stortte zich naar binnen. Gelukkig was de telefoondraad niet losgerukt; hij hoorde ook de kiestoon. Hij drukte het nummer zo snel dat het fout ging. Opnieuw. Toen hij het laatste cijfer wilde indrukken, stopte zijn hand.
Wat moest hij tegen Florinda zeggen? Wat hij te vertellen had, klonk vast heel gek. Langzaam hing hij de hoorn op de haak en ging weer naar buiten.

Het was donker in de tent toen de vreemdeling snel en rustig naar binnen kwam. Dai-Chi voelde aan de bewegingen wie het was. Hij herkende de stem en de bijna onhoorbare zucht die hem ontsnapte.
De vreemdeling bleef vlakbij de tentopening staan.
'Is het vuur niet aangemaakt?' zei hij op scherpe toon. 'Heb je geen eten en drinken gekregen? Heeft er niemand voor je gezorgd?'
Dai-Chi moest in het donker lachen om die plotselinge zorgzaamheid van de vreemdeling, maar hij zei niets. De vreemdeling ging weer naar buiten. Zijn stem was duidelijk te horen in de gedempte chaos van onrustige geiten, blaffende honden en verre opgewonden stemmen die af en toe in geroep uitbarstten.
Vlak daarna kwamen er twee gestalten de tent binnen. De ene ging bij de vuurplaats zitten en algauw vlamde het vuur op met driftige kleine vlammetjes die weerspiegelden in de koperen ketels op de grond en in een zwaard dat achteloos tegen de stoel met de hoge rugleuning aan stond. Gek dat de vreemdeling het zwaard daar durfde te laten staan.
Een lantaarn die aan de andere kant van de tent hing, werd aangestoken. Hij wierp een bijna wit licht over de roodachtige gloed van het vuur. De lantaarn weerspiegelde zwak in iets dat vlak onder het tentdak hing. Voor Dai-Chi erachter kon komen wat dat was, maakte de andere man hem los van de paal, bond een lange ketting om zijn middel en voerde hem mee de tent uit.

Een koude noordenwind trof Dai-Chi van opzij. Hoewel hij gewend was aan de wind en de snelle overgangen tussen warm en koud, ging er een rilling door hem heen. Zijn begeleider merkte het en lachte. Dai-Chi boog zijn hoofd; hij vond het niet prettig als een vreemde hem zo duidelijk kon doorgronden.
Hij had niet genoeg tijd om rond te kijken en erachter te komen wat de onrust en het tumult in de loop van die dag had veroorzaakt, want de bewaker leidde hem snel achter de tent langs een stukje de vlakte op, waar de noordenwind jammerend gierde en aan zijn dunne kleren rukte. Maar nu was hij erop voorbereid en hij trotseerde de wind zonder in elkaar te duiken om zijn lichaamswarmte vast te houden.
Achter een paar stekelige struiken mocht Dai-Chi neerhurken om zijn behoefte te doen. Hij probeerde te vergeten dat zijn bewaker maar een paar stappen van hem af stond.
Toen hij terugkwam in de tent, was de lucht er al wat warmer; het was goed om binnen te komen uit de wind. Dai-Chi werd op zijn vertrouwde plaats vastgeketend. Voor hem stond een schaal met gestoofd schapenvlees en uien en een kom aangezuurde melk. De vreemdeling kwam weer binnen en ging op de hoge stoel zitten. Het zwaard gleed naar beneden en viel op de grond. De blonde man schrok en keek verbaasd naar het zwaard.
Dai-Chi reageerde niet en dronk rustig de kom melk leeg.
'Er gebeuren dingen in het kamp waar jij geen controle over hebt,' zei hij, 'het is een dag vol onrust geweest en met de avond en het donker sluipt de angst binnen tussen de tenten.'
'Wat weet jij daarvan?' vroeg de vreemdeling scherp. Zijn gezicht was slechts een schaduw onder de rand van zijn hoed, maar Dai-Chi merkte dat de man zijn blik niet van hem kon afhouden. Hij merkte ook dat de hand van de vreemdeling beefde toen hij wijn inschonk en dat hij een paar druppels morste.
'Ik weet wat ik hoor,' antwoordde Dai-Chi. 'De wind die van de

vlakte komt, draagt gejammer mee door het gras. De onrust van de geiten wordt door meer dan een koude wind veroorzaakt, de honden blaffen niet alleen tegen de beesten, en de klank in de stemmen van de mensen vertelt over een onrust die ze niet kunnen verklaren. Sinds de dag achter de vlakte is verdwenen en de avond met zijn donker de vurige zonsondergang heeft verjaagd, klinken de mensen in het kamp angstig en de nacht is nog niet eens echt begonnen.'

'Ik begrijp niet waar je het over hebt,' zei de vreemdeling scherp. 'Je spreekt in raadsels.'

'Ja, dat is nodig als de antwoorden duidelijk moeten worden,' zei Dai-Chi. 'Ik geloof dat jij op een vijand jaagt, een indringer die je denkt te kunnen zien. Maar misschien is het een schim die jou bedreigt, een schim uit de verhalen waar je mij om vraagt.'

'Praat geen onzin,' zei de vreemdeling. 'Zoveel macht hebben die verhalen niet.'

'Waarom vraag je me dan ze te vertellen?'

'Om de juwelen te vinden.'

'Er is zoveel dat jij niet weet,' zei Dai-Chi. 'Ik heb geprobeerd je te waarschuwen, maar je wilt niet luisteren. Je vraagt mij om te vertellen en dat doe ik. Maar ik kan er niets aan doen dat jij niet begrijpt met wat voor machten je te maken hebt, welke samenhang je blootlegt, welke krachten je losmaakt.'

'Hou op.'

'Je jaagt op een of meer indringers die de paarden vannacht aan het schrikken hebben gemaakt, maar ik denk niet dat je ze zult vinden. Misschien zou je eigenlijk de tent uit moeten gaan en in het maanlicht over de vlakte moeten kijken. Misschien krijg je dan de schim te zien van, ja, misschien wel een jaguar die met flikkerende tanden en een diep gegrom uit zijn keel naar het kamp toe komt springen, omdat jij hem zonder het te weten hebt opgeroepen.'

De vreemdeling stond op. 'Ik wil niet luisteren naar dat soort praatjes om mij angst aan te jagen.'
Hij sloeg met zijn armen om zich heen alsof hij werd aangevallen door iets onzichtbaars en zijn hoed wipte naar achteren zodat zijn gezicht te zien was. Het vuur wierp een roodachtig wit schijnsel op de lichte huid. De vreemdeling hield zijn ene arm voor zijn gezicht terwijl hij met de andere de hoed weer over zijn voorhoofd trok. Maar Dai-Chi had een glimp gezien van grote ogen, waarvan de uitdrukking wisselde tussen grote vastberadenheid en angst.
'Het zijn geen praatjes om jou angst aan te jagen,' zei Dai-Chi tegen het gezicht dat onder de hoedrand verdween. De vreemdeling ging weer zitten. 'Je moet niet vergeten dat je in een land bent dat vreemd voor jou is, dat je mensen ontmoet die je niet kent, mensen die de zon en de maan vanaf een andere plek zien dan jij. Waarheid verschilt van mens tot mens. Geloof maar niet dat jij de enige bent die de waarheid kent. Want de waarheid ontstaat in het samenspel tussen mensen. Daarom is het onmogelijk te voorspellen wat er zal gebeuren als ik jou deze oude mythen vertel, die de meeste mensen als sprookjes beschouwen. Want af en toe worden er krachten losgemaakt die niemand had voorzien. Ik geloof dat je de grote samenhang van deze legendes niet helemaal begrijpt. Jij ziet ze alleen als een manier om de juwelen te kunnen opsporen.'
'Ik wil niets meer horen,' schreeuwde de vreemdeling bijna. Hij greep de armleuningen van zijn stoel vast en schoof zijn ene been onder de stoel alsof hij wilde opstaan, maar hij liet zich terugvallen. 'Vertel nou maar. Laat me het volgende verhaal horen.'
'Dan kan ik misschien het verhaal vertellen waar een jaguar in voorkomt,' zei Dai-Chi zo onschuldig mogelijk.
De vreemdeling verstijfde.
'Want vroeger of later moet dat verhaal komen,' voegde Dai-Chi

er nog aan toe. 'En ik kan het net zo goed nu vertellen, want ik heb het gevoel dat dat verhaal op dit ogenblik het dichtst bij is.'
Op dat moment begon de wind aan te zwellen. Het jammerende geluid werd een schreeuw van pijn en de wanden van de tent bolden naar binnen en klapperden alsof onzichtbare dreigende wezens een opening probeerden te vinden. Het licht van de lantaarn die aan het dak hing flikkerde, het donker werd dichter en het vuur sputterde zonder reden.
Dai-Chi bekeek deze tekens met tevredenheid, maar de vreemdeling leek doodsbang.
'Moet je niet beginnen?' zei hij na een poosje.
'Moet jij de tent niet opendoen voor de maan?' antwoordde Dai-Chi.
De vreemdeling stond vlug op. Zijn stoel wankelde en viel bijna om. Bij het horen van dat geluid draaide hij zich wild om. Je zag de angst in zijn bewegingen. Hij greep een van de armleuningen beet en hield de stoel stil. Toen begon het vuur harder te knetteren en de kooltjes onderin gloeiden als waakzame ogen.
De vreemdeling deed een paar stappen naar voren en rukte de flap huid in het tentdak opzij. Hij deinsde achteruit alsof hij niet wilde dat het maanlicht op hem zou vallen. Dai-Chi zag het, maar hij deed alsof hij niets merkte. Hij tilde zonder iets te zeggen zijn gezicht met gesloten ogen op naar de maan die de opening vulde.
De vreemdeling ging weer zitten, wachtte, pakte zijn wijnglas op en bleef met het glas in zijn hand vanonder de rand van zijn hoed naar Dai-Chi zitten staren. Dai-Chi voelde zijn blik, maar hij werd er niet onrustig van. Hij vond het vervelend dat hij niet kon buigen voor de maan. Hij kon de maan zijn respect niet tonen en hem bedanken omdat zijn schijnsel doorklonk in zijn woorden en omdat de maan kracht legde in wat hij vertelde.
De geluiden buiten de tent klonken gedempt, alsof de tent weg-

dreef naar een plek waar hij eenzaam onder de maan stond, zonder storende geluiden. Dai-Chi haalde diep adem en voelde zijn keel zachter worden; een rustige warmte daalde neer op zijn gezicht, zoals een hand liefdevol over huid kan strijken.
'Zij die huilde bij de stenen,' begon Dai-Chi zacht, 'bestond nauwelijks voor haar stam. Het was een stam van het Olmec-volk in Mexico. Ze had niet moeten leven. Ze was achtergelaten bij de stenen, waar niemand haar had moeten vinden. Niemand hield van haar, ze was niet gewenst, of misschien was de armoede om haar heen te groot.'
Dai-Chi zweeg even, opende zijn ogen en staarde naar de maan. Zijn blik werd wazig. Het leek wel of hij onder het water van de zee keek. Hij had de zee nog nooit gezien, maar hij droomde er vaak van.
'Maar een treurende, eenzame vrouw vond het kindje dat bij de stenen was achtergelaten om te sterven. Misschien als een offer aan de nacht en de maan, of aan de nachtzwarte jaguar. De vrouw tilde het kind op. Het huilde, maar in die vriendelijke armen, tegen die zachte borst aan, werd het stil.
De vrouw, die kinderloos was, wist dat ze die nacht naar de eenzame stenen moest gaan. Haar dromen hadden haar gewekt. Een jaguar had haar de weg gewezen. Ze boog voor de maan en bedankte hem zonder woorden, en ze boog voor de nacht en fluisterde bijna onhoorbaar de naam van de jaguar. Hardop zei ze tegen het kleine kindje: "Jij zult Zij die huilde bij de stenen heten."
De stam was groot en machtig. Niemand maakte zich er druk over dat Zij die de beek hoort dromen een kind had gevonden. Ze zat samen met haar buurvrouwen in een kring om het vuur toen ze vertelde over haar droom en de jaguar die haar de weg had gewezen en dat het kind Zij die huilde bij de stenen heette. De vrouwen waren blij voor haar en voelden ontzag voor de jaguar die afstand had gedaan van het kind. Zij die de beek hoort dromen,

ging naar de sjamaan en prees hem omdat hij haar de jaguar had gestuurd als gids in haar dromen. Hij accepteerde haar lofprijzing en zei dat ze hem een geit en een gouden munt moest geven voor de krachten die hij in werking had gezet. Dat was een hoge prijs, maar samen met haar man lukte het haar de sjamaan te betalen voor zijn hulp.'

Dai-Chi zweeg en richtte zijn blik langzaam op de vreemdeling die zich sinds het begin van het verhaal niet had verroerd.

'Het Olmec-volk,' zei Dai-Chi, 'was een machtig volk en dit verhaal gebeurde misschien vijftienhonderd jaar voor jouw tijdrekening begint. Het Olmec-volk beschouwde de dieren als een deel van hun ziel. De jaguar was het machtigste dier en hij was de nagual – de andere ik van het stamhoofd of de sjamaan. Als er een jaguar doodging, stierf ook de sjamaan. Als de sjamaan omkwam, leefde de jaguar ook niet langer.

Alle mensen hadden een nagual, een dier dat hun leven verruimde, dat hen bond aan het landschap rondom hen, dat berichten overbracht tussen mensen en geesten, dat op handen zijnde gebeurtenissen aankondigde en dat raad gaf bij belangrijke zaken en situaties. Maar de jaguar was voorbehouden aan de sjamaan of het stamhoofd.

De stam van Zij die de beek hoort dromen, was een grote en machtige stam die tussen de rotsen leefde. Hun sjamaan had gezorgd voor regen tijdens periodes van droogte en hij had de stam beschermd tegen dreigende boze geesten toen ze door ziekte werden geteisterd. Hij had zoveel voor de stam gedaan, dat het stamhoofd afstand had gedaan van de jaguar als zijn nagual om de sjamaan zijn dankbaarheid te tonen.

De sjamaan had gezegd dat de jaguar er voor hen allebei was. Het stamhoofd moest geen afstand doen van zijn macht, de stam had hem nodig op zijn eigen manier, net zoals ze de sjamaan nodig hadden. Samen vormden ze een beschermende hemel boven hun volk. Maar sinds die dag was de jaguar de nagual van de sjamaan en het stamhoofd vertelde nooit welk dier hèm volgde in het leven, op weg naar de dood.

Zij die huilde bij de stenen, groeide op. Ze hield zich altijd een beetje afzijdig van de anderen en haast niemand merkte haar op. Ze maakte kruiken van aardewerk en weefde stof en ze verzamelde wortels en kruiden voor de gemeenschap. Zij die de beek hoort dromen zag hoe veel ze voor de stam betekende. Het verbaasde haar een beetje dat ze zich zo afzijdig hield. Maar ze zei er niets van, hield een oogje op haar, keek en verbaasde zich.

Toen begonnen er merkwaardige dingen te gebeuren in de stam. Er verdween een kind in de bossen. Iedereen dacht dat het was gedood door een wild dier en de ouders waren diep bedroefd. Maar twee nachten nadat de jongen was verdwenen, kwam hij weer terug. Een late avondwandelaar die een beetje te veel had gedronken tijdens een vrolijk feestje, zei dat hij zou zweren dat de jongen door een jaguar was teruggebracht naar het dorp, maar niemand geloofde hem omdat ze wel wisten dat hij het graag laat maakte en op feestjes flink dronk.

De jongen zelf zei er niets over en hij was heel rustig en vrolijk. Hij vertoonde geen enkel teken van angst en viel meteen in slaap toen hij thuis was. Maar het verhaal van de jaguar die de jongen had thuisgebracht, bereikte de oren van de sjamaan en hij verlangde dat de ouders hem twee zilverstukken zouden betalen als dank. En hij wilde de jongen zien.

De ouders moesten de twee zilverstukken lenen, maar dat vonden ze een klein offer voor de veilige terugkeer van de jongen. Toen de jongen voor de sjamaan stond, begon hij hard te gillen en hij liet niet toe dat de sjamaan bij hem in de buurt kwam. Het was heel pijnlijk voor de ouders van de jongen die de woede van de sjamaan vreesden. Maar die lachte alleen maar om het voorval.

Verdwaalde geiten doken weer op, verdwenen kostbaarheden

kwamen weer bij de eigenaars terecht – en dat gebeurde altijd 's nachts. Als mensen in de problemen kwamen, geen eten hadden en niet wisten hoe ze zich de komende tijd moesten redden, kwam het voor dat ze 's morgens wakker werden en een gedood hert voor hun hut vonden, of een mand met vruchten. Het leek plotseling of een goede geest het dorp beschermde.
De sjamaan zei dat het door zijn inzet kwam, dat de jaguar het dorp hulp en steun bracht. Zijn nagual was hun gunstig gezind. Maar de mensen uit het dorp betuigden de verlangde dankbaarheid aan de sjamaan en de jaguar met steeds minder oprechte blijdschap, want de prijs was te hoog. Een vreemde stemming verspreidde zich in het dorp. De mensen begonnen eraan te twijfelen of het wel de sjamaan en zijn jaguar waren die hen steunden.
Zij die de beek hoort dromen, werd op een nacht wakker en ontdekte dat haar dochter er niet was. Ongerust stond ze op en begon te zoeken. Maar nergens vond ze Zij die huilde bij de stenen. Ze wilde haar man niet wakker maken om te vragen of hij hun dochter had gezien, maar ze wist niet waarom ze dat niet deed. Ze ging in het donker voor het huis zitten wachten.
Toen de maan achter de bomen verdween, hoorde ze een zacht geluid uit het bos. Een schaduw gleed te voorschijn tussen de boomstammen en Zij die de beek hoort dromen, zag heel even een jaguar die uit het nachtelijke bos kwam sluipen. Toen ging hij op zijn achterpoten staan en veranderde in haar eigen Zij die huilde bij de stenen.
Zij die de beek hoort dromen geloofde haar ogen niet. Ik heb vast geslapen, dacht ze. Ik heb het vast gedroomd. Toen Zij die huilde bij de stenen door de nacht en het maanlicht naar huis kwam lopen, was er niets jaguar-achtigs aan haar manier van lopen of haar gestalte. Zij die de beek hoort dromen, dook tegen de muur in elkaar, als een slapende schim in de nacht en Zij die huilde bij de

stenen ging naar binnen zonder te zien dat haar moeder daar zat. Maar zij die de beek hoort dromen had plotseling iets om over na te denken. Ze begon onrustig te slapen en ze merkte dat haar dochter veel weg was 's nachts. De dag na zo'n nacht hoorde ze vaak dankbare woorden van mensen die in nood waren geweest, voor de hulp die ze die nacht hadden gekregen. Zij die de beek hoort dromen begon iets te vermoeden waarvan ze niet geloofde dat het waar was. Zou haar dochter, die ze verlaten, vergeten en weggestopt had gevonden, de nagual van de jaguar zijn? Ze kon het niet geloven en verdrong de gedachte.'

Dai-Chi zweeg. De vreemdeling keek op. 'Ga verder,' zei hij.

'Hoor je het niet?' zei Dai-Chi zacht, 'hoor je die geluiden buiten de tent niet?'

De vreemdeling vloog op. 'Ik hoor alleen jouw stem,' zei hij zenuwachtig. 'Alles is stil hierbuiten. Wat probeer je te bereiken?'

'Niets,' zei Dai-Chi, 'ik kan er niets aan doen dat jij zo achterdochtig bent en dat je niet hoort wat er om je heen gebeurt.'

'Gebeurt? Er gebeurt helemaal niks en alles is nu stil buiten.'

De vreemdeling zweeg en luisterde naar de nacht. Toen liep hij vastbesloten naar Dai-Chi, boog zich over hem heen en siste: 'Ik weet niet wat voor toverkunsten jij kent, maar probeer mij niet te overbluffen. Mij maak je echt niet bang.'

'Ik ken geen toverkunsten,' zei Dai-Chi, 'bij ons geloven wij niet in dat soort dingen. Dat is een vereenvoudiging van het leven die uit jouw deel van de wereld afkomstig is. Ik denk meer in termen van samenhang en de werking van krachten. En ik maak jou niet bang. Je bent al bang, zo bang dat je er niet helemaal bij bent in deze tent.'

De vreemdeling hoorde niet wat Dai-Chi zei, maar ging verder waar hij was opgehouden: 'Wat hoor je dan? Ik hoor geen mensenstemmen, honden, geiten of de wind. Het lijkt wel of we helemaal alleen op deze vlakte zijn.'

'Misschien zijn we dat ook,' zei Dai-Chi. 'Je hebt mij geboeid, maar dat betekent niet dat je mij ook vasthoudt. Jij versimpelt zo veel dingen om je heen. Omdat jij fysieke overmacht hebt, kun je bereiken wat je wilt. Maar ik geef jou wat je wilt omdat je iemand bedreigt die ik niet aan gevaar wil blootstellen. Als je niet krijgt wat je had verwacht, zul je mij verantwoordelijk houden voor het feit dat je niet begrijpt wat je hebt gehoord. Ik denk dat je vergeet dat jouw achtergrond, jouw cultuur niet op alles wat er in de wereld gebeurt een antwoord heeft. Jij wilt niet zien dat je nu met dingen te maken hebt die je niet kunt begrijpen. Jij denkt alleen maar aan de macht die je door middel van deze juwelen kunt bereiken en de rijkdom die je ermee kunt verkrijgen. Je vergeet de macht die onafhankelijk van jou en die rijkdom in de juwelen verborgen ligt; die is voor niemand bereikbaar. Ja, het is stil om ons heen. Dat heeft iets te maken met de kracht van het verhaal, van de woorden, van wat ik vertel. Maar hoor je die sluipende poten niet in de maneschijn? Het geluid van een dier dat hier niet kan zijn, een dier dat in een andere fauna thuishoort? Hoor je niet dat er een jaguar naar het kamp toe sluipt? Zie je die schim niet onder de maan?'
'Nee,' zei de vreemdeling zacht. 'Nee,' schreeuwde hij bijna, 'maak je verhaal af voordat de maan het laatste sterrenpunt passeert.'
Vlug ging hij weer in zijn stoel zitten.
'Dat is jouw eerste gedachte die geen betrekking heeft op jezelf,' zei Dai-Chi.
'Maak het verhaal af!' schreeuwde de vreemdeling terwijl hij zijn wijnglas leegdronk.
Dai-Chi ging verder: 'Op een dag was de afstand tussen de bevolking van de stam en de sjamaan te groot geworden. Er verscheen een man voor de sjamaan die zei: "Vannacht is er een wild zwijn voor mijn deur gelegd. Wij lijden al een tijdje honger. Ik ben ziek, mijn vrouw is ook ziek. Wij hebben geen volwassen kinderen om

ons te helpen. Jij praat over de jaguar alsof het een machtige figuur is waarvoor wij ons moeten buigen, die we respect moeten tonen. De jaguar is jouw andere ik. Jij helpt ons, maar elke keer dat wij hulp krijgen, verlang je betaling, want je zegt dat jouw nagual ons helpt. Waarom krijgen wij de hulp die we krijgen als jij meer terugverlangt dan wij kunnen geven?"
Het werd stil rondom de man die dit durfde te zeggen. Zij die de beek hoort dromen, keek om zich heen, want haar dochter was er niet.
De zon ging onder en de avond viel. Het donker kwam uit het oosten binnendrijven. De eerste sterren werden aangestoken. De nacht viel over het dorp. De sjamaan stond op.
"Hoe durf jij te zeggen wat je daar zei, nadat de jaguar je geholpen heeft," zei hij met bulderende stem. "Jij toont geen respect. Jij spot met mijn krachten. Jij zorgt ervoor dat het dorp in ongenade valt bij de jaguar. Denk na over wat je zegt."
De man zei niets. De bevolking stond zwijgend achter hem. De sjamaan keek razend in het rond voordat hij het stamhoofd riep, dat algauw kwam. Hij liet de sjamaan het woord doen.
"Wij leven in een relatie met onze omgeving," zei de sjamaan, "het bos, de wind, de zon, de maan en de dieren rondom ons, leven hetzelfde leven als wij. Het is erg veeleisend voor een sjamaan om ook een jaguar te zijn.
Gedurende een langere periode hebben we bewijzen gekregen dat de jaguar ons beschermt, dat ik jullie help met mijn kracht. Wat verwachten jullie nog meer?"
Voordat iemand kon antwoorden, klonk er gegrom uit het nachtelijke bos en een jaguar kwam voorzichtig naar het vuur gelopen. De mensen weken uiteen, maar hij maakte geen aanstalten om aan te vallen of iemand kwaad te doen. Hij sloop langs het veld. De maan scheen in zijn pels die zilverig glansde. Hij sloop naar de sjamaan. Het werd heel stil. De sjamaan zag er doodsbang uit en

hij deinsde achteruit. "Dood hem," riep de sjamaan. "Dood de jaguar!"
Ze geloofden hun oren niet. Als de jaguar gedood zou worden, zou de sjamaan sterven. Niemand bracht zijn hand naar zijn wapen. De jaguar sloop steeds dichter naar het vuur en de sjamaan toe.
Toen deed Zij die de beek hoort dromen een stap naar voren en trok een dolk die schitterde in het maanlicht. Ze keek de jaguar diep in de ogen en snikte ingehouden. De jaguar ontmoette haar blik, maar bleef naar voren sluipen. Zij die de beek hoort dromen, wierp zich naar voren en stak het mes in het hart van de jaguar. Hij draaide zijn hoofd naar de hemel en huilde naar de maan. Het bloed stroomde glinsterend rood uit de steekwond.
Iedereen stond als betoverd naar het beest te kijken. De sjamaan stierf niet, maar de jaguar veranderde in een stervend mens. Zij die de beek hoort dromen, viel op haar knieën en sloeg haar armen om het jonge meisje dat op de grond lag. Het was Zij die huilde bij de stenen, die haar bloed gaf onder de maan.
De sjamaan stond als versteend. Voordat iemand in de gaten had wat er eigenlijk was gebeurd, vluchtte hij. Zij die de beek hoort dromen huilde en zong bij de stervende die rustig tegen haar aan ging liggen. "Je moet niet verdrietig zijn," fluisterde ze. "Het heeft zo moeten zijn. Er is geen samenhang tussen de macht van mensen en dieren."
Zij die huilde bij de stenen stierf. Een klein geel steentje rolde uit haar hand. Het glansde in het maanlicht met een gloed die niemand ooit eerder had gezien. In het schijnsel steeg er een troostende klank op van de stenen en de bevolking begreep dat de jaguar niet het dier van de sjamaan was. Het was van hen.'

Dai-Chi zweeg. De maan gleed weg uit de opening in het tentdak. De geluiden van buiten de tent kwamen terug.

‘Waar ben ik geweest?’ fluisterde de vreemdeling. ‘Wat doe jij met mij?’
‘Niets,’ antwoordde Dai-Chi, ‘ik vertel alleen datgene waar je mij om vraagt.’
Hij zweeg. Hij hoorde zachte, sluipende poten uit het kamp verdwijnen. Hij keek naar de vreemdeling en zag dat die het ook hoorde.
‘Nee,’ zei hij, ‘laat je magische krachten maar achterwege.’
‘Magische krachten?’ zei Dai Chi. ‘En je gelooft niet eens in magie.’
Ineens hoorden ze gelach tussen de geluiden van buiten en de vreemdeling richtte zich op. ‘Denk maar niet dat je mij voor de gek houdt, ook al probeer je dat,’ zei hij terwijl hij naar buiten ging. Het vuur smeulde en Dai-Chi keek omhoog naar de nachtelijke hemel. De vreemdeling was vergeten de flap weer terug op zijn plaats te hangen.

Nikolaj schrok wakker en ging overeind in bed zitten. Iets had hem gewekt. Zijn wekker wees half vier aan. Hij had uren geslapen. Hij boog zich voorover en schoof het gordijn een stukje opzij. Het sneeuwde. Het grasveld was wit en sommige struiken hadden witte bergjes op hun takken gekregen. De sneeuwvlokken waaiden met zachte plofjes tegen de ruiten.
Nikolaj stond op en liep de galerij op. Alles was stil. Een van de lampen bij de trap was uitgegaan. Het was een verlaten gezicht, dat eenzame, zwakke lichtje in de nacht. Het leek wel of het andere lampje een beetje trilde, vond Nikolaj, alsof het ook gauw zou uitgaan.
Voorzichtig keek hij naar binnen in zijn moeders slaapkamer. Ze was er weer niet. Nikolaj vond dat niet leuk. Wat betekende het? Vergaderingen tot diep in de nacht? Moeilijk om een taxi te krijgen? Of... had ze een andere man dan zijn vader? Zijn maag kromp ineen toen hij dat dacht. Hij kon niet geloven dat het waar was.
Vlug liep Nikolaj de trap af.
'Mamma?' fluisterde hij, hoewel hij wist dat ze er niet was. Daarna werd het nog stiller. Hij liep vlug naar de keukendeur en keek naar binnen. De kou trof hem in zijn gezicht. De achterdeur stond wijd open en liet de winter binnen. Nikolaj hapte verschrikt naar adem en klemde de deurknop vast. Toen schoot hem te binnen: Ik heb waarschijnlijk zelf de deur niet achter me dichtgedaan toen ik ervandoor ging.

Hij wilde hem sluiten, maar plotseling bleef hij staan. Er kroop een vreemde tinteling langs zijn rug omhoog. Er was iets achter hem. Als in een droom draaide hij zich langzaam om tot hij met zijn gezicht naar de hal stond. De lamp op de galerij wierp een hulpeloos schijnsel de grote ruimte in. Het kwam niet verder dan tot halverwege de trap. Als een verdwaalde, gezonken ster hing het olielampje in de hal.
Het donker werd dichter. Het hoopte zich op en vormde zich tot een wezen. De hal was angstaanjagend stil. Alsof iemand zich in het donker verstopte en niet gezien wilde worden. Iemand die zijn adem inhield en het donker naar zich toe trok, die het donker aan zijn kant wilde hebben, het dreigend wilde maken.
Nikolaj wilde blijven staan waar hij stond, maar zijn voeten liepen met hem de hal in, naar zijn vaders studeerkamer. Hij worstelde zich door de zware, zwarte lucht heen. Het donker bepaalde zijn tempo.
De deur van de studeerkamer stond helemaal open. Hij wilde er niet naartoe gaan, maar plotseling stond hij toch op de drempel. Het donker lokte en duwde hem verder, maar hij hield zich vast aan de deurpost. In de kamer was het doodstil.
Toen voelde hij ineens een lichte beweging binnen. Hij hoorde niets, maar het donker hoopte zich op en kroop in elkaar bij het bureau, verzamelde zijn krachten en was op zijn hoede. Nikolaj was niet in staat de deurpost los te laten en ervandoor te gaan. Hij hoorde een geluid. Eerst suisde het donker zachtjes, bijna onhoorbaar vanuit zijn eigen diepte. Het geluid werd sterker, het veranderde in geknor dat aan het donker rukte en trok, het steeg erbovenuit, zodat het donker sidderde.
Het was een gevaarlijk gegrom dat uit de kamer kwam en de nacht kroop nog dichter in elkaar bij het bureau. Maar hoe donker het ook was, Nikolaj zag daar een wezen. Het lag laag tegen de vloer aan gedrukt en hij hoorde een zacht zwiepend geluid. Er

veegde iets over het vloerkleed. Ineens vlamden er twee gele strepen op. Ze werden groter en er kwamen gloeiende donkere gaten in. Toen veranderden ze weer in smalle strepen van groen vuur. Plotseling leek het wel alsof de kamer ontplofte. Het donker scheurde open. Er vloog iets door de lucht met het donker achter zich aan. Het strekte poten met scherpe klauwen naar voren. Nikolaj liet de deurpost los en wierp zich opzij in de hal. Hij viel over de fauteuil, kwam aan de andere kant op de grond terecht en viel zo hard op zijn achterhoofd dat hij even duizelig was.
Toen hij weer overeind kwam, was het donker stil. Alleen de nacht vulde het huis. Nikolaj trilde en hij wist niet goed wat hij had gezien of meegemaakt. Hij ging naar de keuken, deed de achterdeur dicht en draaide hem op slot. Het wezen moest langs die weg naar buiten zijn gegaan. Het was in elk geval weg. De hal en het huis leken rustiger.
Nikolaj was doodmoe. Hij begreep niet dat hij zo helder had kunnen denken en maar een klein beetje bang was geweest. Maar op de een of andere manier was het wezen in de studeerkamer niet echt geweest. Het was net als met de engel in de tuin. Op het moment dat ze weg waren, was het te onwaarschijnlijk en ongelooflijk dat ze er geweest zouden zijn.
Toen hij naar boven wilde gaan, zag hij dat de andere lamp bij de trap ook was uitgegaan. Hij huiverde. Nikolaj dacht: dat donkere wezen heeft de ene lamp uitgedaan toen het hier kwam en de andere toen het weer naar buiten ging. Verdraagt het alleen maar donker?

Eliam trilde over haar hele lichaam toen ze bijkwam. De angst gierde door haar bloed. Even wist ze niet waar ze was. De ruimte om haar heen was grijs en donker, ze voelde zich opgesloten. Ze draaide haar hoofd een beetje opzij en toen zag ze een boogvormig raam dat werd gevuld door de maan. De hemel tegen de achtergrond was donkerblauw.

Toen herinnerde ze zich wat er was gebeurd. Een snik lag al op haar lippen, want ze wist niet of ze in de tempel was die ze zo goed kende, of in die vreemde kamer die geen droom was geweest. Voordat de snik over haar lippen kon komen, kneep iemand haar zachtjes in haar hand. Ze zag een donkere gestalde zitten naast de bank waarop ze lag.

'Je bent bij ons, in de maantempel op de vlakte,' zei Alia kalm.

'Wat... is er gebeurd... Het was geen droom... toch?'

Eliam hoorde verbaasd dat haar stem klonk als een kinderstemmetje.

'Nee, Eliam,' antwoordde Alia terwijl ze haar hand in een warme greep hield. 'Het was geen droom. Er is iets heel belangrijks gebeurd. Jij hebt de werkelijkheid voor ons allemaal groter gemaakt. Jij bent echt gezegend door de maan.'

'Ik wil helemaal niet gezegend zijn door de maan als daar zulke reizen bij horen en dingen gebeuren die ik niet begrijp. Ik word er bang van...'

'Luister naar mij, Eliam.'

Alia's stem klonk ernstig en ze boog zich voorover. Eliam voelde dat Alia's blik de hare zocht, maar ze staarde de kamer in die zwak glansde in het schijnsel van de maan.

'Tot nu toe heb je jezelf als een van ons gezien. We hebben dezelfde plichten vervuld en dezelfde rituelen uitgevoerd om de maan te eren. We hebben volgens dezelfde regels geleefd en we geloven allemaal in de macht die de maan heeft over de harten en gedachten van de mensen.'

Ze pauzeerde even. 'Luister je naar me?'

'Ja,' antwoordde Eliam, maar ze kon Alia nog steeds niet aankijken. Ze wilde liever naar buiten kijken, naar de maan die de open boog vulde. Plotseling was ze bang dat de maan haar zou vangen en willoos zou maken.

Alia ging verder: 'In onze oude geschriften staat twee keer iets over tempeldienaars die door de spiegel heen zijn gegaan, die in verre vertrekken hebben gekeken, zonder dat ze wisten waar ze waren. Beide keren was de maan in gevaar, het eigen licht van de maan was zwakker aan het worden.'

Alia streek met haar andere hand langs Eliams arm.

'Het spiegelreizen is een gave die de maan geschonken heeft, want de spiegel is ingewijd door de maan met een heleboel ingewikkelde rituelen die jij nog niet kent.'

Alia zuchtte. 'Ik ben jaloers op je,' zei ze zacht, bijna fluisterend, 'en ik gun je deze gave met heel mijn hart. Ik voel me nederig ten opzichte van jou. Op een dag over niet al te lange tijd, als ik er niet meer ben, zul jij een uitstekende hogepriesteres worden.'

Eliam luisterde met groeiende angst naar haar. Niet de maan maakte haar willoos, maar Alia's woorden, de verplichtingen die haar wachtten.

'Ik denk dat het de bedoeling is dat jij onze afgezant bent als de maan in gevaar is.'

'In gevaar?' fluisterde Eliam. 'Waarom zou de maan in gevaar zijn?'

‘In onze geschriften, die stammen uit de tijd van de eerste maanlezers, bijna tweeduizend jaar geleden, wordt een droom naverteld waarin de maan tegen de maanlezer praat:
“Niets kan voor altijd zijn. Als de maan uitdooft, sterven de dromen van de mensen, verdort hun verlangen en droogt hun vermogen om medelijden te hebben op. Maar als de krachten zwakker worden, is er altijd ergens een bron die de afnemende krachten weer kan opwekken en versterken. Zo is het ook met mijn kracht, die in mijn eigen licht schuilt.
Degene die door de spiegel kan reizen, kan de weg openen voor anderen, want het kan nodig zijn dat er velen voor die kracht strijden. Degene die door de spiegel kan reizen, is in staat mijn kracht te vernieuwen – geen ander kan dat. Degene die door de spiegel kan reizen heeft een gave van mij gekregen, een gave die slechts een enkele keer wordt gegeven, misschien met duizend jaar tussenruimte. Degene die door de spiegel kan reizen, moet niet bang zijn, ook al kan het beangstigend lijken. Degene die door de spiegel kan reizen, zal zien dat het leven uit vele lagen van gelijktijdigheid bestaat.
Degene die door de spiegel kan reizen, dient mij, zoals ik haar dien.”’
Alia zweeg. Eliam zei niets. De maan gleed langzaam uit de open boog, maar in het vertrek bleef een zwak glinsterend zilverig poeder hangen.
‘Maar ik wil die gave niet,’ zei Eliam met een klagerig stemmetje. Ze voelde nog de vreselijke pijn die ze had gevoeld toen ze in een vertrek had gestaan dat in een andere wereld zou kunnen zijn en een vrouw had gezien die op haar leek en die naar haar terug staarde.
‘Je kunt de gave niet teruggeven, Eliam.’
‘Maar ik wil hem niet.’
Haar stem klonk als een schreeuw. Eliam hoorde nog het geluid

van splinterend glas, overal om zich heen had ze stukjes spiegel zien vallen. Ze had de spiegel niet in willen gaan, maar ze had zichzelf niet kunnen tegenhouden. De glassplinters hadden haar niet verwond en plotseling had ze daar gestaan, in het onbekende, hoewel ze het niet had gewild.

Alia zuchtte. 'Ik kan je niet helpen, Eliam. Ik kan je pijn niet verzachten of je angst wegnemen. Ik kan niets anders dan hier zijn. Je moet weten dat ik hier ben zo lang je mij nodig hebt. Jij moet eerst gaan, dat mag je nooit vergeten. Het lijkt misschien eenzaam, maar je kunt de weg door de spiegel openhouden voor mij en de anderen als het nodig zou zijn en het echt moet.'

'Wat betekent dat?'

Op dat moment kwam een andere gestalte zachtjes binnen. Eliam schrok.

'Ik ben het maar, Olim,' zei hij. 'Ik heb verontrustend nieuws.'

Hij liep naar de grote open bogen die naar de vlakte, de verre bergen en de hemel gekeerd waren. Eliam zag niet wat hij deed, maar toen hij opzij ging, had hij een doorschijnend glazen scherm voor de opening met het maanlicht gezet.

Verbaasd ging ze overeind zitten. Het maanlicht verzamelde zich zilverig in het scherm en viel op de vloer uiteen in een waaier van glinsterend licht met kleine deeltjes die de kleuren van de regenboog vormden.

'Dit is het eigen licht van de maan, dat de weerschijn van de zon 's nachts versterkt,' zei Olim.

Hij bleef op eerbiedige afstand van de lichtwaaier staan, draaide zich om naar Eliam en Alia en zei: 'Ik heb jullie verteld over die maandienaar die uit de tempel is verdwenen. Dai-Chi heet hij. Ik heb wat navraag gedaan bij de anderen en hij is degene die het meest afweet van de legendes rond de maan. Hij had heel veel belangstelling voor de zeven juwelen die de maanstenen worden genoemd. Hij is er zeker van dat die stenen echt bestaan en dat ze een kracht in zich dragen die uit de vroegste maantijd stamt. Ik denk dat we die stenen moeten vinden. Maar ik ben bang dat er iets met Dai-Chi is gebeurd.'

'Waarom?' vroeg Alia verschrikt.

'Ik heb een akelig voorgevoel dat anderen achter de stenen aan zitten en dat ze Dai-Chi misschien hebben ontvoerd om er meer over te weten te komen. Voor veel mensen hebben deze juwelen waarschijnlijk een grote waarde. Ze vertegenwoordigen een rijkdom die de wereld niet in getallen kan uitdrukken, omdat ze enig in hun soort schijnen te zijn. In een aantekening die ik in zijn cel heb gevonden, heeft Dai-Chi geschreven dat hij gelooft dat juist deze zeven verschillende stenen vonken van de oude maan hebben gekregen, zodat ze een stukje van de kracht van de maan in zich dragen.'

'Bedoel je,' zei Alia beverig, 'dat die stenen de maan zijn kracht kunnen teruggeven?'

Op dat moment trilde de maanwaaier op de vloer. De kleurige deeltjes doofden uit, het zilverige licht werd mat en grijs.

'We moeten de stenen vinden,' zei Olim.

'Er staat iets over in onze geschriften,' zei Alia meteen ijverig, 'maar ik had er geen idee van dat *die* de eigen kracht van de maan in zich dragen.'

'Wie moet de stenen vinden?' vroeg Eliam, die bang was voor het antwoord, en ze voegde eraan toe: 'En hoe kunnen ze gevonden worden?'

'Dat laatste weet ik niet,' antwoordde Olim. Op het eerste gedeelte van haar vraag gaf hij geen antwoord.

Nadat de maanwaaier verbleekt was, was het vertrek bijna donker geworden.

'En we weten niet eens waarom het licht van de maan aan het uitdoven is.'

'Maar we moeten waarschijnlijk al onze kennis en al onze magi-

sche krachten gebruiken om de maan zijn lichtkracht terug te geven – De stenen *moeten* gevonden worden.'
'En jij moet ze vinden, Eliam,' zei Olim.

Nikolaj had zich verslapen. Het was over negenen toen hij wakker werd. Toen hij beneden kwam, zat Lydia in de keuken koffie te drinken. Ze staarde hem verbaasd aan. 'Ben je niet op school?'
'We hebben vrij vandaag,' zei hij terwijl hij naar de lege tafel keek.
'Ik heb niet gedekt, want ik dacht dat ik alleen thuis was.'
'Het geeft niet. Ik pak zelf wel wat,' zei hij, maar er ging een pijnlijke steek door hem heen. Ze had niet eens gekeken of ze alleen was. Hij wilde niet vragen hoe laat ze thuis was gekomen, want hij kon niet tegen nog meer leugens. Nikolaj pakte de paté en de jam en was blij dat hij met zijn rug naar haar toe stond. Hij sneed een dikke snee brood en bleef bij het aanrecht staan terwijl hij die opat.
'Moet je niet even gaan zitten als je eet?' vroeg ze.
'Ik ben al klaar,' zei hij terwijl hij de laatste hap doorslikte. 'Bedankt.'
Hij zette alles weer op z'n plek en draaide zich eindelijk om naar zijn moeder.
'Als je vandaag vrij bent,' zei Lydia, 'heb je dan misschien zin om met mij de stad in te gaan? Ik moet wel wat dingen doen, maar we kunnen samen lunchen.'
Op dat moment ging de telefoon. Zijn moeder schrok. Ze keek met grote verwilderde ogen om zich heen, voor ze zich vermande.
'Ik neem hem wel,' zei Nikolaj en rende de hal in. Ze hadden vijf

telefoons in huis, maar zijn moeder wilde er geen in de keuken hebben.

'Hallo?' zei hij in de hoorn. 'U spreekt met Sverd.'

Zijn moeder was hem achterna gelopen en stond bij de trap. Haar hand lag op de leuning en Nikolaj zag dat die trilde.

'Spreek ik met... Nikolaj?' zei een voorzichtige stem.

'Ja, daar spreek je mee,' antwoordde hij.

Verbaasd hoorde Nikolaj dat ze opgelucht zuchtte.

'Ik *moet* met je praten, het is ontzettend belangrijk... ik geloof dat je in gevaar bent...'

'Ik denk dat je een verkeerd numm...'

'Nee, niet ophangen,' zei de stem dringend. 'Het klinkt misschien wel idioot, maar ik weet iets. Ik heb iets gehoord dat jij zou moeten weten en ik moet het je vertellen.'

Nikolaj merkte dat zijn moeder dichterbij was gekomen en hij ging met zijn rug naar haar toe staan.

'Ben je er nog?' vroeg de stem angstig.

'Ja hoor,' antwoordde Nikolaj. Hij begreep dat het gesprek vreemd moest klinken voor zijn moeder.

'Ik heb dit niet verzonnen of zo, en ik neem je ook niet in de maling, het is... het is waar.'

Nikolaj vond de woorden onwerkelijk klinken, maar haar stem maakte hem een beetje bang. Hij wilde horen wat ze te zeggen had, maar niet nu, met zijn moeder vlak achter hem.

'Dit is niet nummer dertien, maar zeventien.'

Hij hoopte dat ze begreep dat ze een andere keer moest terugbellen.

'Wie was dat?' vroeg Lydia toen hij had opgehangen. Ze was bang.

'Verkeerd verbonden,' zei Nikolaj.

'Wat raar dat die persoon het adres vroeg en niet het telefoonnummer.'

'Ja, maar ze vroeg óók het adres,' zei Nikolaj vlug.

‘Ze?’ zei Lydia gespannen. ‘Was het een stem die je herkende?’
‘Nee,’ zei Nikolaj. Verbaasd merkte hij dat zijn moeder echt bang was.
‘Word je ziek?’ vroeg hij bezorgd.
‘Nee, nee,’ fluisterde ze terwijl ze afwerend met haar hand woof. ‘Er is niks. Ik ga me klaarmaken en dan gaan we naar de stad.’
Zonder zijn antwoord af te wachten, draaide ze zich om en liep de trap op, helemaal aan de zijkant, haar hand liet de leuning niet los. Meestal liep ze in het midden. Hij hoorde de deur van haar slaapkamer zachtjes dichtvallen. De echo vloog door de hal en botste tegen het dakraam. Hij keek omhoog. Het sneeuwde niet, maar het glas van het dakraam was dof en grijs. Nikolaj wilde dat hij zijn moeder niet zo had hoeven zien. Ze was altijd zo zelfverzekerd en ze wist altijd wat ze moest zeggen en doen. Waar was ze zo bang voor geweest toen de telefoon was gegaan?
Na een verbazingwekkend korte tijd kwam zijn moeder weer naar beneden. Ze had zich omgekleed voor een tochtje naar de stad en ze kwam elegant de trap af lopen met een glimlach op haar lippen.
‘Kom, manneke.’
Hij vond het niet leuk om zo genoemd te worden.
‘We nemen een taxi, het is zulk naar weer.’ Ze liep naar de telefoon en belde er een.

Ze hadden naar jurken gekeken en een tentoonstelling gezien en ze liepen door de Karl Johansstraat, toen Lydia zich plotseling naar hem toe boog en in Nikolaj’s oor fluisterde: ‘We worden door iemand gevolgd.’
Hij wilde zich al omdraaien, maar ze pakte hem zo hard bij zijn arm dat hij even kreunde. ‘Niet omdraaien,’ fluisterde ze, ‘ze mogen niet in de gaten krijgen dat ze ontdekt zijn.’
‘Wie zijn het?’ vroeg hij.

'Hoe moet ik dat weten? Maar ze volgen ons al een tijdje. Kom nou.'

Ze liet Nikolaj's arm niet los en ging sneller lopen. Met haar vrije hand hield ze de kraag van haar korte jasje van zeehondenbont stevig vast. Haar hoge hakken tikten vlug en gelijkmatig op het trottoir. Met haar zwarte rok kon ze geen grote stappen nemen en haar zwarte hoedje met het smalle gouden randje wipte driftig op en neer op haar voorhoofd. Het regende of sneeuwde niet, maar er hing een lichte motregen in de lucht. Hun adem kwam in witte wolkjes uit hun mond.

Nikolaj moest bijna rennen om zijn moeder bij te houden, die zonder op of om te kijken over het trottoir liep. Ze wrong zich langs mensen en ging niet opzij voor de mensen die haar tegemoet kwamen. Nikolaj ving verbaasde en geïrriteerde blikken op. Hij wilde dat zijn moeder hem losliet.

Hij was buiten adem toen ze bij de Rosenkrantzstraat kwamen en moesten stoppen voor rood licht, maar zijn moeder liep zo de straat op. Een auto toeterde boos, iemand riep hun kwaad achterna en Nikolaj wou dat hij er niet was.

'We gaan het Grand binnen,' fluisterde zijn moeder en sleurde hem mee de deuren door.

De ober die hen tegemoet kwam, wilde waarschijnlijk zeggen dat de garderobe de trap af was, maar toen hij de blik van Lydia ontmoette, zweeg hij. Ze maakte altijd veel indruk op haar omgeving.

Ze keek langs de ober heen en zette koers naar een tafeltje bij het raam aan de andere kant van de zaal. Nikolaj kwam een paar stappen achter haar aan en zag dat zowel mannen als vrouwen zich omdraaiden naar zijn moeder, die deed alsof er verder niemand was.

Ze liet zich op een stoel glijden, deed haar zwarte handschoenen uit en zonder haar blik van de Karl Johansstraat af te halen, zei ze

tegen de ober: 'Een droge sherry, een cola en een tompouce alstublieft, maar een beetje snel, want wij hebben haast.'
De ober keek eerst naar haar en toen naar Nikolaj die zijn schouders zachtjes ophaalde. De ober glimlachte even voordat hij zei: 'Ja, dat hebben we eigenlijk allemaal,' en wegliep.
'Wie zijn dat die ons volgen?' vroeg Nikolaj.
'Shhh, niet zo hard,' siste zijn moeder, zodat de drie heren aan het tafeltje ernaast haar aanstaarden. Ze stak een van haar lange dunne sigaretten aan met een glimmende gouden aansteker.
Op datzelfde moment kwam de ober terug met de sherry, de cola en de tompouce. 'Ik hoop dat dit snel genoeg is,' zei hij.
Lydia keek hem verbaasd na, maar pakte toen haar glas en leegde het in één teug. Het gesprek aan het tafeltje ernaast verstomde en de drie heren bleven naar haar kijken totdat ze het lege glas weer op het tafeltje had gezet. Nikolaj durfde niet naar hen te kijken. Hij had helemaal geen trek in de tompouce en zijn cola was ineens veel te zoet.
Lydia staarde de hele tijd uit het raam.
'Zie je de mensen die ons achtervolgen?' vroeg Nikolaj.
'Niet ons, maar mij. Nee, ik zie ze niet.'
'Hoe kan je nou weten dat ze jou volgen en niet ons?'
Ze keek hem een ogenblik verbaasd aan. 'Waarom zou iemand jou volgen?'
'Waarom zou iemand jou volgen?' zei hij op zijn beurt tegen haar.
Lydia wierp haastig een blik op de klok. 'Dat was ik bijna vergeten,' zei ze gejaagd. 'Ik heb een afspraak. O, God, is het al zo laat... ik moet rennen... wil jij betalen?'
Ze deed haar handtas open en liet drie briefjes van honderd kronen op het tafeltje neerdwarrelen. 'Dit is meer dan genoeg. Koop maar wat van de rest... Ik *moet* opschieten.'
Ze stond zo vlug op dat haar stoel omviel, maar dat merkte ze waarschijnlijk niet eens. Snel en verre van geluidloos liep ze door

het café en weer werd het stil langs haar route. Nikolaj bleef nog even zitten en keek naar het trottoir. Hij zag Lydia niet en ook geen mysterieuze figuren die eruit zagen alsof ze iemand volgden. De ober kwam en Nikolaj betaalde.
'Heeft je vriendin je in de steek gelaten?' vroeg de ober. 'Misschien vond ze je te jong,' zei hij met een knipoog.
'Nee, ik vond haar te oud,' antwoordde Nikolaj; dat was uit een mop die zijn vader een keer had verteld.
Buiten haalde hij opgelucht adem. Hij vond de koude lucht lekker. Tweehonderd kronen. Wat zou hij gaan doen?

Lydia Sverd liep zo rustig mogelijk de Karl Johansstraat uit, maar diep van binnen trilde ze van de zenuwen. Het gevoel dat ze werd gevolgd, liet haar niet los. Ze dwong zichzelf om niet over haar schouder te kijken. Ze zou de achtervolger waarschijnlijk toch niet ontdekken. Ze was bijna uit balans gebracht en dat was iets waar ze absoluut niet van hield.
Ze had gepland dat ze binnen drie jaar een groot, geheim vermogen zou hebben op een veilige Zwitserse bankrekening. Dan kon ze in alle stilte verdwijnen en na een tijdje weer het noodzakelijke contact met Maxim opnemen om de voogdij over Nikolaj te krijgen. Maar nu begon het erop te lijken dat ze moest opschieten. Misschien had ze geen drie jaar om haar plannen ten uitvoer te brengen.
Een bijtend koude vrieswind kwam de hoek om jagen. Ze huiverde en sloeg de kraag van haar bontjas op zodat hij zacht en warm tegen haar kin en wangen aan lag. Af en toe stopte ze voor een etalage – ze deed alsof ze hier en daar keek; naar een jurk, een servies of een glinsterende ring met robijnen. Maar eigenlijk keek ze in de winkelruiten, die in het schemerlicht als spiegels konden dienen, om te kijken of er achter haar iemand bleef staan. Maar dat was niet het geval.

Verbeeld ik het me dan? dacht Lydia terwijl ze een café midden in de Karl Johansstraat binnenging, een vrij tafeltje vond waar vandaan ze de deur kon zien, een glas witte wijn bestelde en een van haar elegante sigaretten opstak. Het café werd verlicht door kandelaars die honderden keren weerkaatsen in grote spiegels. Als ze in een van die spiegels keek, was het alsof ze met haar tafeltje door een enorme zaal zweefde. Waxinelichtjes vormden gouden vijvertjes op de tafels. Er klonken gedempte stemmen, lepeltjes rinkelden zachtjes tegen cappuccinokopjes, de groen fluwelen gordijnen staken met hun zware vouwen af tegen de middagschemering.

Lydia nam een klein slokje uit haar wijnglas en verbaasde zich erover dat Maxim zo uitgekookt was. Ze bewonderde hem ook een beetje, want ze was er volkomen door verrast. Ze moest er zelfs een beetje om glimlachen, maar het was geen vrolijke glimlach, en in haar ogen glansde een zwarte gloed die ze gedeeltelijk achter haar wimpers verborg.

Ze had hulp nodig. Ze zuchtte terwijl ze dat bedacht en drukte haar sigaret hard uit in de asbak. Het gebeurde niet vaak dat ze moest opgeven en ze hield er niet van als ze anderen iets moest vragen.

Ze had echt hulp nodig. De gedachte dat ze werd gevolgd zat haar dwars. Net als de gedachte aan de lege kluis thuis en de verdwenen diamanten uit Maxims geheime bergplaats.

Misschien moest ze zelfs opschieten met haar nachtelijke uitstapjes. Dat vond ze niet leuk, maar de gedachte dat ze over drie jaar armoedig en gewoontjes zou zijn, of misschien zelfs gevangen zou zitten vanwege haar nachtelijke activiteiten, vond ze nog minder leuk.

Ze rilde en zat een poosje mistroostig in haar lege wijnglas te staren. Maar kon ze Harry Lim vertrouwen? Er was in elk geval niemand anders die ze om advies durfde te vragen. Ze bestelde nog

een glas wijn, ook al zou ze dat eigenlijk niet moeten doen. Haar gedachten begonnen al een beetje te zweven. Ze moest en zou Maxim te slim af zijn. Nooit van haar leven zou ze toelaten dat hij haar voor gek zette.
Ze haalde een notitieblokje en een potlood uit haar tas en staarde naar het witte velletje papier. Eigenlijk kan ik niemand vertrouwen, dacht ze. Of ik weet niet wie ik kan vertrouwen. Ik weet dat iemand erop uit is om mij te pakken. Ik denk dat ik dat maar moet aannemen. Daarom moet ik opschieten. Ik kan niemand vertrouwen.
Lydia boog zich voorover en schreef twee namen onder elkaar:
Patrick.
Dieter.
Ze deed het met grote tegenzin. Maar ze kende haar broers goed genoeg, al van toen ze nog klein waren, om te weten dat zij anderen probeerden te belazeren zodra ze daar de kans toe zagen. Ze had niet gevraagd hoe Patrick en Vera het idyllische buitenhuisje bij Risør hadden kunnen betalen. Ze had nooit onderzocht wat Dieter deed tijdens de lange buitenlandse reizen die hij een paar keer per jaar maakte. Soms ging Ellen mee en als ze terugkwam, was ze altijd heel geheimzinnig en vrolijk. Ja, vrolijk. En vlak daarna deden ze altijd een nieuwe aankoop. Dit voorjaar hadden ze toch ook een nieuwe BMW gekocht?
Nee, ze had het niet gevraagd, maar ze had er het hare van gedacht. En als ze íets voelde, dan was het wel de jaloezie van haar schoonzussen en de waakzame blikken van haar broers. Hadden ze haar door? Probeerden ze Maxim te pakken? Die jaloezie van hen had ze nooit helemaal begrepen...
Met een zucht en een vastberaden trekje om haar mond, stopte ze haar notitieblokje in haar tas, stond op en ging weg. Ze moest drie dingen doen: de koeien bij de horens vatten en het lot uitdagen. Dat was waarschijnlijk het beste.

Buiten gekomen, bleef ze vlak voor het café staan, een beetje verbaasd over hoeveel licht de etalages gaven in het donker, want het was donker geworden. Toen ze haar rechter handschoen wilde aandoen, ontdekte ze dat de nagel van haar wijsvinger was gebroken. Ze huiverde en trok de handschoen vlug aan. Ze was bang dat de gebroken nagel een slecht voorteken was.
Ze liep snel en beslist naar de Dronningensstraat. Als ze werd gevolgd, wisten ze vast al waar haar kantoor was. Maxim wist het niet. Dacht ze. Zachtjes liep ze de trappen op. Af en toe luisterde ze, maar het trappenhuis was stil. Ze deed de deur open, liep direct naar de telefoon, deed de lamp op het bureau aan en keek verschrikt op. Het was de eerste keer dat ze de gordijnen niet had dichtgedaan voor ze het licht aandeed.
Nu is het te laat, dacht ze en draaide zich met haar rug naar de donkere ruiten. Voor zover ze had kunnen zien, was het donker in het gebouw aan de overkant van de straat. Maar dat stelde haar niet gerust. Wie niet gezien wilde worden, bleef uit het licht. Dat wist ze zelf maar al te goed.
De eerste koe. Ze draaide het nummer van de verzekeringsmaatschappij waar Patrick manager was. Zijn secretaresse verbond haar meteen door.
'Ja?' zei Patrick. 'Is er iets belangrijks, Lydia? Ik heb het ontzettend druk. Kan ik je misschien terugbellen...'
'Het is belangrijk, en het duurt niet zo lang,' zei Lydia. Haar stem klonk precies zo rustig en dringend als ze wilde dat hij klonk. 'Ik word gevolgd.'
Ze pauzeerde even, niet zo lang dat hij iets kon zeggen, maar lang genoeg dat hij zou begrijpen wat ze zei.
'Weet jij daar iets van?'
'Maar Lydia... hoe kun je nou denken dat... weet je zeker dat je wordt gevolgd?'
Hij klonk zo verrast en verbaasd dat het geloofwaardig was.

'Dan moeten we erachter zien te komen wie...'
'Dus jij weet er niets van?' herhaalde ze.
'Lydia, nu doe je me pijn,' zei hij.
'Ik moest het gewoon even vragen, om te horen wat je zou antwoorden,' zei ze. 'Er gebeuren de laatste tijd vreemde dingen.'
'Lydia, ik...'
'Ik zal je niet langer ophouden. We spreken elkaar nog wel.' Toen hing ze op. Ze was niet tevreden over haar afsluiting en ze wist niet zeker wat hij zou denken van wat hij had gehoord.
Toen moest ze de tweede koe bij de horens vatten. Vlug draaide ze het nummer van Dieters kantoor. Hij was manager van een restaurantketen met een goede naam, goed eten en een goede sfeer. Een onbekende stem antwoordde dat meneer Wandel op het ogenblik in Parijs was en pas na het weekend weer bereikbaar was. Verbaasd zat Lydia naar de telefoon te kijken. Daar had Dieter niets over gezegd, en Ellen ook niet. Vreemd. Nou ja, het ging haar niets aan. In een opwelling wilde ze Ellen bellen en naar Dieter vragen, maar ze bedacht zich.
Toen moest ze het lot uitdagen. Ze draaide het nummer van Harry Lim. Hij had haar absoluut verboden om hem rechtstreeks thuis te bellen, maar meestal kon ze hem wel op zijn mobiele telefoon bereiken. Dat was deze keer ook het geval.
Hij vroeg haar even te wachten en mompelde iets onduidelijks met zijn hand over de hoorn. Even was het stil en toen was hij er weer.
'Je moet iets voor me uitzoeken, Harry,' zei ze.
'Wat dan?'
'Ik word gevolgd, ik denk dat er iemand achter Maxim aanzit. Ik wil weten wie.'
'Je bent misschien in groter gevaar dan je beseft,' zei Harry Lim.
'Gevaar? Zei je gevaar? Waar heb je het over? Weet jij iets dat ik niet weet?'

'Ik ben erachter gekomen dat Maxims familie juwelen bezit die onbeschoft veel geld waard zijn. Daar zit nu een aantal mensen achteraan.'

'Ju... juwelen? Dus Maxim heeft familiejuwelen waar hij mij niets over heeft verteld?'

Zonder dat ze het zelf in de gaten had, was Lydia gaan staan. Ze zag de lege kluis thuis voor zich en de schildpad zonder diamanten. Hij gaat er binnenkort vandoor, dacht ze. Haar maag kromp ineen zodat ze steun moest zoeken tegen de tafel.

'Dat weet ik niet,' zei Harry Lim, 'maar ze worden in elk geval de juwelen van de tsaar genoemd en ze zijn wereldberoemd.'

Lydia liet zich weer op haar stoel zakken. 'De juwelen van de tsaar? Was dat wat je zei?'

'Ja.'

'Ik snap er niets van,' zei Lydia, 'helemaal niets.'

'Nee,' zei Harry Lim, 'het is ook niet zo eenvoudig. Maar heb je de persoon of de personen die je volgen gezien?'

'Ja... nee... ik weet het niet... ik weet nu even helemaal niets...'

Lydia hing op en liep naar de deur. Ze bleef even staan luisteren voor ze de deur opendeed. Het was doodstil op de gang, zo stil dat er best iemand zou kunnen staan die niet gehoord wilde worden. Iemand die stond te wachten, klaar om zich op haar te werpen. Tenslotte hield ze het niet meer uit om daar te staan en rukte de deur open. Er was niemand. Ze rende de trap af en stopte niet voor ze in de Karl Johansstraat was.

Thuis, dacht Nikolaj. Dit is thuis. Al deze kamers om mij heen zijn leeg en ik kan maar in een tegelijk zijn. Thuis? Hij dacht: mamma is altijd ergens anders en ze moet altijd zo veel doen. Ik weet niet waar ze is of wat ze doet. Pappa is altijd op reis, de hele wereld door, en ik weet niet wat hij doet. Als er nu iets ergs gebeurt, iets heel erg ergs, en ik moet het de anderen laten weten, dan heb ik geen idee waar ik naartoe moet bellen of gaan. Nikolaj voelde dat de hal om hem heen groter werd. Hij keek omhoog naar het dakraam. Hij zag het niet. Misschien is het er niet, dacht hij. Hij werd een beetje duizelig, maar toen hij op het telefoontafeltje wilde steunen, was het leeg om hem heen. Hij voelde in het rond, maar hij vond alleen maar lege duisternis.

Waar ben ik? dacht hij. Vreemde, zacht mompelende geluiden kwamen de trap af en vulden de hal. Ergens boven hoorde hij iets kraken en een zwak gerommel. Uit de woonkamer naast de studeerkamer kwam een schrapend geluid en uit het souterrain kwam een bijna onhoorbaar gezoem. In de kamer van zijn vader was het heel stil en die stilte hoorde hij het allerbest.

Nikolaj deed een stap opzij. De telefoon, dacht hij, ik stond toch bij de telefoon. Die moet hier zijn. Hij deed twee stappen, een derde, en stootte tegen het tafeltje dat met een harde klap omviel. Nikolaj hield zijn handen voor zijn oren. Zonder het te merken moest hij van het tafeltje zijn weggelopen. Hij haalde zijn handen weer weg. Het leek wel of de echo van het vallende tafeltje nog ergens in de hal hing. Er was daar ook iets anders. Hij voelde een lichte beweging in het donker. Iets dat op stille, zachte poten rondsloop. Hij hoorde iets krassen – scherpe nagels die niet helemaal waren ingetrokken.

Hij moest naar buiten. De poten kwamen steeds dichterbij geslopen, maar hij hoorde niet waar het geluid vandaan kwam. Toen rende hij weg, want hij hield het niet meer uit om te blijven staan. Hij struikelde over de poot van een stoel of een tafel en viel op het Perzische tapijt, krabbelde overeind, ging verder, botste tegen een muur, vond een deur, rukte hem open en merkte dat het de keuken was. Hij rende verder naar rechts, naar de voordeur. De kleden waren hobbelig onder zijn voeten en hij voelde dat een zwart beest achter hem in elkaar dook. Hij wist dat het zijn ogen dichtkneep tot gele spleetjes en hoorde de staart over de marmeren te-

gels zwiepen, klaar voor de sprong. Eindelijk, daar was de voordeur. Hij rukte hem open en was buiten. Pas toen hij op de stoep stond, stopte hij.
Het was weer gaan sneeuwen. De straatlantaarns verspreidden een bleek wit licht door het donker. Koplampen streken langs de witgeschilderde hekken bij het kruispunt honderd meter verder naar links. De ramen aan beide kanten van de weg waren vriendelijk verlicht.
Hij draaide zich om en keek naar het huis waar hij woonde. Het was donker, behalve achter één raam. Op zijn kamer brandde licht. Hij was zeker vergeten het uit te doen vanmorgen. De voordeur stond open. Die moest hij dichtdoen. Het was makkelijker om terug te gaan. Toen hij de deur dichtsmeet, wist hij niet zeker of het donkere beest binnen of buiten was. Als het tenminste een beest was.
Nikolaj rilde. Hij had het koud. Hij keek naar zijn handen. Hij was zijn wanten en zijn das vergeten. Vreemd genoeg had hij zijn donsjack wel aan. Hij kon zich niet herinneren dat hij dat van de kapstok had gepakt voordat hij naar buiten rende. Hij had een naam in zijn hoofd. Florinda. Zij was de enige waarmee hij kon praten. Misschien wist zij zelfs iets over de rare dingen die gebeurden.
Nikolaj rende over de stoep naar de trambaan. De wind joeg de natte sneeuw recht in zijn gezicht, dus hij zag haast niets. Toen hij bij de halte kwam, zag hij nog net de achterlichten van de tram. Hij had geen geduld om op de volgende te wachten. Nikolaj rende verder. Hij moest naar Florinda.

Nikolaj liep snel de straat uit. Na de bocht ging die een stuk steil naar beneden. Het was niet glad, ook al was er een grijswitte laag natte sneeuw blijven liggen in het schijnsel van de lantaarns. Op het steile stuk begon hij te rennen. Hij zag nergens een voetganger, dus hij hoefde niet bang te zijn dat hij plotseling tegen iemand aan zou botsen. Onderaan de heuvel, om de hoek, doken er twee paraplu's op. Ze liepen naast elkaar en de vrouwen die ze droegen, keken niet op vanwege de wind.

Nikolaj kon niet op tijd stoppen en wrong zich tussen hen door. Hij hoorde hun boze uitroepen achter zich. Hij ging rechtsaf. Daar was de straat weer vlak en de wind blies er niet zo hard. De straatlantaarns brandden niet. Verderop in de straat knipperde af en toe een lantaarn vlug aan en uit. Tussen de straat en de huizen lagen kleine voortuintjes met hoge heggen. Achter een aantal ramen brandde licht, maar Nikolaj kreeg het gevoel dat hij heel ver van de huizen af was; hij voelde zich ontzettend eenzaam.

Plotseling bleef hij staan en greep naar zijn zij. Het deed pijn als hij ademde. Terwijl hij daar een beetje voorovergebogen stond, werd het ineens heel stil. Hij hoorde geen wind, geen geluiden van auto's of de tram, geen stemmen of blaffende honden. Het duurde maar even, maar Nikolaj kon net zijn adem inhouden om te luisteren. Want door de stilte die hem omgaf, sloop iets in het rond, onzichtbaar in het donker van de avond.

Nikolaj draaide zich langzaam om. Hij keek terug de straat door, naar het kruispunt waar hij de hoek om was gegaan. Misschien leek het donkerder dan het was omdat die ene straatlantaarn zo nu en dan opgewonden knipperde. Er was geen mens te zien in het donker van de avond en de sneeuwbui. Nikolaj staarde naar de knipperende lantaarn. Iedere keer dat hij opflitste, tekende hij een klein lichtveldje op de straat. Aan de andere kant van de lichtplek was het donker zwarter dan aan deze kant van de lantaarn.

Er dook iets in elkaar. Hij zag niet wat het was, hij had alleen het gevoel dat er iets was. Elke keer dat de straatlantaarn zijn fonkelende lichtflits liet schijnen, weerkaatste die in smalle, gele ogen aan de andere kant van de lichtplek.

Nikolaj voelde een vreemd, lokkend gevoel in zijn lijf. Hij moest

naar de lantaarn toe lopen. Kom, zong het zachtjes grommend in hem, kom, en hij begon langzaam te lopen. Het was een stem die van buiten kwam, maar hij hoorde hem binnen in zich. Stop, dacht hij, stop, maar hij kon niet stoppen, hij moest doorlopen.
Toen joeg de wind de straat door, hij kwam hem recht tegemoet met gierende vlagen. Hij leunde naar voren tegen de wind in en kneep zijn ogen tot spleetjes. De hagel en sneeuw prikten pijnlijk in zijn gezicht. Hij draaide zich weer om en terwijl hij zijn ene arm nog beschermend voor zijn ogen hield, zag hij iets grijs naar voren komen uit het donker dat werd doorboord door witte strepen sneeuw. Het grijze ding kwam dichterbij, het werd witter. Ineens weerkaatste het licht van de lantaarn achter hem in een zwaard.
Het was de engel uit de tuin, de engel met zijn vurige blik en zijn witte gewaad, die op hem af kwam lopen. Achter zich had Nikolaj een zwart wezen. Hij deed twee grote stappen naar het dichtstbijzijnde tuinhek, rukte het open en stortte zich de tuin in, zonder zich af te vragen of hij te zien was; hij rende om het huis heen, struikelde over een hok van kippengaas, botste tegen een schuurtje op, ging op de tast verder, kwam in een struik terecht, hoorde dat er een raam openging, dook in elkaar en rende terug naar de straat.
Iemand riep hem iets achterna, maar hij bleef niet staan. Hij hoorde sluipende zwarte poten en zag steeds een flits van het zwaard dat langzaam heen en weer zwaaide. Hij bleef staan, wist niet welke kant hij op moest, het leek wel of alle uitwegen afgesloten waren.
Hij zag het niet duidelijk, maar door het donker en de wind en de sneeuw die afstaken tegen de verlichte ruiten, kwam een rijzige, in het wit geklede gestalte door de straat naar hem toe lopen. Hij zag geen hoofd en geen haar, alleen het witte gewaad dat eigenlijk net zo goed uit sneeuw en fantasie zou kunnen bestaan. Maar het

zwaard zwaaide heen en weer in een glanzende boog die steeds dichterbij kwam.
Vlug keek hij de andere kant op. Hij moest zijn ogen dichtknijpen tegen de wind. Vaag zag hij iets groots en donkers dat naar hem toe sloop. Het zou een groot beest kunnen zijn, maar als dat zo was, dan had hij er nog nooit eerder een gezien. Het donker achter hem bewoog en kwam weer tot rust terwijl de beweging dichterbij kwam. Zo zag hij het dier, als dichte duisternis, als een langzaam naar voren hellende schaduw. Nikolaj deed een stap naar achteren, en nog een, want met de wind kwam er een kracht op hem af die niet van de wind zelf kwam, die niet bij de nacht hoorde, maar die van het beest kwam. Als het een beest was.
Nikolaj's hoofd vulde zich met een zacht gonzend geluid, dat verder naar beneden zakte door zijn lichaam. Hij voelde zich duizelig en licht worden, maar wist dat hij niet zou vallen. Hij zag de lichten van de huizen aan weerskanten van de weg. De schaduwen die zich tussen hem en de huizen uitstrekten, waren herfstbomen en donkere struiken. Ze waren ver weg. Het zou een droom kunnen zijn. Hij wilde weg uit deze vreemde avond.
Het is te laat, gonsde het door zijn hoofd. Ik kom niet meer weg. Hij vroeg zich af wat het ergste was: het glanzende zwaard van de engel, of de scherpe tanden van het beest. Hij wilde om hulp roepen, al had dat waarschijnlijk geen zin. De huizen en de lichten lagen achter de schaduwen, ze waren op een andere plek, een andere avond.
Hij deed zijn mond open voor een schreeuw die niet kwam. In plaats daarvan klonk ergens boven hem een lange, zangerige roep. Verbaasd keek Nikolaj op. Het leek wel of er een schijnwerper door het donker scheen en in de lichtbundel zweefde een grote vogel met gespreide vleugels. Zijn lange, zwarte hals was recht vooruit gestrekt en het uiteinde van zijn snavel was krom. Hij zweefde alsof zijn lijf zich door het donker boorde. Zijn poten

waren net zo recht als zijn hals en zijn zwarte staartveren glansden mat.
De vogel vloog over Nikolaj's hoofd, gevolgd door de lichtbundel. Plotseling ging het licht uit en de vogel was weg. Nikolaj voelde zich niet meer duizelig en de huizen waren weer dichterbij gekomen. De straat was leeg. De engel met het zwaard was weg en het grote sluipende dier was verdwenen.
Er kwam een auto van de steile helling de hoek om. De koplampen streken langs de hekken en bomen door de witgestreepte avond. Pas toen de auto driftig toeterde, ontdekte Nikolaj dat hij midden op de rijbaan stond. Hij was niet meer bang, maar verwonderd. Hij wist zeker dat hij had gezien wat hij had gezien en hij hoorde de roep van de vogel nog in zijn oren.
Hij wist niet hoe lang hij daar op straat had gestaan. Vijf minuten? Een half uur? Hij wist het niet, maar toen kwam plotseling de angst weer terug. Hij rende verder de straat uit en stopte niet voordat hij in de Bygdøy Allé was. Toen was hij buiten adem. Rustiger liep hij naar het huis waar Florinda Olsen woonde.

Maxim Sverd bleef diep verontrust boven aan de vliegtuigtrap staan op de luchthaven van Oslo. Hij huiverde toen hij de scherpe noordenwind en de sneeuw voelde. Hij sloeg de kraag van zijn jas op en voelde dat zijn spieren zich spanden tegen het akelige weer. Hij hield niet van zijn land in de herfst en de winter.
Iemand duwde ongeduldig van achteren tegen hem aan, dus hij ging vlug verder de trap af. Het licht in de koude, lange gang stak in zijn ogen. Hij keek naar de grond, zodat hij geen zonnebril op hoefde te doen.
Hij kwam goed door de douane heen. Maxim had een vast principe: Nooit sigaretten en sterke drank smokkelen. Hij wilde zo min mogelijk aandacht trekken. Toen hij in de aankomsthal kwam, werd hij verwelkomd door een stem uit de luidsprekers

die hem vroeg zich bij de informatiebalie te melden. Maxim vond het niet prettig dat zijn naam in het openbaar werd omgeroepen. Hij was bang dat dat niet veel goeds voorspelde.
Voordat hij naar de informatiebalie liep, keek hij goed om zich heen. Overal was het een blij weerzien met vlugge kussen en snelle omhelzingen. De mensen die alleen waren, haastten zich de hal uit. Er stonden nog veel mensen te wachten op degenen die nog niet door de douane heen waren. Hij zag niemand die hij herkende of die eruit zag alsof hij hem in de gaten hield. Hij was zeer voorzichtig. Lydia had gezegd dat hij niet zo wantrouwig moest zijn. Maar ze wisten allebei dat hij daar een reden voor had.
Bij de informatiebalie kreeg hij een envelop. Hij liep een paar stappen weg van de balie voordat hij zijn koffer neerzette. Toen scheurde hij de envelop open. Maxim was blij dat hij met zijn rug naar de aankomsthal stond. Wat hij zag, maakte hem niet vrolijk. Hij vouwde een onbeschreven vel papier open. Even werd Maxim duizelig. Zijn zonwarme huid rilde van de kou. Hij sloot zijn ogen en de gezichten van van Daan en zijn gespierde chauffeur smolten samen in zijn gedachten.
'Jij bent zo ontzettend goedgelovig.'
Dat was de stem van Lydia. Wantrouwig en goedgelovig tegelijk. Ze was altijd zo zeker van haar zaak en bovendien kon ze in veel situaties helderder denken dan hij. Hij vond het moeilijk om dat toe te geven.
'Als je niet voorzichtig bent wanneer je mensen ontmoet, zul je op een keer goed de fout in gaan, en dan is het voorbij met jou. Voor altijd.'
Maxim kneep zijn ogen dicht en stak bijna zijn arm uit om steun te zoeken tegen de muur. Maar hij wist zich in te houden. Hij wist zeker dat hij in de gaten werd gehouden en hij wilde niet laten zien dat hij bang was. Ze wisten nu in elk geval wie hij was. Ze?
Hij haalde diep adem, verfrommelde de envelop en het lege vel

papier, gooide ze in een prullenbak, pakte zijn koffer op en begon naar de uitgang te lopen. Hij wist dat er heel gauw iets zou gebeuren.

Weer buiten in de koude lucht, zag hij alleen mensen die zich met koffers en tassen naar wachtende auto's haastten. Gelukkig stonden er ook een paar taxi's. Hij had nog maar een paar stappen in de richting van de rij voor de taxi's gedaan, toen hij voelde dat er een man naast hem kwam lopen en een andere vlak achter hem.

De man naast hem pakte hem vast met een greep die hem bijna een schreeuw ontlokte. Hij liet zijn attachékoffertje los, dat openviel op de grond. De papieren lagen verspreid over het asfalt. Er dook een derde man op die zich bukte, de papieren bij elkaar zocht, ze terugstopte in het koffertje en het weer sloot.

'U heeft uw koffertje laten vallen,' zei hij terwijl hij het voor Maxim omhooghield.

Voordat hij iets terug kon zeggen, zei de man naast hem zacht: 'Maxim Sverd, wij hebben opdracht gekregen u bij iemand te brengen die u buitengewoon graag wil spreken.'

Maxim was verrast door de beleefde toon en de zachte stem die helemaal niet dreigend klonk. Maar hij durfde niet opzij te kijken en hij zei niets.

'U kunt het beste vrijwillig met ons meegaan.'

Maxim ging vrijwillig met ze mee naar de auto die stond te wachten.

'Wat heeft dit eigenlijk te betekenen?' vroeg Maxim eindelijk, toen hij tussen twee vreemde mannen op de achterbank zat.

De man die rechts van hem zat, hield zijn handen in zijn jaszakken en Maxim dacht dat hij in de rechterzak een bobbel zag van een vuist die een pistool omklemde.

'Waar brengen jullie me heen?' zei hij toen het duidelijk werd dat niemand de stilte wilde verbreken.

De man recht voor hem maakte een beweging met zijn hoofd alsof hij zich wilde omdraaien, maar hij bedacht zich. In een flits ontmoetten de ogen van de chauffeur Maxims blik in het achteruitkijkspiegeltje. Niemand zei iets. Maxim zuchtte. Hij herkende geen van de mannen. Het was moeilijk om hun gezichten te zien onder de randen van hun hoeden.

Het was krap in de auto met vijf grote volwassen kerels. Het rook ook erg naar sigaren, knoflook en een zware, zoetige aftershave. Maxim kreeg branderige ogen en hij begon te hoesten.

'Kan een van jullie misschien een raampje opendoen?' zei hij. Toen er geen reactie van zijn bewakers kwam, boog hij zich dapper naar links en strekte zijn hand uit naar het knopje voor het raam.

Maxim kreunde van de pijn. De man die links van hem zat, had zijn pols vastgepakt in een greep die hem deed denken aan de bek van een roofdier. Maxim probeerde zijn kreunen te onderdrukken, maar dat lukte niet. Meteen werd de greep losser. Geen van de drie anderen in de auto had zich ook maar even omgedraaid of iets gezegd.

De autorit ging verder in stilte. De ruiten waren grijs getint. Buiten was het mistig en het donker en de sneeuw bemoeilijkten het zicht nog meer, maar Maxim had het gevoel dat ze naar het centrum reden.

Toen de auto stopte, voelde hij een sterke onrust van binnen.

De man die het dichtst bij het trottoir zat, stapte uit en deed de deur achter zich dicht. Maxim voelde iets hards in zijn zij. Dat was het pistool van de andere man. Maxim zag geen voorbijgangers of autolichten. De straat leek volkomen verlaten en hij kon niet zien waar ze waren.

De deur ging weer open en Maxim werd uit de auto getrokken en een deuropening binnen geduwd. Alleen de twee mannen van de achterbank gingen met hem mee. Ze namen hem mee een trap op. Hij moest voorop lopen. Bij een aantal deuren hingen naam-

bordjes, maar Maxim kon ze niet lezen. Het trappenhuis was zwak verlicht en hij werd snel de treden opgejaagd.
Op de derde verdieping liet een van de mannen hem stilstaan. Het enige verschil dat Maxim tussen de twee mannen kon ontdekken, was de kleur van hun jas. Ze waren even lang en hadden dezelfde hoed en dezelfde schoenen. Een van hen gaf een klopsignaal op de deur die meteen werd opengedaan. Het was donker binnen en een tweede deur ging open. Maxim werd binnengeschoven in een fel licht, waardoor hij niets kon zien.
Hij tilde zijn handen op om zijn ogen te beschermen en uit het donker achter het licht hoorde hij iemand zacht lachen.
'Draait u zich maar naar het licht, meneer Sverd, want zolang u hier bent, moet u in dit heldere licht blijven zitten.'
Hij herkende de stem niet. Het was een zware stem, een beetje hees en het klonk alsof de eigenaar ervan zich om hem amuseerde.
'Kom, ga zitten,' ging de stem verder en Maxim kreeg een por in zijn rug waardoor hij voorover tuimelde. Een arm greep hem vast zodat hij niet viel. In het verblindende licht zag hij geen stoel, maar hij werd erop neergeduwd. Hij keek naar beneden om het vervelende lichtschijnsel te ontwijken.
'Ik beschouw het als niet meer dan normale beleefdheid dat u degene die tegen u praat aankijkt,' klonk de stem weer. 'Kijk mij aan.'
Maxim keek op. Er waren twee sterke lampen op hem gericht. Ze stonden waarschijnlijk elk aan een kant van een tafel. Achter de lampen was een ondoordringbare duisternis en tussen de lampen kon hij onmogelijk iets onderscheiden.
'Ik zie helemaal niets,' zei hij.
'Precies,' zei de stem vriendelijk, 'en ik wil dat u dat onthoudt voor de toekomst. Ook al ziet u mij niet, u moet weten dat ik u altijd zie. U ontkomt er niet aan.'

'Waarom ben ik op zo'n ruwe manier ontvangen?' vroeg Maxim moedig.
'Ruw? Ik dacht dat het alleen een beetje resoluut en stevig was. U bent toch wel wat gewend in uw vakgebied?'
'Ik weet niet wat u bedoelt.'
'Ach, jawel. Ik heb het over uw extra bron van inkomsten.'
'Ik handel alleen in antiek en ik heb connecties buiten Noorwegen.'
'Ja, ja, dat weet iedereen, maar ik weet waar u daarnaast nog in handelt.'
Maxim zweeg. Hij voelde zich helemaal niet goed. Hij begreep dat dit heel wat ernstiger was dan hij had gedacht. Het ging niet om een beroving of een ontvoering om losgeld te krijgen. Het ging om zijn bestaan en dat van zijn gezin.
'Maar ik heb u niet gevraagd hiernaartoe te komen vanwege het extra handeltje dat u naast uw kunstnijverheid drijft.'
Hij zei niets meer. Maxim wachtte, maar het bleef stil. Hij hoorde dat er vloeistof in een glas werd geschonken en dat er een lucifer werd afgestreken, maar hij zag het vlammetje niet in het felle licht.
Hij probeerde de hele tijd naar de minst lichte plek te kijken, maar zijn ogen brandden en er dansten zwarte vlekken voor.
Tenslotte vroeg Maxim weer: 'En waarom ben ik hier?'
'Maar beste man, dat zou u toch beter moeten weten dan ik.'
Ineens klonk er lawaai buiten de deur. Meteen werd er een hand op Maxims mond gelegd en hij dacht dat hij het pistool weer voelde. Hij hoorde ook een bijna geruisloze beweging en vermoedde dat er iemand zachtjes naar de deur sloop. Maxim hoorde zijn eigen hart oorverdovend tekeer gaan en hij zag Lydia's gezicht voor zich. Ze glimlachte in een half vergeten herinnering en plotseling miste hij haar.
'We kunnen niet voorzichtig genoeg zijn,' zei de stem achter het

licht na een poosje. Hij sprak nog steeds op een irritant vermaakt toontje, maar o, wat was die stem angstaanjagend.
'Maar beste man,' zei de stem verbaasd, 'heeft niemand u iets te drinken aangeboden? Schenk meneer Sverd vlug een glas champagne in, we moeten proosten op onze nieuwe samenwerking.'
Maxim hoorde een kurk knallen. Hij rilde en ook al hoorde hij het niet, hij had het idee dat de stem achter het licht hem uitlachte. Hij zag het glas niet voor het in zijn hand werd geduwd.
'Proost, Sverd, op een lucratieve en vruchtbare samenwerking.'
Maxim kon de verleiding weerstaan om het glas leeg te drinken.
'Wat voor samenwerking?' zei hij. Hij wou dat zijn stem niet zo trilde.
'Eerst moet u met mij proosten,' zei de stem vriendelijk. Maar er lag een hardere klank in toen hij eraan toevoegde: 'Ik accepteer niet dat iemand mij zo onbeleefd behandelt als ik alles doe wat er in mijn macht ligt om vriendelijk en op z'n minst beleefd te zijn. Proost!'
Maxim leegde zijn glas.
'Nou, dat was tenminste proosten, meneer Sverd. Vul onze gast vlug bij.'
Geluidloos dook er een fles op boven zijn glas. Maxim zag een gehandschoende hand die rustig zijn glas volschonk.
'Wat voor samenwerking?' herhaalde Maxim toen hij zijn glas voor de tweede keer had leeggedronken en een warm gevoel door zijn lichaam voelde stromen.
'Ik geloof dat u een geheim hebt, dat u niet met mij wilt delen,' zei de stem achter het licht. Maxim meende te horen dat de man zich voorover had gebogen.
'Wat voor geheim zou dat dan moeten zijn dat zoveel voor u betekent?' vroeg Maxim.
Er klonk een lach in de stem toen hij antwoordde: 'U kunt dus ook beleefd zijn, hoor ik. Ja, denk maar niet dat ik bluf als ik zeg

dat ik weet wat voor handel u eigenlijk drijft. U verschuilt zich achter uw importbedrijf en u heeft een mooi alibi verkregen door kunstvoorwerpen en antiek in te voeren. Ja, ik weet zelfs dat een deel van de zaken die u doet op het gebied van antiek in strijd is met de regelgeving van de betreffende landen. Ik weet dat u daar nooit genoeg aan kunt verdienen om in die luxe villa van u te wonen en al die mooie spullen die u heeft te kopen. Ach ja, ik weet dat u al het mogelijke doet om naar buiten toe de indruk te wekken dat u een gezagsgetrouw burger bent met een goed lopende zaak, maar u bent niet goed genoeg. En omdat ik weet hoe u alles wat u niet aan de belasting opgeeft verdient, geloof ik, ja meer dan dat, wéét ik dat u iets verbergt waar ik heel veel aan zou kunnen hebben.'

Het zweet was Maxim uitgebroken terwijl hij naar de man luisterde.

'Moet u niet vragen wat ik bedoel?' ging de stem verder.

'Waarom zou ik? Ik héb niets te verbergen,' antwoordde Maxim. Hij was opgelucht dat zijn stem rustig en beheerst klonk. Hij wilde niet toegeven dat hij diamanten smokkelde voor hij daartoe gedwongen werd.

'En ik zeg dat u liegt.'

'Dan zeg ik dat u mij moet vertellen waar het om gaat.'

'Goed dan,' zei de stem met een zucht. 'De juwelen van de tsaar.'

'De juwelen van de tsaar?' zei Maxim verbaasd.

'Ik hoor dat u probeert te klinken alsof u het niet begrijpt. Maar ga mij nou niet vertellen dat een man als u, die zo'n nauwe band heeft met diamanten van het edelste soort, niet weet waar ik het over heb?'

'Ja, ik heb wel eens van de juwelen van de tsaar gehoord, maar ik heb altijd gedacht dat het een uitdrukking was voor onmetelijke rijkdom die niet bestond, een droom over het onbereikbare, die niets met de werkelijkheid te maken heeft.'

Het bleef even stil achter het licht.
'Zeg eens, bent u zo dom, of meent u wat u daar zegt?'
'Wat verwacht u dan dat ik zal zeggen?' Maxim kwam half overeind uit zijn stoel en schreeuwde tegen de onzichtbare man. Onmiddellijk duwden sterke handen hem weer terug op de stoel.
'Ik verwacht,' de stem achter de lampen had nu een ijskoude klank, 'ik verwacht dat u zult zeggen dat u de juwelen in uw bezit heeft.'
'Maar dat heb ik niet,' schreeuwde Maxim. 'Ik heb er nauwelijks van gehoord. Waarom zouden ze bij mij moeten zijn, en hoe zou ik eraan gekomen moeten zijn?'
'Ik heb belangrijke redenen om aan te nemen dat de juwelen in het bezit van uw familie zijn, dan is er dus iemand die u belazerd heeft.'
'Het spijt me,' zei Maxim. Zijn gedachten waren helemaal leeg. Natuurlijk had hij van de juwelen van de tsaar gehoord, maar hij had gedacht dat het fantasie was. Nu beweerde die onbekende stem dat hij die juwelen die niet bestonden, zou hebben.
Daar werden zijn gedachten onderbroken, want de stem ging verder: 'Ik heb namelijk een ooggetuige die kan vertellen dat de juwelen in het bezit van uw familie zijn.'
'Ik begrijp er nog steeds niets van,' zei Maxim, 'en dat meen ik serieus. Vertelt u mij maar wie die getuige is.'
'Nee, dat kan ik niet. Dat is mij absoluut verboden. Maar... als u wat wilt betalen voor inlichtingen, zou ik u in vertrouwen best wat informatie kunnen geven.'
'Nee,' zei Maxim, 'ik wil helemaal nergens voor betalen.'
'Nou,' zei de stem spijtig, 'dan kan ik niets doen. U moet de juwelen van de tsaar voor het einde van de week te pakken zien te krijgen, anders ben ik bang dat u een akelig lot te wachten staat... Schenk meneer Sverd toch nog wat champagne in, zodat hij dit kan verwerken: Dus, voor het einde van de week.'

Het glas werd voor de derde keer gevuld en Maxim leegde het van pure schrik.

Florinda Olsen was niet bang geworden door het vreemde en wonderlijke bezoek eerder die dag. Ze voelde zich eerder merkwaardig opgewekt, blij, ja bijna verwachtingsvol. Misschien had ze eindelijk het geheim van de spiegel gezien. Datgene waar haar moeder voorzichtig over had gesproken toen ze nog klein was, alsof het een sprookje was.

De spiegel was een deur naar een andere plek, misschien andere plekken. Ze had gezien hoe de spiegel barstte zonder dat er glassplinters op de grond vielen en ze had een vrouw naar zich toe zien komen. Een vrouw die een stap haar kamer in had gedaan en toen was blijven staan en angstig in het rond had gekeken. De vrouw had haar aangekeken met bange, zwarte ogen. De vrouw was jong geweest.

Florinda had de ogen van de spiegel herkend. Zij hadden hetzelfde bloed, kwamen uit hetzelfde land. Florinda wist dat haar moeders familie uit Mongolië kwam. Vandaag had ze een kort bezoek gekregen uit dat land waar ze nog nooit was geweest. De vrouw was net zo plotseling verdwenen als ze was gekomen en de spiegel was weer heel. Florinda wist dat het geen verschijning was geweest. Een vreemde vrouw, geen geest, maar een levend mens, was door de spiegel naar haar toe gekomen.

Ze bleef lang naar de spiegel staan kijken voor ze erheen liep. Toen deed ze eindelijk de paar stappen naar het glazen vlak en streek voorzichtig met haar handen over de spiegel en de lijst. Zoals altijd voelde de lijst warm aan en het leek wel of de zwakke hartslag binnenin sterker was.

'Bedankt moeder,' fluisterde ze. Ze wist niet precies waarvoor. Misschien omdat haar moeder haar had verteld over iets fantastisch wat ze eindelijk had mogen meemaken.

'Misschien kan ik langs dezelfde weg naar die vreemde vrouw gaan,' zei Florinda zacht. Maar toen ze naar geheime hendeltjes, knopjes, veertjes of andere mechanismen om de spiegel te openen stond te zoeken, voelde ze zich een beetje dom. Ze wist dat het niet zo eenvoudig was, dat hier andere krachten voor nodig waren.

Ze ging zitten om haar ochtendthee te drinken en besloot eindelijk een samowar te kopen. Het was gewoon onzin dat ze een samowar moest missen, terwijl ze er best een kon krijgen. Maar ze wist precies waarom ze het altijd had uitgesteld. Een samowar zou haar gedachten terugvoeren naar het schemeruurtje thuis, aan de oevers van het Ladogameer. Theetijd in de overgang van dag naar avond, die ze altijd samen doorbrachten. Ze herinnerde zich dat als fijne uren, maar ze was bang dat ze in haar herinnering misschien iets zou ontdekken waar ze nog niet helemaal op voorbereid was.

Na de thee voelde ze zich gesterkt. Verrast hoorde ze dat ze neuriede. Het was een liedje van lang geleden. Florinda liep de woonkamer in naar de grote houten kist, die met de messingen kandelaar erop tegen de muur stond. Ze haalde de kandelaar eraf en deed bijna plechtig het slot open. Het was heel wat jaren geleden sinds ze voor het laatst in die diepe ruimte had gekeken. De koffer zat vol herinneringen, van haar dochter, van haar ouders, haar grootvader...

Ze wierp een vluchtige blik op de voorwerpen die door haar handen gingen. Ze kon het niet opbrengen om ze te bekijken, want ze maakten sterke gevoelens in haar los. Bijna onderop, aan de linkerkant, vond ze het kistje. Ze pakte het op. Toen legde ze de rest weer op z'n plaats voordat ze de deksel sloot en de kandelaar er als bewaker bovenop zette.

Ze stond een beetje moeizaam op en liep met het kistje naar de keuken. Daar zette ze het op tafel en maakte het open. Voorzich-

tig pakte ze zeven stukjes spiegelglas die allemaal afzonderlijk waren ingepakt in witte watten. De watten waren in de loop der tijd grauw geworden. Ze legde de spiegelstukjes in een cirkel. Wat had haar moeder ook alweer gezegd? Dit zijn stukjes spiegel van een mislukte spiegelreis. Spiegelreizigers... Ze had het altijd een mooi woord gevonden.
Florinda zette zeven kaarsen in een kring rond de spiegelstukjes. Nu moest ze gaan zitten, zich over de tafel en de stukjes buigen en zich voorstellen dat ze in een klein meertje staarde. Florinda boog zich voorover. Haar hart begon sneller te kloppen. Ze voelde zich licht en bijna plechtig. Het beeld van haar lachende moeder steeg op en hing boven haar gedachten als een glanzende maan die de weg wees. En toen... in het stukje dat het dichtst bij lag, ging plotseling een rimpeling door het glas en in het spiegelstukje zag ze Idun, haar eigen dochter. Ze liep op een pad over een vlakte, snel en met een rechte rug. Ze draaide zich om en een seconde ontmoetten hun blikken elkaar, voordat het spiegelstukje weer veranderde in gewoon helder glas met een glanzend kaarsvlammetje in de diepte.
In het volgende spiegelstukje staarde Maxim haar recht aan, maar hij zag haar niet, dacht Florinda. Hij keek een paar keer vlug over zijn schouder en toen rende hij weg.
In het derde stukje zat Lydia achterover geleund in een stoel. Haar ogen waren groot en wijd opengesperd. Het leek wel of ze bang was of probeerde niet te huilen. Florinda kon zich helemaal niet voorstellen dat Lydia kon huilen.
In het vierde spiegelstukje schenen zeven sterren aan een donkere hemel. Het was heel erg mooi. Florinda boog zich verder naar voren. Het waren geen sterren maar stenen, schitterende juwelen aan een smalle gouden ketting.
Ze boog zich over het volgende stukje en daar zag ze zichzelf, omgeven door duisternis, ze worstelde zich vooruit tegen de wind en

de kou in. Er kwam iemand achter haar aan, iemand wilde haar inhalen. Onwillig draaide ze zich om. In het volgende spiegelstukje zag ze Nikolaj. Zijn gezicht was wit en zijn ogen glansden net zo sterk als de juwelen die ze voor sterren had aangezien. Zijn mond ging open alsof hij schreeuwde of schold of huilde... Ze zag het niet duidelijk genoeg.
Het beeld werd uitgewist door een nieuwe rimpeling. In het zevende spiegelstukje was niets te zien, niet eens de weerschijn van de kaarsvlammen...

Maxim Sverd voelde zich helemaal rillerig toen hij alleen op de stoep stond. Ze hadden hem een heel eind uit de buurt, bij de Drammensweg afgezet. De achterlichten van de zwarte auto waren al lang om een hoek verdwenen. Toch schitterden ze nog elke keer dat hij knipperde boosaardig achter zijn oogleden.
De gedachte dat zoiets als dit hem kon overkomen, was wel eens door hem heen gegaan. Het was een keer gebeurd in Zuid Afrika en een keer in Amsterdam. Beide keren waren mensen uit de omgeving van zijn contactpersonen het slachtoffer geworden van iets wat hij zelf alleen uit krantenkoppen kende.
Maxim trilde. Hij had de onbekende chef al heel lang, maar hij had hem nog nooit gezien. Hij kende niemand die hem gezien had. Zou hij hier achter zitten? Maxim hield een taxi aan en zonder erbij na te denken, gaf hij het adres van Florinda op. Hij herstelde het niet. Dat hij het had gezegd, betekende waarschijnlijk dat hij erheen moest.
Er scheen een zwak licht uit het hoekraam en in de boekenkamer. Het irriteerde hem dat ze het niet gewoon bibliotheek kon noemen, want dat was het. Eigenlijk zou hij haar niet moeten opzoeken, nu zijn gevoelens zo heftig waren. Hij wist dat de gedachte aan zijn moeder ieder moment boven kon komen, hij wist hoe hij zich ten opzichte van zijn grootmoeder voelde en hij dacht eraan

dat hij maar een paar etmalen had om het mysterie van de juwelen van de tsaar op te lossen – een mysterie waarvan hij niet eens had geweten dat hij er misschien deel van uitmaakte.
Heeft mijn grootmoeder mij al die jaren bedrogen? Heeft ze een dergelijke rijkdom verborgen gehouden voor mijn moeder en mij? Ik moet eigenlijk naar huis gaan, dacht hij geschokt terwijl hij de buitendeur opendeed.
Florinda had geweigerd hem een sleutel van de flat te geven, want ze wilde er zeker van zijn dat ze niet gestoord zou worden als ze dat niet wilde. Ze had geen zin om er rekening mee te moeten houden dat haar familie ieder moment kon binnenstormen. Ze was boos geweest toen ze dat had gezegd. Toch had Maxim zijn eigen sleutels laten maken.
Het is nog niet te laat om terug te gaan, dacht hij terwijl hij de trap op liep. Toch belde hij beleefd aan en vlak daarna hoorde hij haar lichte voetstappen binnen.
'Wie is daar?' riep ze door de gesloten deur heen.
'Ik ben het, Maxim,' antwoordde hij. Hij was blij dat zijn stem rustig klonk, bijna vriendelijk.
Hij hoorde het slot klikken, toen deed ze de deur op een kier en keek hem onderzoekend aan. Hij vond het niet prettig dat ze zo achterdochtig was. De woede borrelde op in zijn buik. Ze is nog achterdochtiger dan ik, dacht hij, en ik ben nog wel haar kleinzoon.
'Wat kom je zo laat doen?' zei ze een beetje mopperig. 'Je belt toch meestal voor je komt...?'
Ze keek hem recht aan met haar donkere ogen en hij moest wegkijken. Hij slaagde erin zijn stem luchtig te laten klinken toen hij antwoordde: 'Het is nog niet zo laat en ik had gewoon zin om even langs te komen om te horen hoe het met je gaat.'
Florinda keek lang naar hem. Hij kon haar niet aankijken. Hij voelde zich ineens zo klein en herinnerde zich dat ze vaak zo naar

hem had gekeken de paar jaar dat hij bij haar had gewoond. Hij had het gevoel dat ze al wist waarvoor hij kwam.
'Vreemd dat je daar zin in had,' zei Florinda. 'Je mag wel even binnenkomen, maar je kunt niet lang blijven, want eigenlijk stoor je.'
'Ik wist niet dat je het zo druk had 's avonds,' zei hij gekwetst.
Ze gaf geen antwoord. In plaats daarvan zei ze: 'Ga maar naar de keuken, want daar is het licht aan.'
Terwijl hij over dit vreemde antwoord nadacht, liep hij de lange gang door naar de keuken waar zeven kaarsen in een cirkel midden op tafel stonden. Hij was zo verrast dat hij op de drempel bleef staan. Een flits van vergeten vreugde schoot door hem heen. Florinda bood hem een stoel aan, maar hij ging pas zitten toen zij zich aan de andere kant van de tafel had geïnstalleerd. Ze zat altijd met een rechte rug en leunde zelden tegen de rugleuning. Dat herinnerde hij zich ook nog van vroeger.
Maxim streek met zijn hand over zijn ogen.
'Hoe is het met je?' vroeg hij.
'Daar ben je niet voor gekomen,' zei ze.
'Nee,' zuchtte hij, 'dat is zo. Ik had misschien niet moeten komen vanavond.'
Dat had hij niet willen zeggen.
Florinda wachtte.
'Ik heb de laatste tijd veel aan mijn moeder gedacht,' zei hij en hij kon merken dat ze verrast was. Even leek het alsof er meer licht op haar gezicht viel.
'Ik heb maar zo weinig van haar,' ging hij verder.
'Je wilde toch niets?'
'Nee,' zei hij, 'maar ik heb me bedacht.'
'Dat moet wel heel plotseling zijn gekomen, die verandering,' zei Florinda.
'Ja, in zekere zin wel,' zei hij. 'Heb je al die jaren nooit een brief van haar gekregen?'

'Nee, dat heb je al eens eerder gevraagd en het antwoord is nog steeds hetzelfde. Ik heb nooit een brief van Idun gekregen.'
'Ik heb ook nooit iets gehoord.'
'Dat is niet goed van haar,' zei Florinda. 'Ik begrijp haar ook niet, Maxim. Ik kan jou niets uitleggen.'
Hij leunde achterover. Zijn handen lagen nog op het tafelkleed en hij vroeg zich af of hij ze in zijn schoot zou leggen.
'Denk je dat ze nog leeft?' vroeg hij.
'Ja, dat weet ik zeker.'
'Hoe kun je dat weten? Heb je via anderen iets van haar gehoord? Heeft ze gebeld?'
Florinda schudde haar hoofd en antwoordde een beetje bits: 'Ik weet dat ze leeft.'
'Heb je haar spullen hier?' vroeg hij.
'Dat hangt er vanaf wat je met spullen bedoelt,' antwoordde Florinda. 'De meubels en een gedeelte van haar kleren en dergelijke zijn verkocht nadat je vader het land uit was gegaan, maar haar meest persoonlijke spullen liggen in een grote kist in mijn werkkamer.'
'Had ze iets waardevols? Ik bedoel... sieraden, familiejuwelen misschien,' zei hij vlug en voegde eraan toe: 'ik ben niet van plan om ze te verkopen of zo, ik wil ze alleen maar zien en er wat over weten.'
Florinda kreeg een gespannen trekje in haar gezicht.
'Ja, ze heeft wel wat sieraden, sieraden die van mijn moeder en mijn moeders moeder zijn geweest. Niet zo veel, het zijn er maar een paar.'
'Had ze...' Maxim stopte want zijn keel werd dichtgeknepen. Hij haalde rustig adem en bedacht dat hij het net zo goed gewoon kon vragen. 'Had ze een sieraad, van goud misschien, met zeven verschillende stenen?'
'Een gouden ketting?' vroeg Florinda verwonderd. 'Wat gek...

Waarom vraag je dat?'
In plaats van antwoord te geven, zei hij nog: 'Het is waarschijnlijk eigendom van de tsarenfamilie geweest.'
Hij zei het zo voorzichtig als hij kon.
'Eigendom van de tsarenfamilie? Maar Idun heeft de tsaar nooit gezien hoor. Ze is hier in Noorwegen geboren, nadat de tsarenfamilie was terechtgesteld.'
'Weet jij iets van een dergelijk sieraad af?' vroeg hij.
'Dat geloof ik niet,' antwoordde Florinda.
'Denk eens goed na,' zei hij.
'Mijn geheugen is beter dan jij denkt,' zei ze terwijl ze nog rechter ging zitten. 'Maar ik geloof niet dat ik begrijp wat voor sieraad dat zou moeten zijn; en waarom zou Idun het moeten hebben?'
'Volgens mij heb ik haar daar wel eens iets over horen zeggen.'
'Hoe kun jij je nou iets herinneren van wat ze gezegd heeft? Je was nog zo klein toen ze wegging.'
'Toch wel,' ging hij verder, 'ik hoor haar stem nog iets over dat sieraad zeggen.'
Florinda schudde haar hoofd. 'Ik kan je niet helpen.'
'Maar je *moet* me helpen!' Zijn stem klonk wanhopig. 'Het moet hier ergens zijn. Alsjeblieft, denk na, denk eens goed na.'
Hij hoorde zijn eigen woorden al te duidelijk en hij verachtte ze. 'Je moet je herinneren waar het is, want het is *hier*, in dit huis. Heb je goed genoeg in haar kist gekeken? Mag ik zelf eens kijken?' Hij stond op.
'Maxim Sverd,' zei Florinda, 'ga zitten. Ik begrijp niet wat jou bezielt. Dat sieraad zit niet in de kist. Dat weet ik. Natuurlijk mag je zelf kijken, maar niet nu. Je stoort me, zoals ik al zei. Waarom is dat sieraad eigenlijk zo belangrijk? Je lijkt wel wanhopig.'
'Ik... ik ben gewoon moe en afgepeigerd,' zei hij. 'Ik heb deze keer een hele moeilijke reis gehad. Er zijn wat dingen gebeurd die ik jou niet kan vertellen.'

Hij vertelde haar eigenlijk nooit iets. Dat wist hij zodra hij die laatste domme zin had gezegd.
Maxim ging weg zonder te bedanken of welterusten te zeggen. Hij had maar een paar etmaal om het onmogelijke te vinden. Er moet ergens een uitweg zijn, dacht hij, al is het nog zo'n kleine. Maar op dit moment zag hij die uitweg even niet. Het leek erop dat Florinda de waarheid had gesproken, maar hij wist het niet zeker. Er had iets in de stem van de mysterieuze man gelegen dat hem geloofwaardiger maakte dan de stem van Florinda.
Terwijl Maxim moedeloos op weg naar huis ging, bleef Florinda zitten. Heel diep binnen in haar kwamen beelden uit haar onbewuste omhoog. Ze zag een donker meisje met holle ogen dat in een eenvoudig, smal bed lag. Onder de dekens rilde ze van de koorts.
Florinda voelde ineens een onrust die ze niet van zich af kon zetten. Ze begon heen en weer te lopen door de flat, steeds sneller. Op het laatst bleef ze bij de telefoon staan en liet hem twee keer overgaan voor ze haar jas en hoed pakte. Ze moest iets onderzoeken, en wel meteen.

Nikolaj begreep er niets van. Florinda was niet thuis, terwijl ze toch zei dat ze nooit 's avonds in het donker uitging. De buitendeur was niet op slot en hij was de trap op gerend en hijgend voor Florinda's deur blijven staan. Er was niet opengedaan toen hij had aangebeld, de eerste keer niet en ook de tweede en derde keer niet.
Nikolaj bukte, klepperde met de brievenbus en riep naar binnen: 'Florinda, ik ben het, Nikolaj, je moet opendoen.'
In plaats daarvan ging de deur schuin achter hem open en een indrukwekkende dame met zwart krulhaar vulde de deuropening.
'Mijn hemel, jongen, wat sta jij te schreeuwen.'
Ze boog zich naar hem toe, haar ogen half dichtknijpend.

'Ben jij dat, Nikolaj?'
Hij knikte. Mevrouw Halling was een stuk forser geworden sinds hij haar voor het laatst had gezien.
'Je overgrootmoeder is niet thuis. Ik zag haar een poosje geleden weggaan in een taxi.'
'In een taxi?' zei Nikolaj verbaasd. 'Was ze ziek?'
'Ze leek me nogal fit eigenlijk. Ze is meestal heel stil op de trap, maar nu rende ze bijna. Daarom keek ik uit het raam, om te zien wie er zo'n haast had.'
'Bedankt... bedankt voor het vertellen,' zei Nikolaj en een beetje in de war liep hij naar beneden.
Wat moest zijn overgrootmoeder in godsnaam zo laat buiten? En dat terwijl ze nooit uitging nadat het donker begon te worden. Dat betekende dat ze 's winters haast nooit buiten kwam, terwijl ze 's zomers door de straten zwierf of op een bankje in het park kon zat totdat vrolijke mensen de restaurants en cafés uit kwamen stromen. Dat vond ze leuk zei ze en ze was nooit bang. Nu was het herfst. Het was al donker buiten en het was vreselijk weer met natte sneeuw en een gemene noordenwind.
Toen hij de voordeur uit kwam, keek Nikolaj allebei de kanten op. Hij rilde toen de wind aan zijn jack trok en een wolk van sneeuw tegen hem aan blies. Hij draaide zijn hoofd weg van de wind en zag een mevrouw met een armoedig hondje. Ze leken het geen van beide erg prettig te vinden. Sneeuw bedekte de ruiten van twee geparkeerde auto's vlakbij hem.
Hij moest een hand voor zijn ogen houden toen hij de andere kant op keek. Daar was de straat leeg. Alsof de wind en de sneeuw al het verkeer en alle mensen hadden weggeblazen.
Nikolaj voelde in zijn zak. Geen geld. Moest hij ook nog die hele ellendige weg naar huis lopen. Hij begon de licht glooiende heuvel op te lopen. De wind hielp hem naar boven. Hij sloeg zijn kraag op en stopte zijn handen diep in zijn jaszakken. De natte

sneeuw op zijn haar veranderde in regen; langzaam druppelde het op zijn hoofdhuid en droop het met koude straaltjes zijn nek in. Hij keek met half dichtgeknepen ogen naar de gele ramen en bedacht dat niemand op zo'n avond buiten zou moeten zijn.
Nikolaj voelde zich onrustig door al die vreemde dingen die gebeurd waren. Als hij maar met zijn ouders had kunnen praten zou alles misschien makkelijker zijn geweest. Maar zij hielden niet van vragen, wat voor vragen dan ook. Hij was eraan gewend geraakt om aan deuren te luisteren en te doen alsof hij met iets anders bezig was als er een serieus gesprek werd gevoerd in dezelfde kamer als waar hij was.
Met Florinda was het anders, ook al vertelde ze weinig over toen ze zelf nog klein was, over toen ze naar Noorwegen was gekomen, over haar dochter die zijn oma was en die hij nooit had gezien. Haar foto op de kast in de woonkamer was gebarsten en twee hoeken waren gescheurd. De barst liep dwars over haar gezicht, maar hij had haar ogen niet beschadigd. Die staarden je groot en donker aan. Nikolaj vond altijd dat het leek of ze hem recht aankeek. Zijn vader sprak ook nooit over haar.
Nikolaj was buiten adem. Hij liep niet eens zo ontzettend hard, maar de stoep was glad geworden. Langzaam reed er een auto de straat in. Voor hem was de stoep wit, zonder voetsporen of pootafdrukken. Hij dacht: het is veel te ver naar huis, ik haal het niet. De auto reed voorbij, natte sneeuwbrij spatte over de stoep. Hij werd kwaad toen er grote donkere vlekken op de onderbenen en dijen van zijn spijkerbroek kwamen. Er kwam een auto de heuvel af. Hij werd verblind en moest zijn hoofd half wegdraaien. Maar hij liep door, hij begon te zweten en hij had het koud. Morgen ben ik ziek, dacht hij: longontsteking. Het voordeel was dat hij dan niet naar wiskunde hoefde, van de Ooievaar, maar hij zou Noors ook missen, van Hansje.
Een windvlaag gierde de hoek om. Nikolaj hapte naar adem. Hij

draaide zich om zodat hij de wind en de sneeuw in de rug kreeg. Toen zag hij een gestalte achter zich. Dat was op zich niet zo vreemd, maar het leek wel of de gestalte bleef staan toen hij zich omdraaide. Na een poosje begon de gestalte langzaam naar hem toe te lopen. Nikolaj liep ook door. Hij vond het niet prettig dat de gestalte was blijven staan. Ik overdrijf, zei hij bij zichzelf.
'Hé psst,' hoorde hij een zachte stem naast zich zeggen.
Nikolaj keek opzij en staarde precies in een donkere poort. Hij zag niemand.
'Ik moet met je praten, schiet op, kom hier voordat iemand je ziet.'
Nikolaj liep naar de poort. Over zulke dingen las je wel eens, die overkwamen hem toch zeker niet. Toen hij vlak bij de ingang van de poort was, zag hij aan de rechterkant iemand tegen de muur staan. Iemand die niet groter was dan hijzelf.
'Ik moet je waarschuwen,' zei de stem die zachtjes sprak. 'Ik denk dat je in gevaar bent. Je moet uitkijken voor...' De stem zweeg, de gestalte gleed verder naar achteren, verdween in het donker; achter zich voelde Nikolaj iets opdoemen. Hij draaide zich vlug om. Achter hem op de stoep stond de gestalte die zonet nog ver weg was geweest. De gestalte was blijven staan. Hij wachtte. De wind rukte aan een wijde, donkere jas en een breedgerande hoed op een grote bos krullend haar. De gestalte was niet duidelijk te zien door de sneeuw die om hem heen joeg en de jas deed denken aan gescheurde, rafelige vleugels die klapperden en sloegen. Nikolaj deed een stap naar achteren, weg van die griezelige verschijning. Hoewel hij geen gezicht kon zien in het donker onder de hoed, voelde hij dat er een blik over hem heen gleed en toen langs hem, naar iets dat achter hem was. Nikolaj draaide zich wild om. Er was niemand te zien in de donkere tunnel achter hem, die uitkwam op de binnenplaats waar de sneeuw in schuine, witte strepen het licht dat uit de ramen viel doorsneed.

Toen hij zich weer omdraaide naar de straat, was de ingang van de poort leeg. Hij kon haast niet geloven dat hij daar iemand had gezien. Niemand voor hem, niemand achter hem. En hij had toch echt een stem gehoord die hem riep, en hij *had* die donkere gestalte met gescheurde vleugels gezien – of was het een jas geweest?
Nikolaj liep naar de ingang en keek de straat in. Die was leeg. Hij draaide zich om en zei: 'Ik weet dat je er bent.'
Er bewoog niets, niemand antwoordde.
'Kom te voorschijn, je wilde toch wat van me.'
Alles bleef even stil als het was geweest.
Voorzichtig liep Nikolaj de binnenplaats op. Plotseling hoorde hij roepen en lachen uit een raam boven hem, dat snel werd opengedaan en nog veel sneller weer dicht. Daarna hoorde hij de wind die met een jammerend geluid de natte sneeuw voor zich uit dreef.
Aan zijn linkerkant was een hoog hek met bibberende struiken ervoor. Aan zijn rechterkant was een gele muur. Achter alle ramen scheen licht. Wit licht op de begane grond, goudkleurig op de eerste, een kleurrijk lichtschijnsel op de tweede en bleek zilver licht op de derde. Voetsporen met grote tussenruimten, alsof iemand had gerend, liepen naar de vuilnisbakken bij de houten schutting. Daar was de mysterieuze figuur waarschijnlijk achter verdwenen. Degene die hem wilde waarschuwen voor een of ander gevaar... De stem van de telefoon, dat was de stem die hij had gehoord, hij wist het zeker!
Nikolaj huiverde en hij wilde dat er ergens boven hem een raam openging om gelach door te laten. Het was bijna niet uit te houden, de jammerende wind, de fluisterende sneeuw en de donkere avond. Die werd steeds dichter om hem heen en hij moest steun zoeken tegen de muur. Ik wil dit niet, dacht hij, en ik weet niet eens wat 'dit' is.
Hij draaide zich om, rende de poort uit en verder de straat door.

Toen wist hij dat hij niet meer kon stoppen, want de gevaren snelden geluidloos en onzichtbaar achter hem aan. Ze konden elk moment hoorbaar worden en zich op hem werpen. Maar zolang hij rende, steeds harder rende, was hij veilig. Toen hij bij de stoplichten aan het begin van Majorstua kwam, kon hij niet meer en hij stapte een droom uit. Op de Kirkeweg reden veel auto's. De lichten schenen door het donker, de lichtreclames flitsten aan en uit en opeens waren er mensen die zich naar en van de metro haastten, of die gewoon op weg waren de straat door.
Hier bleef hij staan; heel lang. Tot hij weer gewoon adem haalde. Tot hij zich durfde om te draaien. De straat waar hij uit was gekomen, was verlaten. Het leek wel of hij niets te maken had met de stoplichten en het verkeer op de Kirkeweg. Pas toen hij begon te rillen door de koude wind, liep hij verder.

De taxi stopte voor een huizenblok in Grünerløkka. Florinda Olsen bleef zitten kijken naar de groene gevel die, zoals ze plotseling ontdekte, okergeel was geworden. Hij was opgeknapt sinds de vorige keer. Wanneer was ze hier eigenlijk voor het laatst geweest?
'Sorry,' zei Florinda toen de stem van de taxichauffeur eindelijk tot haar doordrong. Ze rommelde een beetje met haar geld voor ze het juiste bedrag had. Dat ergerde haar want ze wist zeker dat de chauffeur dacht dat ze oud en warrig was en ze vond het niet prettig als iemand dat dacht. Haar vermoeden werd bevestigd toen hij vroeg: 'Zal ik u even naar de voordeur brengen, mevrouw?'
'Ik kan uitstekend op mijn eigen benen staan; dat heb ik de afgelopen zevenentachtig jaar ook gedaan,' antwoordde ze veel feller dan ze eigenlijk wilde. Ze zuchtte zachtjes, want ze wilde dat ze gewoon kon antwoorden.
Voordat hij zich ermee zou gaan bemoeien, deed ze de deur open en stapte soepel uit. De stoep zag er glad uit en ze ontdekte tot

haar schrik dat ze vergeten was haar laarsjes aan te doen. Ze was zo opgewonden geweest dat ze zich naar buiten had gehaast in haar dunne binnenschoenen, die vast en zeker heel glad waren op deze ondergrond.
Ze lachte even in zichzelf en begon voorzichtig over de stoep te lopen. Het ergerde haar ook dat de taxi niet wegreed. Ze wist zeker dat de chauffeur haar zat na te kijken om in te kunnen grijpen als ze zou vallen en vervoer naar de eerste hulp nodig had, omdat ze haar been had gebroken. Maar ze wist dat dat haar nooit zou gebeuren. Ze kwam veilig de stoep over. Natuurlijk was de benedendeur op slot en de briefjes met de namen bij de bellen waren zoals gewoonlijk afgescheurd of volgekladderd.
Florinda vond dat hij best de deur voor haar had kunnen openlaten of een briefje met zijn naam had kunnen ophangen. Ze wist in elk geval nog dat het op de tweede verdieping rechts was. Met een verontwaardigde wijsvinger drukte ze driftig op de bel. Er kwam geen antwoord maar ze hoorde het zoemgeluid en ze was gelukkig op tijd om de deur open te duwen voordat het weer stopte.
Daar was ze het allerbangst voor, dat haar bewegingen te traag zouden worden, dat ze te langzaam zou worden om zich te verplaatsen. Maar tot nu toe ging het goed. Elke dag liep ze vele uren heen en weer door haar flat, terwijl ze haar gedachten en herinneringen ordende, en elke dag borduurde ze en schreef ze een paar uur, zodat haar vingers nog los en soepel waren. Ze was altijd bang geweest om gewrichtsreumatiek te krijgen want dat zat in de familie. Ze herinnerde zich de handen van een oudtante die haar wilde optillen toen ze nog klein was en ze hoorde nog haar eigen gil toen de handen naar haar toe kwamen, want het waren geen handen, maar angstaanjagende klauwen.
De deur van de flat op de tweede verdieping was niet op slot en je kon de wierook helemaal op de gang ruiken.

'Vladimir?' riep ze toen de deur achter haar dichtviel. Haar tong voelde een beetje stijf aan bij de uitspraak van het Russisch. Het was schandelijk, vond ze zelf, dat ze niet in staat was geweest de welluidende taal van haar mooie land bij te houden. Ze sprak het alleen als ze met Vladimir was en hij ging liever over op Noors omdat hij hoofdpijn kreeg en zijn hart dreigde te breken, zoals hij zelf zei, als hij hoorde hoe hun geliefde taal in haar mond alle poëzie verloor.
Nu kwam hij haar met uitgestrekte armen tegemoet en het woord *Florinda* dreef als een strofe uit een gedicht op haar af. Niemand zei haar naam zoals hij dat deed. Hij lachte. Zijn ogen leken jong en sterk als altijd, maar zijn haar was dunner en witter geworden. Zijn baard, die de vorige keer nog een donkere ondertoon had gehad, was grijs, ja, bijna wit.
Hij sloeg zijn armen om haar heen en zij liet zich tegen hem aan drukken. 'Florinda, Florinda, waarom laat je steeds zoveel tijd voorbijgaan voor ik weer van jouw aanwezigheid mag genieten?'
'Ach, Vladimir, het antwoord op die vraag weet je toch zelf.'
Hij hield haar een stukje van zich af en keek haar ernstig en onderzoekend aan. Ze vond het prettig als zijn ogen over haar gezicht gleden en de lijnen en vormen volgden.
'Je maakt je ergens zorgen over,' zei hij, 'grote zorgen. Is er iets met je dochter?'
'Nee... ja... ik weet het niet... er gebeurt iets raars en ik heb hulp of raad nodig.'
Op zijn gezicht verspreidde zich weer een glimlach. 'Dan ben ik blij dat je naar mij toe bent gekomen. Hoe lang kennen we elkaar nou al? Veertig jaar?'
Florinda moest lachen. 'Je weet best dat het bijna zestig jaar is,' antwoordde ze.
Idun had Vladimir leren kennen toen ze klein was. Vladimir was in Noorwegen geboren, maar ze had nog nooit zo'n echte Rus

ontmoet. Ze kende niemand die zoveel van Rusland afwist als hij, ook al was hij nooit in Rusland geweest. Hij kon landschappen en stedelijke gebieden beschrijven alsof hij er zelf geweest was.
'Dat komt doordat ik een poëtische relatie met mijn vaderland heb. Het verlangen maakt dat ik daar ben zonder er te zijn.'
'Waarom ga je er niet heen?' had ze gevraagd.
Met tranen in zijn ogen had hij geantwoord: 'Hoe kan het land ooit zo mooi zijn als ik het in mijn gedichten beschrijf?'
'Misschien is het zelfs nog mooier?'
Hij schudde zijn hoofd. 'Ik durf niet, Florinda, ik ben bang dat ik mijn land voorgoed zal kwijtraken.'
Toen Idun veertig jaar geleden was teruggegaan, was Vladimir een paar weken verdwenen. Niemand kon hem bereiken en niemand wist waar hij was. Toen hij terugkwam en bij haar aanbelde, zag ze dat hij door een periode van hevig verdriet was gegaan. Zijn gezicht was mager en bleek, zijn ogen groot, zijn blik schitterde donker. Hij beefde en moest meteen gaan zitten toen hij binnen was. Hij zakte neer op de grond voor ze een stoel voor hem kon halen. Toen begreep ze dat hij volkomen uitgehongerd was. Hij sprak nooit over waar hij was geweest of wat hij had gedaan en gedacht. En gedurende vele jaren sprak hij niet over Idun. Florinda had het ook niet over haar, want ze begreep dat dat hem meer dan pijn deed.
'Kom binnen,' zei Vladimir zacht, 'kom binnen en ga zitten Florinda, de thee is zo klaar.'
Vladimir woonde in een drie-kamer flat die was volgepropt met herinneringen aan Rusland. Hij nam haar mee naar de woonkamer, waar twee wanden waren bedekt met literatuur over Rusland en boeken van Russische schrijvers in de oorspronkelijke taal. Hij las ze voortdurend. Hij kon grote stukken uit *De gebroeders Karamazov* citeren en hij had altijd *Anna Karenina* bij zich, waar hij ook heen ging.

Zijn vader had een importbedrijf in Russische thee gehad. Hij importeerde niet alleen naar Noorwegen, maar naar heel Europa. Toen de revolutie uitbrak, stortten zijn handelsovereenkomsten in en hij wilde niet teruggaan. Zijn vrouw gaf pianoles en ze hadden wat geld gespaard, dus ze konden zich redden. Toen zijn vader werk kreeg in de schoenenwinkel van een kennis, ging het beter.

Florinda had Idun volgestopt met verhalen en vertellingen, die een verlangen in haar wakker maakten naar dat land, dat ze op het laatst móest zien; Vladimirs ouders hadden precies hetzelfde met hem gedaan, maar Florinda had Vladimirs ontwikkeling met gefronst voorhoofd gevolgd. Ze had de indruk gekregen dat ze hem hadden volgestopt met verdriet en een weemoedig verlangen, dat pijn bij hem veroorzaakte en niet de wens om datgene waarover hij hoorde vertellen te zien en te beleven.

Aan de derde wand in de woonkamer hingen oude ikonen en een groot schilderij van Malenkov; een prachtig landschap met een brede rivier die stroomde onder een nevelige hemel en het licht van een zon die je niet zag. Er zat regen in de lucht en het gras op de voorgrond boog zachtjes opzij voor een wind die er bijna niet was.

Florinda kreeg tranen in haar ogen van dat schilderij. Vroeger thuis hadden ze er een reproductie van gehad. Toen ze het schilderij voor het eerst zag, verraste het haar dat de kleuren niet zo helder en stralend waren als ze zich herinnerde. Ze had gedacht dat het landschap zonniger was.

Misschien hadden ze thuis een slechte reproductie gehad. Dat zou ze nooit te weten komen.

De wierook maakte haar een beetje duizelig en dat was een prettig gevoel. De kaarsen brandden rustig in de kandelaars op de kist van donker houtsnijwerk die voor de ene boekenkast stond. Vladimir schonk de thee in en ze volgde zijn gebaren nauwkeurig.

Daar sprak rust uit en ze begreep dat ze voor hem ook veel betekenden.
'Speel je nog steeds balalaika?' vroeg ze.
Hij keek haar even verbaasd aan, voordat hij antwoordde.
'Ja, en ik dans ook nog steeds de kozakkendans, ook al zijn mijn benen niet meer zo sterk als vroeger...
Maar je bent dit keer toch niet gekomen om iets over mij te horen?'
'Nee...'
'En ook niet om over Idun te vertellen?'
'Nee...'
'Tja, vertel me dan maar waar het om gaat. Ik betwijfel of je gekomen bent om mij in vertrouwen te nemen over het verlangen in je ziel en het gemis in je hart, want dat heb je altijd op een afstand weten te houden, Florinda.'
Weer zei hij Florinda met die klank die alleen hij aan haar naam gaf. Er lag geen enkel verwijt in wat hij zei.
Ze zette haar theeglas neer met de weemoedige zekerheid dat ze de smaak van de thee uit haar jeugd herkende. Toen zei ze: 'Maxim kwam vanavond bij me, zonder van te voren te bellen en dat doet hij anders nooit. Hij wilde ineens dingen van zijn moeder hebben. Daar heeft hij nog nooit eerder belangstelling voor getoond. Maar er zat iets anders achter, want toen vroeg hij of ik iets afwist van een gouden sieraad met zeven verschillende stenen en het zou ook nog eigendom van de tsaar zijn geweest.'
Ze zweeg en keek naar Vladimir. Zijn blik was op haar gericht, maar hij keek naar iets heel anders.
'Vladimir?' vroeg ze na een poosje voorzichtig, 'hoorde je wat ik zei?'
Zijn blik keerde weer terug, hij knikte, bracht zijn theeglas naar zijn mond en nipte ervan. Alsof het een offerdrankje was, dacht Florinda die zich even afvroeg of ze zo thee hadden gedronken in

het Rusland van haar jeugd of dat het een ceremonie was die Vladimir zelf had bedacht.
'Ik drink omdat ik nadenk over wat jij zei,' zei hij en Florinda voelde zich een beetje verlegen. 'Ik denk dat het gaat om de maanstenen, die in deze eeuw de juwelen van de tsaar zijn genoemd.'
'Maanstenen?' zei Florinda verwonderd. 'Ik heb nog nooit van maanstenen gehoord. En wat bedoel je met de juwelen van de tsaar? Wat betekent...'
Vladimir onderbrak haar: 'Waarom zou Maxim jou om de juwelen van de tsaar vragen?' Zijn stem klonk iets lager, intenser, en Florinda ging wat dieper in haar stoel zitten.
'Als ik dat had geweten, had ik niet hier hoeven komen,' zei ze een beetje stuurs.
'Iets of iemand moet hem op dat idee hebben gebracht.'
'Ik weet niet.'
'Kun je hem niet gewoon vragen hoe hij erbij komt?'
'Nee.'
Vladimir keek haar lang aan voordat hij zei: 'Ik heb gehoord dat de juwelen van de tsaar een sprookjesachtige hoeveelheid geld waard zijn.'
Florinda greep naar haar keel. Ze hield niet van zulke overdreven gebaren, maar ze kon niet anders. 'Een sprookjesachtige hoeveelheid geld?' fluisterde ze, 'maar hoe...'
Weer onderbrak Vladimir haar: 'Je zou het je toch wel herinneren als je zo'n sieraad had?'
'Ja, natuurlijk,' zei ze beledigd, 'denk je dat ik het niet zou weten als ik zo'n rijkdom bezat? Denk je dat mijn hoofd te warrig is geworden – al gaat alles wel wat langzamer daarboven.'
Hij lachte van achter zijn baard en ineens hoorde ze de klank van haar woorden. Zonder het te merken was ze op Russisch overgegaan.

'Maxim zei dat hij zich kon herinneren dat Idun het over dat sieraad had gehad. Maar zij is nooit bij de tsaar geweest. Bovendien weet ik bijna zeker dat hij het haar niet heeft horen zeggen, hij was nog te klein om het zich te kunnen herinneren.'
'Maar jij bent toch bij de tsaar geweest,' zei Vladimir en zijn woorden klonken krachtig.
'Ik?' vroeg Florinda verbaasd. 'Je bedoelt... maar toen was ik toch nog maar acht. En...' Ze zweeg. Het was lang geleden dat ze aan die gebeurtenis had gedacht. Daar was ze nog niet aan toegekomen in haar jeugdherinneringen. Die cirkelden nog rond het leven aan de oever van het Ladogameer en ze maakte zich er zorgen over dat ze zich meer herinnerde van de zomers dan van de winters.
Wat ze zich het best kon herinneren van St. Petersburg, waren de brede straten, alle mensen die buiten waren, de geestdrift, het geroep, de liederen, de verwachtingen ten aanzien van een nieuw begin, de solidariteit die de ontberingen en de armoede overwon, en die ervoor zorgde dat de mensen de onderdrukking niet meer voelden.
Steeds doken er flitsen van deze tijd op. Het was immers die herfst dat ze Arthur Olsen had ontmoet, de zeeman en avonturier die de wereld wilde ontdekken en het leven steeds van een nieuwe kant wilde bekijken. Plotseling was hij midden in een historische omwenteling terechtgekomen en midden in de liefde.
'Nou?' zei Vladimir en Florinda werd langzaam wakker uit haar herinneringen die nog niet helemaal helder waren.
'Maar daar was toch geen gouden sieraad met zeven verschillende stenen?' zei ze.
'Weet je zeker dat je je alles herinnert?'
'Ja, natuurlijk weet ik dat zeker,' zei ze zo nadrukkelijk dat ze er een beetje van schrok, want natuurlijk wist ze het niet helemaal zeker. Maar een dergelijk gouden sieraad zou ze zich toch zeker wel herinneren? 'Dat moest er nog eens bijkomen...'

Op dat moment ging de telefoon. Het klonk helemaal verkeerd tussen al die oude spullen.
'Ik zeg zelf soms ook maar wat,' zei Vladimir met een glimlach terwijl hij opstond en een andere kamer in verdween. Hij kwam vlug terug en zag er ernstig uit.
'Wat was er?' vroeg Florinda.
Vladimir ging zitten. 'Dat is vreemd,' zei hij. 'Dat was een vrouw die mij belde om te vragen of ze langs mocht komen, over een half uur al. Ik heb ja gezegd.'
Florinda keek naar hem. Zijn gezicht was niet meer alleen ernstig. Het stond bezorgd.
'Wat wilde ze?' vroeg Florinda.
'Ze moest en zou mij ergens iets over vragen waar ik volgens haar wat vanaf wist... namelijk de juwelen van de tsaar.'
'De ju...' Florinda kon niets meer uitbrengen en weer ging haar ene hand zo irritant naar haar keel. 'Maar wat zou dat betekenen?'
'Ik weet het niet, lieve Florinda, maar ik denk dat jij verstrikt aan het raken bent in iets groots en gevaarlijks. Ga maar gauw naar huis voor ze komt, dan bel ik je zodra ik met haar gesproken heb.'
'Waarom belde ze jou? Ik ben bang, Vladimir.'
'Ik weet het niet, Florinda. Ga maar naar huis. Ik bel een taxi. En denk goed na. Er moet toch een reden zijn dat Maxim het aan jou gevraagd heeft.'
'Kan het zijn dat Maxim met iets strafbaars bezig is?'
'Dat weet ik nog niet, maar schiet alsjeblieft op!'

Meteen toen Nikolaj de deur achter zich had dichtgedaan, hoorde hij een fluisterend geklop dat de hal vulde en door het donker dreef. Hij hoorde niet waar het geluid vandaan kwam, het was gewoon overal om hem heen. Eerst dacht hij dat het zijn eigen hart was dat hij hoorde bonken. Toen dacht hij dat het een geluid was

dat hij had meegenomen van buiten en dat hij pas had gehoord toen hij binnen was.
Hij was niet bang, eerder verbaasd. Het zachte geklop had een gelijkmatig ritme. Hij dacht aan de engel en het zwarte wezen dat uit het donker te voorschijn was gekropen en de vogel die had rondgevlogen met een merkwaardig zonlicht om zich heen. Kondigde dit geluid weer een nieuw wezen aan?
Hij besloot naar de eerste verdieping te gaan. Misschien kwam het geluid daar vandaan. Toen hij boven aan de trap was, hoorde hij het kloppen aan zijn linkerkant en hij liep over de galerij naar zijn eigen kamer. Daar kwam het geluid vandaan. De deur stond op een kier. Een zwak schijnsel scheen door de smalle spleet naar buiten. Geen van de drie lampen binnen scheen met zo'n zilverachtig glanzend licht.
Voorzichtig duwde hij de deur open. Gelukkig kraakte hij niet. Met open mond stond hij te kijken. Dit was zijn kamer niet meer. Recht voor hem was de muur open en hij zag groene struiken met grote bladeren die schaduwen op de vloer wierpen. Het moest maanlicht zijn dat zo bleek langs de bovenste bladeren sijpelde.
Rechts stond een weefgetouw en in de weefstoel zat een vrouw. Op een tafeltje naast de vrouw stond een lamp te branden met een klein, flakkerend vlammetje. Haar schaduw viel op het plafond en vloeide daar uit, zodat hij niet kon zien hoe het plafond eruitzag.
Het geklop kwam van de spoel die heen en weer schoot over het weefgetouw. Ik slaap niet, dus dit kan niet, dacht Nikolaj. Hij durfde niet naar binnen te gaan, stel je voor dat hij niet terug kon. Misschien werd hij gevangen in een andere wereld. Misschien was het een val, misschien...
Op dat moment draaide de vrouw achter het weefgetouw haar gezicht naar hem toe. Smalle, scheve, donkere ogen keken hem

aan. Haar gezicht stond ernstig. Haar haar, dat in haar nek bij elkaar was gebonden, glansde en er liepen zilveren draden door. Ze stond rustig op van het weefgetouw en deed een paar voorzichtige stappen in zijn richting. Haar gezicht had een vragende uitdrukking gekregen.
Haar kleren waren ongewoon; een wijde blouse over een lange nauwe rok. Ze had blote voeten. Ze boog soepel voor hem en Nikolaj deed hetzelfde voor haar. Hij dacht er niet eens over na of hij dat wel moest doen, het ging gewoon vanzelf. Daarna stond ze hem kalm en onderzoekend aan te kijken, alsof ze wilde weten of hij was wie hij was.
'Ik heb hulp nodig,' zei ze zacht en Nikolaj schrok zich rot. Hij zag dat haar mond bewoog, maar haar stem klonk binnenin hem. Bovendien had hij niet verwacht dat ze zou praten. Hij had gehoopt dat de onbekende kamer verbeelding was, een soort truc. Haar stem klonk vaag, alsof ze van heel ver weg sprak, ook al zag hij haar maar een paar meter van zich af staan. Op het moment dat ze begon te praten, hoorde hij ook andere geluiden, en die waren ook alleen binnen in hem. De geluiden kwamen van buiten, voor het huis. Het waren boze stemmen en hij hoorde het getjilp van een vogel die hij niet kende. Hij rook ook een sterke bloemengeur die door de opening in de muur naar hem toe dreef.
'Jij en jouw familie zijn in groot gevaar – en de maan ook. Je moet...'
Op dat moment ging de telefoon en de onbekende kamer voor Nikolaj begon doorschijnend te worden. De contouren van zijn eigen meubels en spullen kwamen te voorschijn en kregen vorm en kleur. Het goudachtige licht van de lamp doofde. Het zilveren schijnsel boven de struiken verbleekte, de bladeren werden donker. De omtrek van de vrouw voor hem begon te trillen. Ze strekte haar hand uit, alsof ze dat wat er gebeurde wilde tegenhouden.

Haar gezicht kreeg een verwarde uitdrukking. Maar zij en de kamer losten op, veranderden in trillende beelden – zoals de lucht er op een warme zomerdag uit kan zien.
Nikolaj stond te kijken hoe zijn eigen bekende kamer steeds duidelijker werd. De telefoon ging nog steeds. Na een tijdje nam hij hem op in de badkamer, waar de dichtstbijzijnde telefoon stond. Het was Patrick.
'Is Maxim thuis?'
'Nee, m'n vader is op reis.'
'Komt hij vanavond thuis?'
'Nee, morgen pas, of overmorgen geloof ik.'
'Is Lydia er?'
'Nee, m'n moeder is ook niet thuis en ik heb geen idee waar ze is.'
'Je weet dat ik je vertrouw, Nikolaj,' zei Patrick. Zijn stem klonk ineens heel ernstig.
Nikolaj zei niets, maar hij vond het gek dat Patrick dat zei.
'Ik wil je graag iets vragen, maar ik wil niet dat je het aan de anderen vertelt. Kan ik daarop vertrouwen?'
'Ja hoor,' antwoordde Nikolaj.
'Die belofte is een beloning waard, daar kom ik nog op terug,' zei Patrick. 'Heb jij gehoord of Maxim iets over de maan heeft gezegd voordat hij wegging?'
'Over de maan?'
Nikolaj keek vlug omhoog naar het zwarte dakraam en vroeg zich af of hij het wel goed verstaan had.
'Ja, je hebt het goed verstaan,' zei Patrick, 'ik ben niet gek geworden, het is een hele belangrijke vraag.'
'Nee... ik heb m'n vader nog nooit iets over het weer horen zeggen. Zelfs niet als het hartstikke koud is of giet van de regen.'
'Heeft hij ook niets over... de tsaar gezegd?'
'De tsaar? Waarom zou mijn vader in godsnaam iets over de tsaar moeten zeggen? Dat heeft hij ook nog nooit gedaan.'

'Niet vragen, antwoorden.'
Patricks stem klonk ineens streng en dat beviel Nikolaj niet.
'Weet je heel zeker dat je niets gehoord hebt?'
'Ja.'
'Nikolaj, dit is belangrijk. Wil je het mij vertellen als je je herinnert dat Maxim of Lydia iets over de maan of de tsaar hebben gezegd? Of als ze er later nog iets over zeggen?'
'Maar waarom dan? Het klinkt echt heel raar.'
'Ik kan er op dit ogenblik niets meer over zeggen. Het is een verrassing.'
'O, nou ja, ik zal het je vertellen. Maar Patrick...'
Patrick hing lachend op.
Nikolaj had zich ineens moedig gevoeld en hij had willen vragen waarom hij de wacht had gehouden voor hun huis. Het was zo'n raar gesprek dat Nikolaj de veranderde kamer was vergeten. Een hard geluid deed hem opspringen en het duurde even voor hij begreep dat het de buitendeur was die werd opengegooid.
Nikolaj sloop naar de balustrade en keek voorzichtig naar beneden. Het was zijn vader die met grote passen door de hal liep. Hij had zijn attaché-koffertje op de grond gesmeten, zijn grote koffer lag omgevallen bij de deur en zijn hoed en handschoenen bungelden over een armleuning.
'Lydia?' riep hij. 'Lydia!'
Nikolaj kon zijn vader niet meer zien, maar hij hoorde dat hij naar zijn studeerkamer liep. Nikolaj bleef bij de balustrade staan. Zijn vader had hem niet gezien en hem niet geroepen. Zelf was hij niet in staat om te roepen: 'Pappa? Fijn dat je weer thuis bent.' Hij kon niet gewoon de trap af gaan en naar hem toe lopen.
Hij was helemaal niet blij dat zijn vader weer thuis was. Wat is er met me aan de hand? Dacht hij en hij ging tegen de muur staan.
Zijn vader, die altijd heel stil was in zijn kamer, maakte nu een enorme herrie. Laden gingen open en werden weer dichtgesme-

ten, er klonk een hevig geritsel van papier, de stoel kraakte, boze voetstappen liepen heen en weer over de vloer en de stem van zijn vader mompelde bijna aan een stuk door.
Zachtjes liep Nikolaj de trap af. Hij sloop bijna naar beneden. Hij bleef drie keer staan om te luisteren, maar zijn vader maakte voortdurend harde geluiden. Hij dacht waarschijnlijk dat hij alleen thuis was.
Nikolaj stond beneden in de hal. Hij hield niet van het felle licht. De kroonluchter die tussen het plafond en de vloer zweefde, was loodzwaar van het glinsterende kristal. Nikolaj was altijd bang dat hij hem op z'n kop zou krijgen. Hij liep telkens met een boog om de kroon heen als hij de trap af kwam of door de hal liep.
De deur naar de studeerkamer stond half open. Hij zag zijn vader die zich over het bureau boog en mappen vol papieren doorzocht. Er vielen een paar mappen op de grond en met een ritselend geluid vlogen er wat vellen papier uit, maar zijn vader merkte het waarschijnlijk niet eens.
Het was één grote rotzooi. Nikolaj keek verbijsterd toe. Zijn vader, die een hekel had aan rommel, had zijn kamer in een chaos veranderd. Het bureau lag vol papieren die over de rand schoven en op de grond gleden.
Zijn vader waadde ertussendoor en trapte erop en het leek wel of hij het niet eens merkte. De laden van het bureau stonden half open, de deuren van de kast stonden op een kier en Nikolaj keek zo de wijd openstaande archiefkast in. Wat was zijn vader aan het doen?
Nikolaj was zo in de war dat hij in de deuropening bleef staan, zonder zich te realiseren dat zijn vader hem zou kunnen zien. Zijn vader stond met zijn rug naar Nikolaj toe. Elke keer dat hij een ordner leegde, landdden de papieren met een razend, ritselend geluid op de grond.
Pas toen zijn vader zich omdraaide, deed Nikolaj vlug een stap

opzij en ging op zijn hurken achter de fauteuil zitten. Zijn vader pakte de telefoon en draaide een nummer.
'Ellen? Met Maxim. Is Dieter thuis? Probeer hem te pakken te krijgen en zeg hem dat we elkaar vanavond moeten spreken... Wat? Onmogelijk? ... Niets is onmogelijk. Parijs? Wat moet hij in godsnaam in Parijs? En morgen dan? Bel hem op en zeg dat hij *moet* komen. Hij zal het niet erg vinden als hij hoort wat ik te zeggen heb. De familie moet elkaar echt helpen nu – er staat ons grote rijkdom te wachten... Kun je dat aan Vera en Patrick doorgeven? Ik heb het de komende uren te druk.'
Zonder afscheid te nemen hing hij op.
Toen werd het stil in de kamer en na een poosje hoorde hij zijn vader zachtjes zeggen: 'Lydia, waar is Lydia?'
Hij rende bijna de hal in. Nikolaj zat in elkaar gedoken achter de stoel.
Zijn vader vloog de trap op, de galerij over en rukte de deur van Lydia's kamer open. 'Lydia?' zei hij hardop voordat hij de deur weer dichtsmeet.
Toen kwam hij de trap weer af. 'Lydia?' riep hij. 'Ze moet toch ergens een briefje hebben neergelegd.'
Hij keek op het telefoontafeltje in de hal, liep vlug de keuken in en rende alle kamers in en uit. Maar Nikolaj wist dat er nergens een briefje lag, want ze verwachtten zijn vader op z'n vroegst pas morgenavond thuis.
Zijn vader bleef een beetje verdwaasd midden in de hal staan. Nikolaj gluurde over de armleuning. Zijn vader was bijna een vreemde voor hem zoals hij daar stond. Hij hield zijn hoofd niet meer hoog opgeheven en zijn schouders hingen naar beneden. Hij balde zijn vuisten en opende ze weer. Nikolaj zag een heel andere Maxim dan hij gewend was.
'Wat moet ik nou doen?' zei zijn vader half hardop. 'Ik *moet* met Lydia praten.'

Verbaasd hoorde Nikolaj dat de stem van zijn vader trilde en het leek wel of hij ieler was dan normaal.
'Lydia!' riep zijn vader. 'Ik weet niet wat ik doen moet.'
Hij begon hard heen en weer te lopen door de hal. Nikolaj keek er verschrikt naar van achter zijn fauteuil.
'Dit betekent het einde voor ons allemaal!' riep zijn vader en hij vloog de deur uit.
Nikolaj bleef achter de stoel zitten. Die laatste woorden van zijn vader hadden echt akelig geklonken. Het leek wel of hij hun echo nog als gefluister tussen de muren van de hal heen en weer hoorde gaan.

Dai-Chi zei niets toen de vreemdeling eindelijk boos de tent in beende. Zijn bewegingen waren bruusk en zijn gezicht onder de hoedrand stond strak.
Dai-Chi had gehoord dat het ook vandaag de hele dag erg onrustig was geweest in het kamp, je kon het merken aan de mensen en de dieren. Toen het donker werd, waren er twee mannen bij hem in de tent gekomen. Zwijgend hadden ze de lampen aangestoken, vuur gemaakt, hem mee naar buiten genomen en hem daarna eten gegeven.
De boeien knelden nog steeds om zijn enkels, maar Dai-Chi klaagde niet meer, want hij begreep dat dat geen zin had.
De vreemdeling keek de tent rond, alsof hij verwachtte dat hij iets of iemand zou vinden die daar niet hoorde. Toen ging hij voor Dai-Chi staan. Zijn voet schoot uit en hij schopte hem hard tegen zijn scheenbeen. Dai-Chi slaagde er niet in om een kreet van pijn te onderdrukken. De schop kwam te onverwacht.
'Ik kan nog veel harder schoppen,' zei de vreemdeling.
'Wat heb ik gedaan?' vroeg Dai-Chi.
'Dat vraag ik me ook af,' antwoordde de ander. 'Er is iets aan de hand in het kamp, niemand weet precies wat, maar zowel mensen als dieren hebben er last van. De honden schrikken plotseling en gaan er met hun staart tussen de benen vandoor, alsof ze iets angstaanjagends hebben gezien. De geiten rennen als idioten rond in hun hokken en de paarden proberen zich los te rukken. Een paar van de herders hebben gezegd dat ze een vreemde ge-

daante hebben gezien bij een tent aan de buitenkant van het kamp, maar ze konden hem niet beschrijven. Ze voelden zich alledrie niet op hun gemak. Het ene moment was de gedaante er en het volgende moment was hij verdwenen. Wat weet jij daarvan?'
'Niets, behalve dat het klinkt alsof er een spiegelreiziger rondwandelt.'
'Een spiegelreiziger?'
'Ja, iemand die zich door spiegels van de ene plek naar de andere kan verplaatsen.'
De vreemdeling keek hem lang aan.
'Waarom zou ik jou geloven?'
'Waarom vraag je het me dan? En waarom zou ik liegen?'
'Ik weet niet waarom ik het je vraag en ik weet niet waarom je zou liegen, maar ik begrijp ook niet waarom je mij de waarheid zou vertellen.'
'Er gaat steeds meer tijd voorbij,' zei Dai-Chi kort, 'de maan stijgt vlug. Je moet niet vergeten waarom je mij hier vasthoudt.'
'Waarom zou zo'n zogenaamde spiegelreiziger hiernaartoe komen?' vroeg de vreemdeling alsof hij die laatste opmerking van Dai-Chi niet had gehoord.
'Ik weet het niet,' antwoordde Dai-Chi. 'Misschien heb je wel krachten opgeroepen die sterker zijn dan jij en ik?'
'Hoe kan ik nou krachten oproepen? Ik heb nog nooit van spiegelreizen gehoord!'
'Het wordt maar heel zelden gebruikt en de kennis over de krachten is aan het uitsterven. Degenen die er in deze tijd in slagen om door een spiegel te reizen, moeten het vaak heel lang proberen voordat het lukt. Vroeger ging het makkelijker. Toen waren er leermeesters die de kennis over transformatie konden doorgeven aan degenen die de gave hadden.'
De vreemdeling keek hem een tijdje aan: 'Kun jij het?'
Dai-Chi tilde zijn hoofd op en keek naar de schaduw onder de

hoedrand, waar de ogen moesten zijn. 'Ik ben hier,' zei hij, 'en de maan staat niet stil terwijl wij praten.'
De vreemdeling rilde plotseling. 'Nee,' zei hij, 'dat is zo,' en hij ging op de stoel met de hoge rugleuning zitten. Het wijnglas en de karaf stonden op het tafeltje. Die waren daar neergezet toen Dai-Chi zijn eten kreeg.
'Wat wil je horen?' vroeg Dai-Chi.
'Wat wil je vertellen?' antwoordde de vreemdeling.
Dai-Chi was een beetje verbaasd over dat antwoord. Hij staarde een poosje in het vuur. De vreemdeling wachtte. Het binnenste van het vuur was heel rustig. Dat zag je bijna nooit omdat de buitenste vlammen altijd onrustig waren.
'Ik zal vertellen over de zandsteen met het albasten vlies.'
'Moet je niet beginnen?' vroeg de vreemdeling toen Dai-Chi niet verderging.
'Ik zie de maan niet,' antwoordde hij.
De vreemdeling stond snel op en trok de flap van het tentdak opzij. De maan stond bijna middenin de opening.
Zoals gewoonlijk tilde Dai-Chi zijn hoofd met gesloten ogen op en hield het zo dat het maanlicht zijn gezicht niet raakte.
'Nebukadnezar was koning van Babylon. Hij was gevreesd bij zijn vijanden en geliefd bij zijn volk en hij was trots op Babylon. Hij was getrouwd met Amitria van Media en hij deed alles voor haar. Ze was zo mooi als een meertje in het maanlicht, donker glanzend met een goudkleurige huid.
Amitria kon haar land en haar ouderlijk huis niet vergeten. Ze was opgegroeid in de hoge bergen die rood kleurden in de zon en blauw in het maanlicht, waar de wind fris waaide en geuren van verre landen meevoerde. Waar ze heel ver kon kijken, haar gedachten kon laten wegzweven en haar hart kon laten kloppen zonder dat het op grenzen stootte.
Nebukadnezar nam haar mee naar het laagland, naar een huis

tussen heuvels en glooiende hellingen en ze voelde zich niet thuis in haar nieuwe leven.
Nebukadnezar maakte zich zorgen om haar, maar ze zei: "Het is niet dat ik niet van je houd, maar mijn gedachten en mijn hart horen in de bergen thuis."
"Zeg me wat ik voor je kan doen, en ik zal het doen."
"Laat me teruggaan naar de bergen," zei ze op een keer 's nachts toen ze zo wanhopig was dat ze het haast niet meer uithield.
"O nee," zei hij, "dat kan ik niet, dan is mijn leven niets meer waard."
En de tijd verstreek.
Amitria deed haar uiterste best om vriendelijk en liefhebbend te zijn, maar haar ogen waren verdrietig en het verlangen klonk door in haar stem. Nebukadnezar hoorde het en zag het.
Op een dag zei hij tegen haar: "Ik zal je het mooiste geven dat je ooit hebt gezien. Ik wil je iets geven waarvan er geen tweede bestaat. Ik maak het louter en alleen voor jou en dat moet iedereen weten."
Zo bouwde hij een prachtig nieuw paleis op de top van een heuvel met steile hellingen aan alle kanten. Op deze hellingen liet hij grote terrassen aanleggen met tuinen erop. Die waren zo weelderig en vol klimmende, kruipende en hangende planten, dat ze algauw de hangende tuinen van Babylon werden genoemd. Uit de hele wereld kwamen mensen om dit wonder, dat wijd en zijd bekend was, te bekijken. De hangende tuinen bevatten allerlei soorten planten.
"Kom eens kijken," zei Nebukadnezar tegen zijn vrouw die hem vergezelde op zijn wandeling, en hij wees haar de zeldzame orchideeën uit verre jungles, het riet dat bij dromerige meertjes groeide, de slingerplanten uit steile kloven en de bloemen die alleen maar groeiden in de bergen waar Amitria vandaan kwam.
Nebukadnezar was opgetogen over wat hij had gecreëerd, maar

zijn hart werd zwaar toen hij zag dat zijn vrouw niet blij was.
"Vind je het niet mooi?" vroeg hij.
"Jawel, het is het mooiste dat ik ooit heb gezien," zei ze met een zucht.
"Maar wat is er dan?" vroeg hij.
"Het is toch niet zoals de bergen thuis."
"Daar groeien niet zoveel planten."
"Nee, maar daar zijn rotsen en lucht."
"Hier zijn ook planten uit jouw bergen. Kom maar kijken!"
"Ja en het doet me verdriet om te zien dat ze van de open berghellingen naar deze benauwde tuinen zijn gehaald."
Amitria zag dat Nebukadnezar bedroefd werd, maar ze kon niet anders dan de waarheid zeggen.
Nebukadnezars leven was vol zorg. Het maakte hem niet blij dat de hele wereld de hangende tuinen van Babylon bewonderde, als zijn geliefde vrouw er niet van hield.
Op een dag kwam er een boodschapper uit haar land in de bergen. Sinds ze Nebukadnezar was gevolgd naar het laagland, was ze niet bij haar familie op bezoek geweest – zo bang was ze dat ze niet meer in staat zou zijn om naar hem terug te gaan als ze eenmaal thuis was.
De boodschapper van haar ouders kwam alleen maar om te vertellen dat alles goed ging en om haar cadeaus te brengen: wilde honing van de met heide begroeide berghellingen en wijn van bessen uit de bergen.
Nebukadnezar was erbij toen de boodschapper kwam en hij zag hoe blij Amitria was, hoe haar ogen begonnen te lachen en hoe krachtig haar stem werd. Hij slikte zijn tranen weg, want hij wilde het moment niet voor haar verpesten. Hij zag wel dat hij even niet bestond. Amitria en de boodschapper uit de bergen van Media waren alleen.
Maar het belangrijkste cadeau was toevallig meegekomen. De

boodschapper had alles van haar ouders uitgepakt en toen hij zijn tas opvouwde, viel er een steen uit een van de plooien. Amitria pakte hem op en liet hem in haar handpalm rusten. Toen hield ze hem omhoog naar de maan. De steen was bijna ovaal en leek wel wat op een vogeleitje. In het maanlicht begonnen de kleuren te smeulen. Glanzend groen, met fijne roze en blauwe strepen erdoor.

"Voel de wind uit de bergen," zei Amitria enthousiast, "kijk hoe de bergweiden zich uitstrekken, kijk hoe het licht schittert in de steen."

Voorzichtig streek ze met haar vingers over het gladde oppervlak dat het maanlicht naar zich toe trok.

"Zo goed en puur is het leven in de bergen," zei Amitria. "Hierin zie je het groene lichtschijnsel, het blauw van de hemel en de kleur van de bergheide."

Amitria keek op. "Bedankt maan, jij laat mij door je schijnsel in dit steentje de vrijheid en openheid van de bergen zien."

Toen ze het steentje van dichtbij wilde bekijken, merkte ze dat er een paar zandkorreltjes in haar handpalm waren blijven liggen. Er zat een heel klein gaatje in het steentje. Het had zich gevormd rond een kern van zandsteen die langzaam verweerde en door het gaatje naar buiten stroomde.

Toen begon Amitria te huilen. "Zo verglijdt de tijd en het leven ontglipt ons."

Nebukadnezar stond in de schaduw van de zuilengalerij en wist dat zijn hangende tuinen zich niet konden meten met dat kleine steentje. Maar vanaf die dag had Amitria niet meer zo'n trieste blik in haar ogen en lag er niet meer zo'n verdrietige klank in haar stem. Ze behandelde Nebukadnezar met een nieuw soort tederheid, want ze hield van hem. Daar was hij blij om, maar iedere keer dat hij naar de hangende tuinen keek, die leken te zweven onder het paleis, voelde hij zich arm. Voor Amitria, waar hij zoveel van hield, was een steentje belangrijker dan dit bewijs van zijn liefde voor haar.'

Dai-Chi zweeg. De maan was bijna uit de opening in het tentdak verdwenen. Het licht vlamde op in een messingen ketel die in de schaduw langs de wand van de tent stond.
'Is dat alles?' zei de vreemdeling.
'Ja, dat is alles,' antwoordde Dai-Chi.
Zonder een woord te zeggen, stond de vreemdeling op en liep de tent uit. Hij kwam die avond niet meer terug. Dai-Chi bleef zitten terwijl hij in het uitdovende vuur keek en zich verwonderde.

Op het moment dat het eerste streepje maan boven de bergen verscheen, kwamen er drie mensen de tempel uit. Alia liep voorop, gevolgd door Olim en Eliam kwam achteraan. Ze hadden onmogelijk geheim kunnen houden dat er dingen gebeurden die de hogepriesteres ernstig verontrustten. Eliam had de verbazing gevoeld. Lyga was in de loop van de dag een paar keer naar haar toe gekomen om te vragen wat er aan de hand was. Haar stem had een beetje jaloers geklonken, want ze begreep wel dat Eliam een belangrijke rol speelde in de gebeurtenissen.
Eliam had telkens gezwegen en naar de grond gekeken, maar ze had Lyga's teleurstelling gevoeld en ze was bang dat hun vriendschap vandaag kapot zou gaan. Die gedachte deed haar pijn, maar Eliam wist dat ze geen woord mocht zeggen over de gebeurtenissen, ook niet om hun vriendschap te redden.
Lyga en ik zouden toch vriendinnen moeten kunnen blijven, dacht ze. Ze moet toch begrijpen dat er af en toe iets gebeurt dat niet iedereen mag weten – niet eens je beste vriendin. Verdrietig had Eliam Lyga nagekeken toen ze voor de vijfde keer die dag wegging. Ze was niet meer teruggekomen.
Toen ze bij het eerste maanlicht de tempel verlieten, voelde Eliam wel dat vele ogen hen volgden vanuit het donkere binnenste van de tempel, maar ze hoorde geen geluid. Zij liep achteraan. De vorige keer had ze voorop gelopen. Dat was te overweldigend voor haar geweest. Nu voelde het beter, ook al keek ze niet uit naar het zien van de maanspiegel en de dingen die daar zouden gebeuren.

Alia en Olim droegen allebei een kistje in hun handen, maar ze wist niet wat erin zat.
Eliam hield van de vlakte 's nachts in het maanlicht. Soms was ze bang voor dat gevoel, want ze wist niet of ze meer van de nacht hield dan van de maan. Als ze het aan Alia had gevraagd, had die waarschijnlijk geantwoord: 'Is er dan verschil? Horen ze niet bij elkaar?'
Maar Eliam was nog jong, ze moest nog inzicht in haar eigen gevoelens krijgen.
Overdag strekte de vlakte zich helder en duidelijk uit tussen de bergen in het zonlicht. Groen of geel-bruin, afhankelijk van hoeveel regen er was gevallen. 's Nachts namen de dromen bezit van de vlakte. Hij strekte zich nog steeds uit tussen de bergen, maar die waren ineens verder weg en verhieven zich als de slapende nacht naar de lichtgevende hemel. Geen enkele stap die je zette, voelde helemaal veilig. Overdag waren de paden duidelijk te zien, 's nachts liepen ze als onduidelijke sporen over de blauwe vlakte.
Eliam keek naar Olim die rustig en vertrouwd voor haar liep. Vóór de afgelopen dagen had ze nog nooit met hem gepraat. Verbaasd ontdekte ze dat ze eigenlijk niet wist waarom er twee tempels waren, waarom de volle maan in twee halve manen was opgedeeld.
Ze keek naar zijn kale hoofd, dat een beetje glom waar het onder het kleine kapje uitkwam. Een krans van dun, wit haar hing over zijn oren en danste op de maat van zijn stappen. Ze wist niet hoe oud hij was, maar soms praatte hij alsof hij al honderden jaren bij de tempel was. Eliam wist dat dat niet kon, maar het was toch prettig om hem op die manier te horen praten. Alia deed dat nooit, maar zij was ook jonger dan Olim.
Zonder iets te zeggen, liepen ze achter elkaar aan. De stilte was goed. Eliam hoefde niet één keer naar beneden te kijken om te zien waar ze haar voeten moest neerzetten, ondanks de wonder-

lijke duizeligheid die haar altijd overviel omdat de vlakte blauw was en toebehoorde aan de nacht en de maan en omdat de grenzen van de dag ontbraken. Ze volgde de twee anderen.
Ze kwamen bij de maanspiegel op het moment dat de maan achter de eerste monoliet verdween en zich klaarmaakte om de eerste schaduw van die nacht te werpen. Eliam was even bang dat ze niet genoeg tijd zouden hebben om de noodzakelijke voorbereidingen te treffen, maar Alia en Olim waren heel kalm. Ze zetten de kistjes neer bij de oever, deden hun capes uit, openden de deksels en pakten de inhoud er voorzichtig uit.
In Alia's kistje zat een pijl van een glanzende houtsoort. Ze duwde de pijl het meertje op, zo voorzichtig dat hij geen enkele rimpeling veroorzaakte. De pijl bleef midden op het meertje liggen. Olim haalde zeven stukjes glas te voorschijn, die hij merkwaardig genoeg op het water legde. Ze dreven het meertje op en vormden een cirkel rond de pijl. Daar bleven ze even liggen, voordat ze een voor een zonken en niet meer te zien waren. Eliam zei niets, want ze begreep dat ze getuige was van een gebeurtenis die nog bijna niemand had meegemaakt. Zelfs Alia en Olim waren opgewonden geweest voor ze waren vertrokken. Het was bijna duizend jaar geleden dat iemand voor het laatst het ritueel had uitgevoerd dat zij nu zouden gaan uitvoeren.
Alia en Olim gingen op hun knieën zitten bij de oever van de maanspiegel, die nog gevuld was met het nachtelijk duister. Alia gebaarde naar Eliam dat ze tussen hen in moest komen zitten. Dat deed Eliam, en net als zij keek ze afwisselend naar de hemel en het meertje. Ze wist niet wat er zou gaan gebeuren. Er hing een dichte stilte. Eliam probeerde een kriebelend gevoel in haar keel weg te slikken.
Toen begon Alia te praten:
'Overdag zijn de meeste mensen wakker. Zo is het altijd geweest. De zon schijnt op hun levens en geeft hun kracht. 's Nachts slapen

de meeste mensen. Dan schijnt de maan naar binnen in hun dromen en hun onbewuste wensen en verlangens.
Onze tempel, die is onderverdeeld in een mannelijk en een vrouwelijk gedeelte, tekent al bijna tweeduizend jaar waarnemingen, visioenen en dromen op van degenen die iets kunnen vertellen over de nacht.
De maan heeft zijn eigen licht dat ervoor zorgt dat het licht van de zon 's nachts zo duidelijk wordt. Het licht van de maan is alleen zichtbaar voor degenen die weten dat het er is. De kracht van de maan is groot. De maan heeft door de eeuwen heen zijn kracht aan de aarde gegeven. Die kracht zit in stenen en bomen, in water en vuur, maar de mensen weten niet altijd waar ze moeten zoeken om deze opgeslagen kracht te vinden.
De sterkste energiebron van de maan, zijn de zeven maanstenen die tegenwoordig de juwelen van de tsaar worden genoemd. Het zijn stenen uit vroeger tijden, uit oude legendes. Ze komen uit verschillende culturen, maar ze dragen allemaal de kracht van de maan in zich. Dit hebben wij ontdekt door tekens te verklaren en onze oude geschriften te bestuderen en we hebben bevestiging gekregen. Het zijn woorden waaraan wij niet kunnen twijfelen, als wij geloven in de kracht van de maan.
Eliam heeft iets gedaan wat niemand in onze tijd ooit heeft meegemaakt. Ze is door een van de spiegels gegaan die aan de maan zijn gewijd en heeft een vreemde plaats bezocht. Op twee plekken in onze geschriften kunnen wij lezen over eerdere spiegelreizen.
De maan is in gevaar, zijn licht is aan het uitdoven. Wij weten niet waarom. Misschien is het de vermoeidheid van de tijd, misschien is het het werk van mensen. Maar zolang er nog middelen bestaan om de kracht van de maan te herstellen, moeten wij proberen die te vinden en te gebruiken. De juwelen van de tsaar zijn het krachtigste middel dat wij kennen, en jij, Eliam, bent degene die ze moet gaan halen.'

Eliam hoorde wat Alia zei, maar ze liet de woorden niet toe in haar hoofd.
Alia ging verder: 'Nog even en dan kunnen we in de maanspiegel zien waar de juwelen zich bevinden en wie ermee te maken hebben. Op het moment dat de maan boven de middernachtsmonoliet uit komt, kunnen wij het zien.'
Toen zweeg ze.
Wat ze had gehoord, deed Eliam huiveren.
Het werd stil. Niemand zei iets. Eliam dacht: het duurt nog lang voor de maan bij de middernachtsmonoliet is. Hoe hou ik het vol om zo lang te knielen? Maar ze bleef op haar knieën zitten en staarde naar het meertje waar ook deze nacht geen spoortje maanlicht in te zien was.
Op het moment dat de maan boven de middernachtsmonoliet uit kwam, gebeurde er iets in het meertje. Het water begon op zeven plaatsen extra sterk te schitteren en Eliam begreep dat dat de zeven stukjes glas waren die ze het meer op hadden geduwd en die gezonken waren. De pijl draaide rond op het water alsof hij van beneden af in beweging werd gebracht. Toen stopte de pijl en hij wees naar het noordwesten.
Olim gebaarde met zijn hand en ze bogen zich alledrie over het meertje. En daar, in oplichtende vlekken, doken trillende beelden op, die langzamerhand duidelijker werden. Rondom de beelden begon het water steeds heftiger te rimpelen, tot er piepkleine golfjes met schuimkoppen erop waren ontstaan. De beelden waren omringd door storm en woelig water.
Eliam zag vreemde gezichten, maar een ervan had ze al eens eerder gezien. Dat was gisteren geweest, toen ze die vreselijke ervaring had gehad; toen had ze tegenover die vrouw gestaan. Het andere gezicht was het gezicht van een jongen. Het zag er angstig uit, ze wist niet waarom...
Voordat ze de andere beelden beter kon bekijken, tilde Alia haar

hand op en bewoog hem langzaam over de maanspiegel, die uitdoofde.
Alia en Olim kwamen overeind. Olim begon te praten: 'We weten dat de juwelen zich in Noorwegen bevinden, in het noordwesten, bij een vrouw die Florinda Olsen heet, maar ze weet niet dat zij ze heeft. Ze heeft een achterkleinzoon die een beslissende rol kan spelen in het geheel.'
Alia richtte zich tot Eliam: 'Jij moet daar naartoe reizen om de juwelen te halen. Niemand kan je vertellen of het moeilijk of makkelijk zal zijn, maar jij bent de enige die het kan; de tijd dringt.'
Olim ging verder: 'In onze geschriften staat dat het licht van de maan uiterlijk de achtste avond nadat is ontdekt dat het maanlicht weg is, hersteld moet zijn, vóór middernacht.'
'Ik...?' fluisterde Eliam. 'Dat wil ik niet, ik kan het niet. Ik heb er niet om gevraagd om die gave te hebben.'
Alia en Olim keken een tijdje naar haar, voordat Alia antwoordde: 'Wie anders moet de weg openen, zodat wij de kracht kunnen teruggeven aan de maan? Olim en ik hebben geen van beide de gave die jij hebt. Als jij je tegen onze wens wilt verzetten, kan dat. Het duurt nog even voordat de maan helemaal uitdooft. Misschien bestaan er andere redmiddelen voor de maan, maar je moet wel weten dat het elke dag moeilijker wordt om het licht van de maan te redden. En als het ons niet lukt om andere middelen te vinden, zullen we uiteindelijk onze dromen en het vitale leven van de nacht kwijtraken en de aarde zal langzaam uitdoven, ook al blijft de zon leven.'
'Maar waarom ik?' vroeg Eliam trillend, 'waarom moet zoiets belangrijks van mij afhangen, van één mens? Ik heb er echt niet om gevraagd om zo'n grote verantwoordelijkheid te moeten dragen.'
'Wij kunnen geen van allen onze krachten ontkennen als we ze eenmaal hebben ontdekt. We moeten leren ermee te leven,' zei Olim rustig.

‘Maar moet ik het helemaal alleen doen?’
Alia antwoordde: ‘Jij bent degene die de weg door de spiegel moet openen, zodat wij jou kunnen volgen. Je zult niet aan je lot worden overgelaten. De grote verantwoordelijkheid om de stenen terug te brengen, ligt bij ons allemaal – ook bij degenen die de juwelen nu hebben, als de maan tenminste meer voor ze betekent dan rijkdom.’
‘Ja,’ zei Eliam. Alleen ‘ja’.
‘Zo antwoordt iemand die de maan en de aarde dient,’ zei Alia.
Eliam had zichzelf ja horen zeggen. Ze durfde niet aan deze opdracht te beginnen, maar ze kon het woord nee niet vinden.

Het was nog donker toen Nikolaj uit een onrustige slaap werd gewekt. Het leek wel of de nacht vol was geweest met stemmen en voetstappen, maar hij wist niet of die uit zijn dromen kwamen of uit het huis om hem heen.
Hij werd gewekt door een wonderlijk, mooi lied. Hij ging overeind zitten in bed en vroeg zich af wie de radio had aangezet terwijl iedereen waarschijnlijk nog sliep.

Mooie maan, beschermer van de dromen,
als jij verschijnt in de nacht,
vul je het land met jouw
ondoorgrondelijke licht,
waar je stijgt en daalt
hoog boven de aarde verheven.
De dag is van de zon.
Van jou is de nacht.

Het was een lied dat Nikolaj nog nooit eerder had gehoord, een vreemde melodie met klanken die hij niet herkende.
Meteen toen hij zag dat het donker om hem heen begon te schitteren alsof er een goudachtig poeder in de lucht hing, wist hij wat er ging gebeuren. Het leek wel of er geruisloos gouden regendruppels in zijn kamer vielen. Hij zou weer een nieuwe gedaante te zien krijgen. Dit keer kwam het niet in hem op om weg te lopen, en hij wilde zich ook niet onder zijn dekbed verstoppen. Hij

zou gewoon afwachten wat er ging gebeuren. Hij was betoverd door dat wonderlijke lied.
Langzaam gleed de nacht weg uit zijn kamer en de muur achter zijn klerenkast en zijn boekenplank loste op in een donkerblauwe nachthemel. Grote sterren fonkelden en gloeiden en even werd hij verblind door een maan die bijna vol was. De kamer rondom hem gleed weg en er kwam een tuin vol weelderige planten, volle struiken en hoge bomen voor in de plaats. Het was een windstille nacht en hij hoorde het geluid van murmelend water dat over de rand van een vijver liep.
Nikolaj zag dat hij op een stenen bank zat. Boven hem hingen grote, witte bloemen die zo sterk roken dat hij er helemaal duizelig van werd. De tuin was stil, maar het ritselde zachtjes tussen de bladeren, de bloemkelken klingelden, het ruiste door het gras. De tuin wachtte ergens op. Het lied was verstomd. Er was niemand anders te zien.
Ineens vloog er een vogel langs de maan. Nikolaj herkende hem. Het was dezelfde vogel die hij de avond ervoor had gezien. Hij kwam naar de tuin toe vliegen, sloeg met zijn vleugels en klapwiekte even voordat hij landde op een stenen bank een stukje van Nikolaj af.
Toen de vogel geland was, vervaagde hij en ineens zat er een jong meisje op de bank. Ze was mooi en ze droeg kleren zoals Nikolaj ze nog nooit eerder had gezien. Toen begon ze het lied te zingen dat hij net had gehoord, maar na een paar tonen stopte ze. Ze draaide haar hoofd opzij en keek hem recht aan. Nikolaj keek terug en vroeg zich af of ze hem echt kon zien. Dat kon ze.
Nikolaj was niet bang, alleen maar verbaasd. Hij had wel verwacht dat er iets zou gebeuren, voelde hij nu. Het meisje stond op en op dat moment hoorde hij weer een stem binnen in zich:
'Je moet ons helpen,' zei het meisje.
'Waarmee dan?' vroeg Nikolaj.

‘Je moet ons de maan en de juwelen teruggeven.’
‘Juwelen?’ zei Nikolaj verbaasd. ‘Ik heb helemaal geen juwelen, ik begrijp niet waar je het over hebt.’
Even keek ze hem moedeloos aan.
‘Maar je *moet* het weten,’ zei ze. ‘Alles wijst erop dat ze in jouw buurt zijn en dat jij kan helpen.’
‘Maar ik weet niets,’ zei Nikolaj.
‘Er liggen heel veel gevaren op de loer nu,’ zei het meisje terwijl ze een stap in zijn richting deed. ‘En je bent zelf in gevaar als je niet...’
‘Hou op,’ zei Nikolaj, ‘iedereen zegt dat ik in gevaar ben, maar waarom zou dat zo zijn? Ik heb niets gedaan dat gevaarlijk voor mij zou kunnen zijn. Ik spijbel overdag van school, maar dat is niet zo gevaarlijk dat ik door vreemde mensen gewaarschuwd moet worden. Ik wil niets meer horen – ik wil dit niet – ga weg – ik wil je niet meer zien.’
Maar ze ging niet weg. In plaats daarvan kwam ze nog dichterbij.
‘Ik kan je komen helpen zoeken als het nodig is,’ zei ze, ‘ik kan meteen komen...’
En ze kwam weer dichterbij.
‘Nee,’ zei Nikolaj, ‘dat wil ik niet. Ik weet niet wat ik doen moet en ik begrijp er niets van...’
Op dat moment hoorde hij de stemmen weer die hij die nacht had gehoord. Ze kwamen van de galerij; het waren zijn ouders die met elkaar praatten.
Het meisje verstarde, het maanlicht begon te beven, het donker gleed de tuin binnen en langzaam verdwenen de struiken, de bloemen en de bomen. Het meisje vervaagde. Haar omtrek trilde, zoals Nikolaj ook had gezien bij de vrouw met het weefgetouw. Ze zei iets wat hij niet verstond, en toen kwam zijn kamer weer terug. Die was gehuld in het donker van de vroege morgen.
‘Nu moet je ophouden.’ Dat was de stem van zijn moeder. ‘Ik heb

toch gezegd dat ik niet kon weten dat je gisteren al thuis kwam. Je had gezegd dat je niet voor morgen zou komen.'
'Je had toch een briefje kunnen neerleggen toen je wegging,' zei zijn vader.
'Briefje?' zei Lydia. 'Als jij er niet bent?'
'Je moet een beetje uitkijken, beste Lydia, misschien weet ik wel meer van jouw vergaderingen en commissies dan je zou willen.'
'Ik weet niet wie er meer moet uitkijken, Maxim. Ik zou maar niet zo hoog van de toren blazen als ik jou was...'
Toen verdwenen hun stemmen weer.
Nikolaj bleef als verlamd zitten. Hij had ze nog nooit eerder ruzie horen maken. Dat ze elkaar bedreigden maakte hem al even bang. Hij keek op de klok. Kwart over zes. Veel te vroeg om op te staan, maar hij kon niet meer blijven liggen. Hij wilde maar één ding: met Florinda praten en haar iets horen zeggen dat alles een beetje minder geheimzinnig maakte, een beetje minder gevaarlijk. Hij dacht aan het merkwaardige meisje dat had geprobeerd zijn kamer binnen te dringen. Als Florinda eens kon zeggen dat het een droom was geweest, dat je best met open ogen zulke dingen kon dromen. Als hij dat maar kon geloven. Dat zou alles veel eenvoudiger maken.
Nikolaj kwam zijn bed uit, kleedde zich aan en liep snel naar beneden door het huis dat weer volkomen stil was. Maar de stemmen van zijn ouders had hij niet gedroomd. Hij wist zeker dat die er vannacht ook waren geweest. Hij rende de hele weg naar de bushalte. Het was fris, maar het regende of sneeuwde niet. De hemel was wel verborgen achter de wolken. Nog nooit had de bus zo langzaam gereden.

Florinda Olsen werd bezweet en uitgeput wakker uit haar verwarde dromen. Ze was door een poort gegaan die werd bewaakt door grote mannen. Iemand had haar hand vastgehouden, maar

ze kon niet zien wie het was. Ze waren samen door een tuin gelopen die naar seringen rook en twee pony's waren naar haar toe komen draven. Ze wilde ze aaien, maar ze kon haar hand niet optillen. Ze gingen een trap op en door een enorme deur. Toen die dichtviel, ging er een griezelige echo fluisterend door kamers die ze niet kon zien. Ze zweefde, nee vloog een trap op, ze zag een paar donkergekleurde mannen die de wacht hielden voor een deur en ze vloog naar binnen door een andere deur, naar een bed waar een klein figuurtje in lag. Dat was Nikolaj, bleek en klein. Help, fluisterde hij terwijl hij zijn handen naar haar uitstrekte.
'Help!' zei hij met Vladimirs stem.
Florinda ging rechtop zitten. Ze was in de war. Die kreet was zo krachtig en duidelijk geweest. Nikolaj, dacht ze, ik moet zo gauw mogelijk met hem praten. Er is iets wat hem bedreigt, wat ons allemaal bedreigt. Ik had misschien eerder met hem moeten praten, maar...
Hoe laat was het?
Het was donker buiten. Ze had nooit een horloge om en de enige klok in de flat stond op haar nachtkastje. Ze werd 's nachts wel eens wakker en dan was ze bang dat de tijd stil was blijven staan en dat ze viel. Dan was het prettig om de lichtgevende wijzerplaat te zien met zijn grote wijzer die de getallen vasthield, ook al ging de secondenwijzer snel en met kleine rukjes. Voor zover ze zich kon herinneren, hadden ze thuis nooit klokken gehad en ze hadden zelden over tijd gesproken.
Het was vijf uur.
Vladimir had gisteren niet teruggebeld. Ze had de hele avond geprobeerd hem te bellen, maar er was niet opgenomen. Het was veel te vroeg om iemand te bellen. Toch stond Florinda op. Ze huiverde even toen ze langzaam naar de telefoon liep. Nadat ze het lampje naast de telefoon had aangedaan, draaide ze met half dichtgeknepen ogen het nummer van Vladimir. Florinda liet de

telefoon een paar keer overgaan, hing op en draaide het nummer nog eens, maar hij nam niet op. Dat maakte haar bang, want Vladimir was altijd een lichte slaper geweest.
Florinda moest naar zijn huis gaan, meteen. Ze voelde dat er iets heel erg mis was. Ze kleedde zich vlug aan en belde met een lichte zucht een taxi; ze dacht aan het geld. Toen deed ze haar jas aan, die nog vochtig was van de natte sneeuw van de vorige dag, en trok zonder te kijken wat voor weer het was een dikke wollen muts over haar haren.
Ik weet zeker dat er iets met Vladimir is gebeurd, dacht ze in de taxi. Wat moet ik doen als de benedendeur op slot is? dacht ze toen ze het huis naderde met haar blik strak op het trottoir gericht. Maar hij was gewoon dicht, niet op slot.
Een heel eind de trap op voelde ze de wind nog in haar rug. Wat moet ik doen als de deur van zijn flat op slot is? dacht ze, maar dat was niet het geval. Toen ze er voorzichtig tegenaan duwde, ging hij zo open.
Ze deed een stap de hal in en bleef staan. De flat was akelig stil, maar toch dwong ze zichzelf om verder naar binnen te gaan. Ze duwde alle deuren waar ze langs liep open, maar Vladimir was nergens te zien. Er waren ook geen sporen van een worsteling, overval, of inbraak; alles stond op z'n plaats, zelfs het kleedje in de gang was niet omgekruld.
De kamer zag eruit alsof Vladimir er een paar uur geleden nog was geweest. De theeglazen stonden nog op tafel. Ze rook de wierook nog een beetje. Dezelfde twee tafellampen waren aan. Het klopte niet. Die had Vladimir zeker uitgedaan als hij gewoon was gaan slapen. Dat was hij duidelijk niet.
Florinda keek rond en haar blik bleef hangen bij het grote landschapsschilderij. Haar ogen gleden over het gras waar de windvlaag doorheen ging, het water dat licht rimpelde, de bewolkte hemel met het kleine zonnestraaltje en haar blik gleed terug naar

het glanzend witte wolkje in de rechterbovenhoek. Dat was geen wolkje, het was een stukje papier. Florinda liep naar het schilderij, haalde het papiertje eraf en zag haar eigen naam op de achterkant staan. Angstig vouwde ze het open en las:
ZOEK OP IN HET BOEK VAN MOUREAU.
Verbaasd liep Florinda naar de boekenkast. Ze zag de rug van het boek bijna meteen, het was een donkerrode rug met gouden letters: Moureau: *De geschiedenis van de juwelendieven.*
Voorzichtig trok ze het boek uit de kast. Wat moet ik zoeken? dacht ze toen ze het opendeed. Op dat moment ontdekte ze een boekenlegger die net tussen twee bladzijden uitstak. Ze deed het boek op die plek open en liet haar blik over de bladzijden gaan. Ze begreep onmiddellijk waarover het ging en las:

Het verhaal over de diamanten uit de tijd van de mythen duikt van tijd tot tijd op. In het midden van de zeventiende eeuw, aan het hof van Lodewijk XIV, namen de geruchten toe, maar de meeste mensen beschouwden ze waarschijnlijk als mooie sprookjes of een droom over onmetelijke rijkdom die nooit in vervulling zou gaan.
Al een aantal malen had Dupont er in het geheim voor gezorgd dat de zonnekoning juwelen terugkreeg, die hij achteloos aan vrouwen had geschonken die hij algauw niet meer de moeite waard vond. Dupont raakte geïnteresseerd in de geruchten en begon op eigen houtje een onderzoek. De zonnekoning begon te vermoeden dat Dupont zich bezighield met iets waaraan hij zijn goedkeuring niet had gegeven, en dat wilde de koning niet. Daarom liet hij Dupont door een van zijn meest vertrouwde mannen schaduwen om erachter te komen wat hij deed.
In 1659 bezocht gravin Françoise de Hardy het hof. Zij droeg een zeldzame blauwe steen aan een fluwelen bandje om haar linker pols. De steen was zo opvallend, dat hij niemand kon ontgaan.

Sommige mensen maakten valse opmerkingen over het feit dat een zo vermogende gravin zich slechts tooide met een enkele bescheiden en zeer armoedige steen als sieraad.
Bij een van die gelegenheden schijnt ze geantwoord te hebben dat niemand het in het Egypte van de farao's gewaagd zou hebben iets dergelijks te zeggen. Haar steen was uniek en ze was niemand een verklaring schuldig. De dag daarop was de steen verdwenen en Dupont ook. De spion van de koning was hem uit het oog verloren, maar het gerucht ging dat hij in Rouen was opgedoken. Op dat moment begon Lodewijk XIV te begrijpen dat er misschien wel waarheid school in de geruchten over de waardevolle juwelen die uit de tijd van de legendes zouden komen en hij zette een paar vertrouwelingen aan het werk om Dupont te vinden.
Volgens de geruchten lukte het Dupont in de loop van de tien daaropvolgende jaren de betreffende zeven juwelen, die uniek waren op de hele wereld, op te sporen. Er wordt beweerd dat dat de eerste keer was dat de juwelen bij elkaar waren.
Marcel Vallier, een van de vertrouwelingen van de koning, verraste Dupont in een kroeg in Caen. Waarschijnlijk was Dupont op weg naar Engeland. Vallier verstopte zich bij de kroeg en volgde Dupont toen hij rond sluitingstijd het café verliet. In een donker steegje overviel hij Dupont, doodde hem en nam hem de juwelen af die hij altijd bij zich droeg.
Sinds die tijd nemen de geruchten rond de zeven waardevolle juwelen toe en er bestaan verschillende versies van de mythen. Ze beweren echter zonder uitzondering: Als ze bij elkaar zijn, bezitten de juwelen een unieke kracht die te maken heeft met het eigen licht van de maan (zeggen degenen die in dat soort dingen geloven).
Sinds Marcel Vallier ze stal, hebben de juwelen een zwervend bestaan geleid. Hij had gedacht er een enorme slag mee te slaan, maar hij werd door baron von Schwerin van Bayern gedwongen

ze voor weinig geld te verkopen, omdat deze hem om de een of andere onduidelijke reden onder druk kon zetten.
Drie generaties lang bevonden de juwelen zich onder de kostbaarheden van de familie von Schwerin, totdat een brand hun landgoed verwoestte en de waardevolle voorwerpen in alle haast uit het huis werden gehaald.
De jonge von Schwerin, de derde generatie na de baron die de stenen had weten te bemachtigen, griste het juweel mee toen hij het brandende huis uit rende. Von Schwerin de oudere was zijn landgoed kwijt en hij moest de juwelen verkopen om er financieel weer bovenop te komen.
De juwelen werden vermoedelijk ver onder de getaxeerde waarde gekocht door een Engelse lord. Door het bedrag dat ze voor de verkoop kregen en door alle ophef die er werd gemaakt over het feit dat ze de juwelen in hun bezit hadden gehad, kon de jonge von Schwerin trouwen met een rijke vrouw van zijn stand uit Heidelberg.
De Engelse lord wilde de juwelen gebruiken in een politieke handel met Rusland en vanaf begin 19e eeuw zwierven de juwelen rond tussen allerlei leden van de Russische aristocratie. Toen verdwenen de mythen rond de juwelen tijdelijk; ze kregen de tijd niet om te blijven hangen omdat de juwelen zo snel van eigenaar verwisselden.
Een aristocraat wilde het sieraad in het midden van de 19e eeuw opdelen en de stenen elk afzonderlijk verkopen, maar zijn vrouw was zo ongelukkig met die beslissing dat haar liefde voor hem verdween. Ze stal het sieraad en ging ervandoor om nooit meer terug te keren. Tijdens haar vlucht viel ze in de Neva. Ze kon niet zwemmen en haar zware fluwelen jurk dreigde haar onder water te trekken.
Een arme boer viste haar uit de rivier en dwong haar te zeggen waar ze vandaan kwam. Ze vertelde het hem en toen wilde hij

haar terugbrengen om een beloning van haar echtgenoot te krijgen. Ze smeekte om genade en bood hem het sieraad aan om niet terug te hoeven.
De boer kon de volledige waarde van het sieraad niet bevatten, maar hij zag wel dat het genoeg waard was om een beter leven te kopen bij de tsaar en daar slaagde hij ook in. Hij kwam bij de lijfwacht en zo kwam het sieraad bij tsaar Nikolaj terecht.
Dit verhaal over de omzwervingen van de juwelen wordt verteld door de goudsmid Igor Alexandrovitsj. Hij zegt niet wie zijn bronnen zijn; in elk geval zijn de juwelen op dat moment in het bezit van de tsarenfamilie Romanov gekomen. En daar zijn ze sindsdien gebleven.

Volkomen verbijsterd deed Florinda het boek dicht. Terwijl ze las, was de droom van de afgelopen nacht weer voor haar ogen verschenen. Ze zweefde een kamer binnen waar twee smalle bedden stonden. In het ene lag een klein figuurtje. Het was niet Nikolaj, maar een klein meisje dat bleek en rillend van de koorts onder de dekens lag. Het meisje had donker haar en grote, blauwe ogen. Ze jammerde als een jong hondje en even werden haar ogen nog groter.
Het was geen droom. Florinda was in die kamer geweest en ze had dat meisje gezien. Florinda beefde alsof ze door de koorts was aangestoken en plotseling keek ze in het rond alsof ze niet wist waar ze was.
'Vladimir,' fluisterde ze. 'Wat is hier gebeurd?'
Maar er kwam natuurlijk geen antwoord. De flat was leeg, de deur was niet op slot, er was geen enkel teken van geweld. De twee lampen die op de tafel stonden te branden, maakten haar bang.
Het was zes uur en het was nog steeds pikdonker buiten, maar de geluiden van het eerste ochtendverkeer drongen Florinda's oren

binnen. Ze wilde daar niet langer blijven. Ze wist niet wat ze moest doen.
Vlug liep ze de gang in en belde een taxi. Ze moest in elk geval naar huis en dan moest ze Nikolaj te pakken zien te krijgen. Dan was het maar heel vroeg. Dan stelden Maxim en Lydia maar allerlei vragen. Ze zou ze toch niet beantwoorden. Ze zou Nikolaj vragen om een taxi te nemen en meteen naar haar toe te komen, ook al zou hij dan een paar uur te laat op school komen.
Maar hoe moest ze in 's hemelsnaam Vladimir vinden? Ze had een akelig voorgevoel dat er iets ergs, ja iets gevaarlijks met hem was gebeurd. Ze wilde liever niet naar de politie gaan. Wat had ze voor bewijs? Niets anders dan dat er een man niet thuis was en dat hij was vergeten de deur op slot te doen en de lampen op tafel niet had uitgedaan.
Ze zouden haar uitlachen.
Ze voelde zich slecht op haar gemak toen ze in de taxi zat die gelukkig lekker warm was. De auto bewoog zich gemakkelijk door het verkeer in het centrum, dat nog niet al te druk was. Toen de taxi voor haar huis in de Bygdøy Allé stopte, begon het net weer een beetje te sneeuwen.
Verbaasd bleef ze op de bovenste traptrede staan. Voor haar deur zat Nikolaj. Hij zat tegen de deurpost aan geleund. Het leek wel of hij sliep. Net toen Florinda zich over hem heen boog, deed Nikolaj zijn ogen open. Hij stond op. Geen van beiden zei iets, maar zij zag dat hij bang was en hij hoorde dat zij een opgeluchte zucht slaakte.
Florinda deed de deur open, stapte de hal in en bleef staan, net zoals ze bij Vladimir had gedaan. De lamp in de hal brandde eenzaam. Daar had ze nog nooit bij stilgestaan. Ze keek naar Nikolaj die zijn jas en laarzen had uitgedaan en door de lange gang naar de keuken liep. Was de gang echt zo lang?
Toen verdween hij, de keukendeur viel bijna dicht achter hem. Ze

zag alleen nog maar de gang. Hoeveel kilometer heb ik eigenlijk afgelegd in al die jaren dat ik hier heen en weer heb gelopen? dacht ze. Ze hoorde het geluid van stromend water. Nikolaj zette zeker theewater op.

Voor het eerst in al die tijd dat ze in de Bygdøy Allé woonde, vond Florinda de flat te donker. Ze nam de tijd niet om haar jas uit te trekken, liep de kamer in en deed de lamp aan het plafond en alledrie de wandlampen aan.

Ze merkte wel dat de lange, goudgele, fluwelen gordijnen die voor de balkondeuren hingen bewogen, maar ze was er zo snel langs gelopen dat het niet zo gek was dat ze een beetje golfden. Bovendien was de balkondeur niet helemaal winddicht. 's Winters tochtte het vanonder die deur langs de vloer.

Terug in de hal wenste ze dat ze nog een plafondlamp had, voordat ze de telefoon pakte en Vladimirs nummer draaide. Ze wist het nog uit haar hoofd, ook al draaide ze het haast nooit meer. Er is niets mis met mijn hoofd, dacht ze terwijl ze naar het overgaan van de telefoon luisterde. Waarom denk ik dat toch steeds?

Vladimir nam niet op. Het was misschien twintig minuten geleden dat ze bij zijn huis was weggereden. Ze moest de angst die haar keel dichtkneep, wegslikken. Florinda hing haar jas op en deed haar lichte binnenschoenen aan. Ze hield niet van pantoffels want die deden haar denken aan oude, hulpeloze mensen.

Toen ze langs de deur van de eetkamer liep, zag ze grote waterdruppels op de drempel liggen. Ze bleef staan, fronste haar voorhoofd, en boog zich een beetje voorover. Zij had daar niet gelopen met sneeuw aan haar laarsjes en Nikolaj had zijn laarzen vlakbij de deur uitgeschopt.

Voorzichtig duwde ze de deur naar de donkere kamer open en deed de plafondlamp aan. Een regen van fonkelend licht viel door de prisma's de kamer in. Er was natuurlijk niemand. Waarom zou er iemand zijn?

'Florinda?' riep Nikolaj.
'Ik kom eraan,' riep ze terug. Het was een opluchting om zijn stem te horen in de grote flat.
In de keuken bleef ze met een ruk staan. Drie van de keukenkastjes stonden open. Ze wist zeker dat ze die altijd dichtdeed en ze gingen niet vanzelf open.
'Heb jij die kastjes opengedaan, Nikolaj?'
'Nee,' antwoordde hij, 'zo stonden ze toen ik hier binnenkwam.'
Ze zag de golvende gordijnen in de kamer weer voor zich – alsof er iemand achter had gestaan.
'Blijf hier,' zei ze tegen Nikolaj terwijl ze het keukenmes pakte. 'Nee, kom eigenlijk maar mee, maar blijf achter me.'
'Wat is er?' vroeg hij angstig.
'Ik geloof dat er iemand verstopt zit in de kamer.'
Zachtjes liepen ze de gang door, de kamer in. 'Achter de gordijnen van de balkondeuren,' fluisterde ze tegen Nikolaj.
Florinda rechtte haar rug en verstevigde haar greep rond het keukenmes.
'Kom maar te voorschijn,' zei ze. Haar stem klonk niet zo flink als ze eruitzag. 'Ik weet dat je achter de gordijnen zit.'
Er gebeurde niets. Het gordijn hing in onbeweeglijke, goudgele plooien naar beneden en het raakte net de grond.
Ze aarzelde even voor ze het gordijn opzijtrok. Ze zag alleen een deur en achter de ruiten was alleen de donkere morgen. Ze draaide zich om naar Nikolaj.
'Ik ben een beetje bangig geworden, denk ik,' zei ze terwijl ze opgelucht glimlachte.
'Wat ben jij dapper zeg,' zei Nikolaj. Hij liep naar Florinda toe en sloeg zijn armen om haar heen. Ze waren even groot nu.
Hij was groot en zij was klein.
'Ik was zo blij dat je kwam,' zei hij. 'Toen je niet thuis was, werd ik een beetje bang. Er gebeuren zoveel dingen waar ik helemaal

niets van begrijp. Ik dacht dat jij me misschien kon helpen.'
Florinda sloeg voorzichtig haar armen om hem heen. Ze was bang dat hij het overdreven zou vinden en zich zou terugtrekken.
'Het eerste wat ik wilde doen als ik thuiskwam, was jou bellen en vragen of je snel hiernaartoe wilde komen. Ik heb begrepen dat er vreemde dingen gebeuren in jouw omgeving.'
Toen liet ze hem los. 'Kom, dan drinken we thee en dan vertel jij mij wat je wilde vertellen en ik jou wat ik heb meegemaakt, want ik geloof dat we in dezelfde geheimzinnige gebeurtenissen verwikkeld zijn geraakt.'
Nikolaj liet haar ook los. Ze gingen weer naar de keuken.
'Dit is een ochtend voor hete appelthee,' zei Florinda. 'Dat zal ons moed geven. Ik geloof dat we dat wel nodig zullen hebben.'
'En eh,' zei Nikolaj een beetje aarzelend, 'dan moet je naar school bellen en zeggen dat ik heel erg ziek ben en dat je niet weet wanneer ik weer terugkom. Wil je dat doen?'
Florinda knikte. Ze stelde geen vragen.

Maxim Sverd huiverde toen hij de donkere, koude morgen in stapte. Sinds hun ruzie die ochtend vroeg, had hij niet meer met Lydia gepraat. Hij had er spijt van dat hij haar zijn gevoelens had laten zien, maar hij had er geen rekening mee gehouden dat hij zich zo klein zou voelen, zo verlaten – en zo jaloers.
Hij moest zijn voorruit krabben maar hij kon de ruitenkrabber niet vinden, dus gebruikte hij de brede kant van het zakmes dat hij altijd in het handschoenenvakje had liggen. Hij startte, reed de weg op en pakte tegelijkertijd een bandje met fluitconcerten van Vivaldi. Daar luisterde hij iedere morgen naar als hij naar de zaak reed.
Hij deed het bandje in de autoradio en wachtte op de eerste klanken, maar in plaats daarvan hoorde hij een man praten. Maxim schrok zo ontzettend, dat hij midden op een kruispunt keihard

remde, stil bleef staan en het verkeer van alle kanten blokkeerde. Het duurde een paar seconden voordat hij de cassette had uitgezet en het kruispunt over was. Hij stopte aan de overkant langs de stoeprand en zette de cassette weer aan.
Hij herkende de stem meteen. Het was de stem zonder gezicht die gisteren zo vriendelijk was geweest hem over de juwelen van de tsaar te vertellen.
'Dit is alleen een kleine herinnering, meneer Sverd, zodat u onze afspraak niet zult vergeten. De tijd gaat voorbij en een week is kort. Ik hoop dat u erin slaagt uw geheugen op te frissen. Vergeetachtigheid kan ontzettend lastig zijn. Goedendag.'
Maxim reed de rest van de weg zonder de klanken van Vivaldi in de auto. Hij ging de winkel binnen en hing een bordje aan de deur waar duidelijk GESLOTEN op stond. Hij kon de winkel nu niet opendoen. Hij had te veel om over na te denken en hij kon niet eens denken.
Hij liep zijn kleine kantoortje in waar hij zich altijd heel prettig voelde. Als hij een paar dagen weg was geweest, meer was er niet voor nodig, dan bekeek hij het kantoortje met nieuwe ogen, alsof hij er heel lang niet was geweest. Het was altijd goed om er weer te zijn.
Nadat hij zijn jas had opgehangen, ging hij achter zijn bureau zitten, zonder eigenlijk te weten wat hij doen moest. Zijn assistent kwam pas na de lunch. Hij stond op en liep naar het leuke kleine schildpadje op de archiefkast. Hij was erg tevreden over die slimme bergplaats en hij was nooit bang dat het beestje gestolen zou worden. Wie zou er nou zo'n onbeduidend diertje meenemen?
Nu wilde hij genieten van de aanblik van de diamanten die zo fel schitterden, dat ze hem gewoon verblindden. Maar dat kwam misschien doordat hij tranen in zijn ogen kreeg als hij eraan dacht hoeveel geld ze waard waren en dat ze een rijk en veilig leven voor hem en zijn gezin betekenden.

Toen hij zag dat er niet één diamant onder het schild van de schildpad lag, kon hij zijn ogen niet geloven. Secondenlang stond hij alleen maar te staren. Toen viel het houten diertje uit zijn handen en hij schreeuwde. De nachtmerrie sloot hem van alle kanten in. Lydia, dacht hij, het moet Lydia zijn geweest!
Hij schaamde zich eigenlijk dat hij dat dacht. Maar hij had het afgelopen half jaar het vermoeden gekregen dat ze in zijn studeerkamer rondsnuffelde. Hij had haar niet kunnen betrappen, want als hij thuiskwam, lagen de valstrikken die hij had gezet er nog net zo bij als toen hij wegging. Maar hij had ook bedacht dat het vreemd was dat ze nooit vroeg hoe het met het andere deel van zijn zaken ging. Hij had haar natuurlijk wel moeten vertellen dat hij diamanten smokkelde voor de chef, maar hij had er met geen woord over gerept dat hij daarnaast nog een behoorlijk aantal diamanten voor zichzelf smokkelde.
Hij draaide zich abrupt om en keek wild om zich heen om te zien of er sporen van de inbreker waren, of dingen die erop wezen dat er nog meer ontbrak. Bij de kluis bleef zijn blik hangen. Hij hield zijn adem in, het zweet stond op zijn voorhoofd. Maxims handen beefden toen hij de deur opende. De kluis lag vol met allerlei papieren, maar hij zag meteen dat zijn drie gecodeerde kasboeken weg waren. Hij had ze onlangs van huis meegenomen omdat hij Lydia verdacht.
Hij bekeek de kluisdeur terwijl de zweetdruppels langs zijn gezicht dropen. Geen enkel teken van geweld. Iemand kende de code. Maar wie – als het Lydia niet was? De stem zonder gezicht? Had die dit gedaan om te bewijzen dat hij hem zonder enige moeite kon breken?
Maxim wankelde terug naar zijn bureaustoel en zakte erop neer. De stoel kraakte. Dat had hij nog nooit eerder gehoord.
O, waarom ben ik hier ooit aan begonnen, dacht hij wanhopig terwijl hij zijn gezicht in zijn handen verborg.

Kom, sta op en vecht, accepteer de consequenties van wat je doet, dacht hij.
Maar ik weet niet wat ik moet doen.
Je moet nadenken.
Maar dat kan ik niet – mijn hoofd is helemaal leeg.
Iemand zit je in elk geval op de hielen en daar moet je iets aan doen.
O, kon ik maar gewoon met Lydia praten, maar dat kan niet, dat durf ik niet, want ik verdenk haar nog steeds.
Je hebt Harry Lim toch, je trouwe partner.
Ja, misschien kan Harry me helpen.
Hij tilde zijn hoofd op en greep de telefoon. Het was wel erg vroeg, maar het kon hem niets schelen hoe laat Harry Lim de avond ervoor naar bed was gegaan. Het was pas half acht.
Er werd niet opgenomen.
Ik wilde toch alleen maar mijn toekomst zeker stellen, zodat het me aan niets zou ontbreken, zodat ik voortaan een lekker vrij leventje zou kunnen leiden.
Je kunt toch iemand anders de schuld geven – je hebt een goede reden, of niet soms? zei de andere stem.
Een ongelukkige jeugd, bedoel je?
Ja, heb je dat dan niet gehad?
Ja, zeker wel. Een moeder die wegging. Een vader die me gewoon in de steek liet. Een oma die niets van me wilde weten.
Het is niet zo vreemd dat je je toekomst zeker wilt stellen en dat je wraak wilt nemen.
Ik weet alleen dat ik besloten heb diamanten te smokkelen toen Gus van Daan me dat vijf jaar geleden voorzichtig vroeg.
Maar...
Meer valt er niet over te zeggen... behalve... o, ik wou dat ik wist wat ik moest doen.
De andere stem zweeg.

Maxim hield zijn hoofd een beetje scheef en luisterde. Klopte er iemand op de deur van de winkel? Hij deed de lamp op zijn bureau uit. Toen stond hij op, deed de deur open en keek de winkel in. Hij moest gebukt langs een paar kasten sluipen voordat hij de deur kon zien. Buiten stond een gestalte, maar hij kon onmogelijk zien wie het was. Hoe kon er eigenlijk iemand weten dat hij hier zo vroeg al was? Dat was niet zijn gewoonte.
De gestalte buiten verdween. Maxim bleef voor de zekerheid nog even staan, maar de gestalte kwam niet terug.
Hij zat nog maar net achter zijn bureau, gedachteloos en zonder iets te doen, toen hij een schrapend geluid hoorde bij de achterdeur. Maxim wist meteen dat er iemand aan het inbreken was. Hij keek vlug rond. Het enige wapen dat hij zag, was een mahoniehouten presse-papier. Hij dacht eigenlijk dat hij die verkocht had.
Hij stond op en ging achter de deur staan, naast de archiefkast. Hij dacht niet dat het een gewone dief was; het was iemand die iets te maken had met de bedreigingen en de juwelen van de tsaar. Het was in ieder geval iemand die gewend was om deuren open te maken.
Het duurde niet lang voordat de achterdeur geruisloos opengging. Eerst hoorde Maxim niets, daarna hoorde hij vlugge, zachte voetstappen. Ze stopten. Nu kijkt hij het kantoor binnen, dacht Maxim.
Hij voelde een beweging achter de deur. Hij greep de presse-papier steviger vast en hoopte dat hij hem niet zou hoeven gebruiken. Zijn lichaam spande zich, hij maakte zich klaar. Vlak daarna was de beweging weer op weg naar buiten. De zachte voetstappen verdwenen langs dezelfde weg als ze waren gekomen en de deur werd voorzichtig weer dichtgedaan.
Alles was weer net zo stil als voordat Maxim het schrapende geluid bij de achterdeur had gehoord. Hij bleef een hele tijd staan

om helemaal zeker van zijn zaak te zijn. Tenslotte durfde hij weer te voorschijn te komen, deed de bureaulamp aan en zag een grote envelop midden op het bureau liggen. Zijn naam was erop getypt.
Met trillende handen maakte hij de envelop open. Er vielen een diamant en een bladzijde uit een van zijn kasboeken uit, en een brief:
WE WILLEN ALLEEN LATEN ZIEN DAT WE JOU IN ONZE MACHT HEBBEN. WE WETEN DAT JIJ ONS DE WEG KUNT WIJZEN NAAR DE JUWELEN VAN DE TSAAR. DOE DAT VOOR JE EIGEN BESTWIL – EN NIET IN DE LAATSTE PLAATS VOOR JE GEZIN. DIT IS DE EERSTE WAARSCHUWING, WE GAAN DOOR TOT JE HET OPGEEFT.
De brief was niet ondertekend.
Het duizelde Maxim. De eerste waarschuwing? Dat klopte toch niet. Begrepen deze onbekende afpersers zelf niet waar ze mee bezig waren? Of... Een nieuwe gedachte schoot door hem heen. Misschien zaten er wel meerdere mensen onafhankelijk van elkaar achter de juwelen van de tsaar aan.
Maxim liet zich weer op zijn stoel vallen. Hij kreeg bijna geen lucht. Als dat zo was, was alles nog hopelozer dan eerst.

Ik moet nog meer opschieten dan ik had gedacht, zei Lydia Sverd bij zichzelf terwijl ze met een sleutel de deur van de grote roodbakstenen villa in de dure wijk Vettakollen openmaakte. Ik wil niet verliezen, het moet me lukken en het zal me lukken, dacht ze terwijl ze de vreemde gang in liep.
Ze had een half uur. Zo lang duurde het voordat Sonja Bentzen terugkwam van de winkel. Lydia had de afstand en de tijd een paar keer heel nauwkeurig gecontroleerd.
Ze hoorde nog de opschepperige stem van Sonja Bentzen op de cocktailparty bij de Wang Gullisens een dikke maand geleden: '... gewoon fantastisch. Sinds we ons nieuwe huis hebben laten

bouwen, hebben we eindelijk genoeg plaats om al onze kunst op te hangen en hoeven we die prachtige schilderijen niet meer op te slaan. En dan heb ik het er nog niet eens over dat we het grootste deel van de meubels moesten vervangen. Ik heb gelukkig een eigen kluis gekregen voor mijn juwelen. Dat had ik ook echt wel nodig. Maar ik ben zó bang dat ik de cijfercombinatie vergeet, dat ik hem heb opgeschreven in mijn boekje. En de keuken is gewoon een droom geworden – ik zou er bijna zelf in gaan staan...'
Meer had Lydia niet nodig gehad. Het was nog nooit zo makkelijk geweest om informatie te krijgen over mogelijke slachtoffers en rijkdommen die voor het grijpen lagen. In de loop van de avond had ze ongemerkt de handtas van mevrouw Bentzen te pakken gekregen, de huissleutel eruit gestolen en de cijfercombinatie gevonden in het boekje.
Sindsdien had Lydia de omgeving verkend en het huis op verschillende tijdstippen van de dag en de nacht in de gaten gehouden. Daar had ze de laatste tijd een groot deel van haar commissievergaderingen aan besteed.
Het was niet de eerste keer dat Lydia vroeg op de dag ergens inbrak, maar het was nog nooit zo gemakkelijk gegaan. Ze had tekeningen van het huis gezien en daarom kon ze nu zo de slaapkamer van Sonja Bentzen op de eerste verdieping vinden. Onder het bed stond de kluis die makkelijk openging. Zonder te kijken wat ze pakte, propte Lydia alles in een tas. Ze deed de kluis dicht en ging vlug weer naar buiten. Ze nam de tijd niet om de nieuwe meubels van de Bentzens te bekijken.
Toen kwam ze ook nog eens mevrouw Bentzen tegen, een stukje verderop in de straat. Lydia ging gauw naar de overkant. Ze werd een beetje onrustig omdat er geen andere mensen liepen. Zij en mevrouw Bentzen kenden elkaar niet. Ze waren wel op hetzelfde feestje geweest, maar mevrouw Bentzen had Lydia Sverd waarschijnlijk niet helemaal van haar stand gevonden, want ze had

haar in de loop van de avond geen blik waardig gekeurd en had niet met haar gepraat. Bovendien was Lydia nogal veranderd door een pruik, een sjaal om haar hoofd en een smalle bril met een donker montuur.
Toch haalde ze opgelucht adem toen ze in haar auto zat. Maxim had haar op het idee gebracht, die keer toen hij had verteld dat hij diamanten smokkelde. 'Ik wil niet aan geld hoeven denken,' had hij gezegd. 'Ik wil dat we een lekker leventje kunnen leiden.'
Hij vertelde het zo luchtig en simpel. Ze was best een beetje trots dat hij haar man was, ook al vond ze eigenlijk dat het verkeerd was om diamanten te smokkelen.
Ja, waarom ook niet? dacht ze een tijdje later. Er was maar weinig voor nodig om haar oude angst om arm te worden en gebrek te moeten lijden weer te laten opvlammen. Bovendien was ze begonnen over een eigen leven te dromen, een vrij leven zonder Maxim. Niet dat ze niet van hem hield, maar ze verlangde naar een vrijheid die ze nooit had gekend, zonder dat ze wist hoe dat zou zijn. Door een toeval had ze Harry Lim leren kennen en ze had zich versproken.
'Die dromen kunnen best ten uitvoer worden gebracht,' had hij gezegd terwijl hij nog een glas bruisende champagne nam. En ze werden ook ten uitvoer gebracht. Hij had haar een heleboel geleerd. Allereerst voorzichtigheid en geduld bij het voorbereiden. Hij had haar ook aangeraden om zich te concentreren op juwelen, omdat die haar het meest interesseerden.
'Ik moet opschieten,' zei ze hardop tegen zichzelf in het achteruitkijkspiegeltje. 'Iemand zit me op de hielen en ik wil niet gepakt worden. Ik heb misschien nog maar een paar weken. Ik denk dat ik een paar andere projecten naar voren zal moeten schuiven en een snel vertrek moet voorbereiden... en...'
Ze slikte plotseling, haar stem liet haar in de steek. Het beeld van een lachende Maxim dook op in haar gedachten. Hij kan mij toch

niet besodemieteren, dacht ze. Ze vertrouwde haar stem niet genoeg om het hardop te zeggen.
'En Nikolaj,' zei ze met een zucht. Ze wilde zijn beeld verdringen, maar het drong zich langzaam weer naar voren in haar hoofd.
Ik moet het doen, dacht ze.
'Ik moet het doen!' zei ze.
Toen ze de auto startte, was ze een moment verblind door tranen en ze moest even wachten voordat ze de weg opreed.

Ineens rechtte Florinda Olsen haar rug, kneep haar lippen op elkaar en vouwde vastbesloten haar handen voor zich op tafel.
'Ik heb een krankzinnig idee,' zei ze. 'Ik ga Anna Olsen opzoeken.'
'Wie is dat?'
'Dat is de zus van Arthur. Anna heeft mij nooit gemogen, want ze accepteerde het niet dat haar geliefde broer met mij ging trouwen; ik, die afkomstig was uit het Rusland van de revolutie. Ze heeft geprobeerd het huwelijk tegen te houden en ze heeft mij de dood van Arthur altijd verweten. Jarenlang stuurde ze mij regelmatig brieven om me eraan te herinneren hoe verschrikkelijk slecht ik was, omdat ik hem de dood in had gejaagd en daarmee ook haar leven had verwoest. Ik heb haar jaren niet gesproken, maar nu is het daar misschien eens tijd voor.'
Nikolaj had nog nooit van Anna Olsen gehoord. 'Waarom moet je met haar praten?' vroeg hij.
'Ze zegt dat ze contact heeft met de geesten en dat ze het verleden en de toekomst kent. Dat mag ze nou eens laten zien. Ik geloof er niet zo erg in dat zij banden met het rijk der geesten heeft, maar misschien kan ze zich herinneren of Arthur iets over die juwelen heeft gezegd – als hij iets wist dat ik vergeten ben. Kom, laten we snel gaan.'
Florinda keek in het telefoonboek en zag dat ze nog op hetzelfde adres woonde waar ze de laatste vijftig jaar had gewoond.

‘We nemen een taxi,’ zei Florinda. ‘Ik ben er nou zo aan gewend. Ik denk dat we het beste vroeg bij Anna langs kunnen gaan, voordat ze goed op gang is gekomen.’
De taxi stopte voor een hoekhuis in Røa. Het lichtte donkerrood op in het grauw-witte sneeuwweer dat onderweg vanuit de stad weer erger was geworden.
Ze liepen over een smal paadje tussen een besneeuwd grasveld en onvriendelijke struiken naar het huis. Nikolaj keek rond. Het was zo stil om hem heen. Er was niemand te zien, niet eens kleine kinderen die in de sneeuw speelden. Het was half elf.
Florinda belde hard en resoluut aan. Terwijl ze stond te wachten, sloeg ze de sneeuw van haar jas; ze had geen hoed op.
De deur werd bijna opengerukt en in de deuropening stond een vrouw met een wijd, vuurrood schort met een lila patroon dat op veertjes leek. Haar grijze haar was opgestoken in een stevig knotje midden op haar hoofd, waar een krans van ontsnapte haartjes omheen danste. Haar gezicht was bruin en rimpelig, vanachter een bril keken twee felle ogen hen aan. Ze was veel groter dan Florinda en Nikolaj voelde dat ze op hen neerkeek.
Ze keek eerst naar Florinda en daarna bestudeerde ze Nikolaj zo lang dat zijn neus ervan begon te kriebelen. Hij wilde haar blik niet ontmoeten, maar het lukte hem niet zijn ogen neer te slaan. Daarna keek Anna weer naar Florinda. Plotseling verstrakte haar mond en de ogen achter de brilleglazen werden smaller. Ze strekte haar rug zo recht dat haar schort strak over haar ronde buik kwam te staan.
‘Ik geloof mijn ogen niet,’ zei ze met een trillende stem. ‘Florinda hoe heet ze ook maar weer, die mijn broers achternaam heeft gestolen, hoe durf jij hier te komen en mij nog eens lastig te vallen, na alles wat je mij en mijn broer hebt aangedaan!’
Terwijl ze praatte werd haar stem steeds hoger, het trillen verdween, hij begon krachtiger te klinken en op het laatst schalden

de woorden door de sneeuw en de wind en de straten, die gelukkig leeg waren.
'Ik had gehoopt dat ik jou nooit meer zou hoeven zien nadat je mijn broer het graf in had geholpen, maar nu ben je zeker gekomen om mij dezelfde kant op te sturen?'
Florinda liet haar praten. Nikolaj keek verschrikt naar de vrouw in de deuropening.
'Doe niet zo dramatisch, Anna,' zei Florinda slechts. 'Je weet net zo goed als ik dat er niets waar is van wat je zegt, en...'
'Niets van waar??'
Anna Olsen gooide haar hoofd naar achteren, zodat het knotje even gevaarlijk wiebelde.
'Wat weet jij van waarheid? Jij die mijn arme eenvoudige broer hebt voorgelogen en bedrogen, belazerd en misleid, zodat hij je geloofde en zich liet overhalen om jou mee hiernaartoe te nemen en met je te trouwen. En jij hebt het over waarheid. Je durft niet eens alleen te komen, maar je hebt – dat is zeker je achterkleinzoon – meegenomen om mij te vertederen.'
Anna boog zich naar voren en zwaaide een vinger onder Nikolaj's neus: 'Je moet je niet voor de gek laten houden door je overgrootmoeder. Ze is onbetrouwbaar en geniepig en oneerlijk...'
Toen werd het Nikolaj te veel. Hij deed een stap naar voren zodat hij naast Florinda stond en zei: 'Ik begrijp niet waar u het over hebt. Bent u niet goed bij uw hoofd of zo?'
Anna ging weer rechtop staan. Haar mond bleef openhangen in haar grote gezicht.
'Ik ben gekomen om jou om raad te vragen, Anna,' zei Florinda met een diepe zucht. Nikolaj kon wel horen dat het haar heel veel moeite kostte om rustig te praten. Ze greep Nikolaj bij zijn arm en trok hem mee, recht op de grote vrouw in de deuropening af. Florinda duwde haar opzij en ging de hal binnen.
'Florinda Olsen, hoe durf jij mijn huis binnen te dringen! Hoe

durf je hier sowieso te komen... Wat zei je? Raad? Kom *jij* hier om *mij* om raad te vragen?'
Ze gooide de voordeur dicht zodat het galmde in Nikolaj's oren.
'Ja, Anna, ik heb jouw raad nodig.'
Ze wachtte. Nikolaj wachtte, maar Anna Olsen stond daar alleen maar in de halfdonkere hal. Haar rode schort was een onheilspellende lichte vlek.
'Vraag je ons niet binnen?'
'Dat is toch wel het brutaalste wat ik ooit heb gehoord!'
Maar ze liep naar een andere deur toe en deed hem open, zodat ze in een gang kwamen. Ze nam hen mee naar een kamer aan het einde van de gang, een soort woonkamer. Florinda liep rustig naar binnen en liet niets merken, maar Nikolaj bleef op de drempel staan. Het was de gekste kamer die hij ooit had gezien.
De gordijnen waren dicht, alsof het buiten avond was, en er brandden alleen een paar kleine tafellampjes met gedempt licht op een paar plekken in de kamer. Er stonden een heleboel kleine tafeltjes met lange rood-fluwelen kleden erop. Op een van de tafeltjes stond een kooi met een grote zwarte vogel erin. Op een andere stond een enorme glazen bol. Hij zag er een beetje wazig wit uit in het gedempte licht. Op een rood-fluwelen bank rekte een kat zich uit en een andere sprong op de armleuning, terwijl een derde zwarte kat zich spinnend langs Nikolaj's been wreef. Hij bukte zich en aaide de kat terwijl hij zich verbaasde over de kamer. Het rook er zoet en vreemd, hij werd bijna een beetje duizelig van die lucht. Hij kon niet zien hoe groot de kamer was, omdat de muren bedekt waren met draperieën en een gordijn de kamer bijna in tweeën deelde. Op de een of andere manier leek hij merkwaardig groot.
'Er is hier niets veranderd,' zei Florinda terwijl ze ongevraagd naar de bank liep en naast de kat ging zitten. De kat knipperde een paar keer met zijn ogen, voordat hij bij haar op schoot kroop.

'Dit is toch niet de Tempelgodin hè?' zei ze. 'Die moet allang dood zijn.'
Een vreemd geluid ontsnapte Anna, die achter Nikolaj stond. Hij dacht dat ze lachte, maar ze zei niets. In plaats daarvan duwde ze Nikolaj de kamer in en deed de deur achter zich dicht. Hij ging naast Florinda zitten. De kat op de armleuning keek hem een hele tijd aan, voordat ze weer ging liggen en deed of hij er niet was.
'Anna heeft contact met het hiernamaals,' zei Florinda tegen Nikolaj. 'Ze heeft bovennatuurlijke gaven en ze staat in verbinding met krachten die zelfs in mijn familie niemand kent.'
Anna snoof. 'Ik weet best dat je mij nooit hebt geloofd, maar je hoeft me niet belachelijk te maken waar je achterkleinzoon bij is.'
'Ik maak je niet belachelijk,' zei Florinda.
'Ik voel dat er op dit moment iets kwaads hier in de kamer is,' zei Anna, 'het is gekomen toen jij hier binnendrong.'
Nikolaj keek angstig om zich heen, alsof hij verwachtte een enorme kwaadaardige schaduw te zullen zien, klaar om zich op hem te werpen.
'Ik heb nooit begrepen waarom je mij niet mag en waarom je zo sterk twijfelt aan de gevoelens van je broer.'
'Ha!' zei Anna. 'Ik wist wel dat je gekomen was om ruzie met mij te maken, je hebt het nooit kunnen verkroppen dat ik de waarheid zag.'
'Nee, Anna, dat is het niet. Ik moet je twee dingen vragen.'
Anna zweeg.
'Als dat tenminste mag, want ik ken niemand anders die me op dit moment kan helpen.'
'Dat mag,' zei Anna minzaam terwijl ze op de leunstoel recht tegenover de bank ging zitten. Meteen kwam er nog een kat die op haar schoot sprong.
'Heb jij wel eens contact gehad met Arthurs geest nadat hij was gestorven?'

Anna sprong op zodat de kat op de grond rolde. Ze was boos of verdrietig, of allebei.
'Hoe durf je mij zo te beledigen,' zei ze. Nikolaj had verwacht dat ze het uit zou schreeuwen, maar in plaats daarvan klonk haar stem fluisterend.
'Beledigen?' zei Florinda verbaasd. 'Ik vraag het gewoon omdat ik vertrouwen in je heb. Ik kan me herinneren dat jij zei dat je zo'n sterke band met je familie had, dat je begreep wat ze bedoelden zonder dat ze het hoefden te zeggen. En voor zover ik me kan herinneren, heb je een paar keer contact gehad met je moeder nadat ze gestorven was – dat heeft Arthur me tenminste verteld. En nou beledig ik je? Ik begrijp niet wat je bedoelt.'
'Ik dacht... dat je me wilde beledigen...,' zei ze. Ze leek ineens veel kleiner dan even ervoor.
'Anna, Anna,' zei Florinda, 'Ik begrijp niet waarom je zo vreselijk op je hoede bent voor mij.'
'Ik heb geen contact gehad met Arthur,' zei Anna zacht, 'en ook niet met moeder. Dat zei ik gewoon maar toen Arthur had verteld over de gaven die jouw moeder had.'
'Maar Anna, ík heb die gaven nooit gehad. Ik kan geen dingen verplaatsen met mijn gedachten en ik ontvang geen berichten uit het verleden of de toekomst. Maar deze jongeman hier, *ons* jonge familielid, heeft misschien wel een paar van die gaven. Het is niet zeker dat hij die alleen van mijn familie heeft. Misschien heeft de vermenging van jouw en mijn familie ertoe geleid.'
Anna tilde haar hoofd op en keek naar Nikolaj. 'Is dat waar?'
'Vertel haar maar van die wezens die je hebt gezien, Nikolaj.'
En dat deed Nikolaj. Terwijl hij vertelde, boog Anna zich steeds verder naar voren in haar stoel, zodat de kat er op het laatst af moest springen. Hij kwam bij Nikolaj op schoot liggen.
'Is dat echt waar?' zei ze, kalm en opgewonden tegelijk.
'Ik geloof het,' zei hij.

'Ik geloof het ook,' zei Florinda, 'want er gebeurt iets vreemds om ons heen dat wij niet begrijpen. Ik kan je nu niet alles vertellen, maar ik beloof je dat ik dat een andere keer zal doen. Wees nu zo aardig om mij antwoord te geven op een vraag en me niet te vragen waarom ik het vraag. Oké?'
Anna knikte.
'Kun jij je herinneren of Arthur ooit iets heeft gezegd over juwelen die iets met de tsaar te maken hadden? Of heeft hij wel eens de uitdrukking *de juwelen van de tsaar* gebruikt?'
Precies op dat moment werd er aan de deur gebeld. Ze schrokken alledrie op.
'De juwelen van de tsaar?' herhaalde Anna, 'dat klinkt inderdaad bekend. Zou het niet... Wacht even, ik moet opendoen, dan kan ik meteen nadenken.'
Ze stond op, ging de kamer uit en deed de deur achter zich dicht. Ze wachtten, maar Anna nam de tijd. Ze hoorden geen geluiden of stemmen.
Opeens begon de zwarte vogel in de kooi te schreeuwen. Nikolaj schrok, want hij dacht dat hij was opgezet. Het was een doordringende schreeuw, alsof hij ergens bang van was geworden. De kat op Nikolaj's schoot sprong op de grond en kroop onder de tafel.
De kat op de armleuning stond op, zette een hoge rug op en blies tegen iets dat Nikolaj niet kon zien.
Florinda werd onrustig. 'Vreemd,' mompelde ze.
Tenslotte stond ze op. 'Ik doe net alsof ik naar de wc moet,' zei ze, 'ik heb geen tijd om hier nog langer te gaan zitten wachten als er echt iets mysterieus en gevaarlijks gebeurt waar wij achter moeten zien te komen. De tijd gaat door.'
Nikolaj liep achter haar aan. Hij wilde niet alleen blijven in die vreemde kamer.
Anna was niet in de gang. Het was volkomen stil in het huis, af-

gezien van de schreeuwende vogel. Florinda keek de keuken in, die was leeg. Toen liep ze de trap op met Nikolaj op haar hielen. Ze kwamen in een kamer, maar daar was Anna ook niet. De slaapkamer ernaast was ook leeg.
Toen gingen ze naar het souterrain waar een kamer was met een open haard en grote ramen die op een piepklein tuintje uitkeken. In die kamer was het een gigantische rotzooi van dozen en kisten en allerlei spullen. Maar Anna was er niet.
Achter de kamer met de open haard waren een paar berghokken, maar die konden ook al niet vertellen waar Anna Olsen zich bevond. Florinda liep zwijgend de trap weer op. Nikolaj begon bang te worden.
Toen ze weer in de gang kwamen, bleef Florinda staan om rond te kijken. Ineens bukte ze en pakte iets van de vloer. Ze hield haar hand voor Nikolaj. Er lag een grote oorbel met bengelende kralen in. Precies zo een als Anna in haar oren had gehad.
'Hier klopt iets niet,' zei Florinda. Het was een nauwelijks hoorbaar gefluister.
'Ik... ik denk dat ze is ontvoerd,' fluisterde Nikolaj terug.

Maxim Sverd zat met zijn hoofd in zijn handen toen zijn assistent om twaalf uur binnenkwam.
'Hallo?' zei een voorzichtige, verbaasde stem vanuit de winkel.
'Ja, ik ben hierbinnen,' zei Maxim. Hij begreep niet dat hij daar zo lang had gezeten zonder iets te doen. Zijn lichte hoofdpijn was erger geworden en zijn schouders deden pijn.
De assistent kwam binnen. 'Is er iets?' vroeg hij bezorgd.
'Nee hoor.'
'Maar u hebt de winkel nog helemaal niet opengedaan...'
'Nee... ik had de hele morgen zoveel te doen, en bovendien was ik een beetje laat.'
Hij ontweek de blik van zijn assistent terwijl hij dat zei.

Ik kan niet eens overtuigend liegen, dacht hij verbitterd. Hardop zei hij: 'Doe jij de winkel maar open. Ik ga zo weg, want ik moet een paar belangrijke dingen doen in de stad. Ik probeer voor sluitingstijd terug te zijn.'
Toen de assistent zich omdraaide om weg te gaan, voegde Maxim eraantoe: 'En wil je de deur alsjeblieft dichtdoen.'
Hij wachtte tot hij er zeker van was dat zijn assistent terug was gegaan naar de winkel. Toen pakte hij de telefoon en draaide het nummer van de Hauptbank in Basel, in Zwitserland. Hij vroeg of hij de directeur, Hans Walter Schneider, die hij persoonlijk kende, kon spreken. Het duurde even voordat hij de vriendelijke stem van de directeur hoorde.
Maxim vroeg of hij een overzicht toegestuurd kon krijgen van wat hij op zijn drie rekeningen had staan. Hij wilde het bedrag ook graag meteen telefonisch horen. Daar zou Schneider wel voor zorgen, omdat ze elkaar kenden.
Schneider vroeg of hij de bank een kwartiertje wilde geven om terug te bellen, als dat niet te lastig was. Dat was niet lastig, antwoordde Maxim en hij zei dat hij best zelf wilde bellen, maar Schneider stond erop dat híj zou terugbellen. Dus dat spraken ze af.
Precies vijftien lange minuten later, ging de telefoon. Maxim pakte hem op voordat het eerste belsignaal was verstomd. Het was Schneider en hij kon meneer Sverd mededelen dat er bij elkaar twintig miljoen Zwitserse franc op zijn vier rekeningen stond.
Maxim werd duizelig en hij vroeg zich af of hij het wel goed had gehoord. Schneider bevestigde het bedrag van twintig miljoen en zei dat Maxim per omgaande een afschrift toegestuurd zou krijgen.
Verdwaasd hing Maxim op, zonder afscheid te nemen.
Twintig miljoen Zwitserse franc...
Twintig miljoen Zwitserse franc???
Dat kon niet kloppen – het kon niet meer dan ongeveer vijf mil-

joen zijn. En wat had Schneider ook alweer gezegd? Vier rekeningen? *Vier?*
Maar hij, Maxim Sverd, had er maar drie, dat wist hij heel zeker.

Lydia Sverd reed direct naar huis. Ze kon het niet opbrengen om langs haar geheime kantoor te gaan zoals ze eerst van plan was geweest. Voor het huis bleef ze een poos in haar auto zitten en ze keek hoe de sneeuw op haar voorruit viel. Straks zie ik niets meer, dacht ze en dat maakte haar bang. Ze stapte de auto uit en moest tegen de deur leunen toen ze hem had dichtgedaan. Het duizelde in haar hoofd.
'Dag mevrouw Sverd,' hoorde ze iemand roepen.
Ze hoorde niet wie het was en ze wist ook niet zeker of ze antwoord gaf. Ze wankelde het grindpad over. Je zag de steentjes als donkere schaduwen door de sneeuw heen komen. Ze liet de deur zachtjes achter zich dichtvallen en meteen voelde ze de stilte in het huis. Misschien was ze er nog nooit eerder alleen geweest? Ze wist het niet zeker.
De hal was groot. Dat had ze eigenlijk nog nooit eerder gezien. Het telefoontafeltje en de rococo-meubels bij de trap waren ontzettend lelijk. Ze had ze zelf uitgezocht. Er stond een grote lege bloemenvaas op de grond bij de eetkamer. Hadden daar weleens bloemen of grashalmen in gezeten?
Ze rook. Niets. Het rook hier naar niets. Niet naar koffie of gebakken eieren vanuit de keuken, niet naar sigarenrook vanuit de studeerkamer, niet naar bloemen vanuit de woonkamer. Niets. Lydia rilde. Als kind had ze door de bloemenwei gerend. Of was dat gewoon een beeld dat ze in zoveel reclamefilmpjes had gezien...
Ze liep de trap op, recht naar haar kamer en toen door naar de garderobekamer, een iets kleinere kamer ernaast. Ze deed de deuren van de kledingkasten open en bekeek alle kleren die daar hingen, dicht op elkaar aan gelijke hangertjes. Ik moet met de voor-

bereidingen beginnen, dacht ze, ik kan over veertien dagen vertrekken. De kleren begonnen ineens wazig te worden en haar keel deed pijn. Wat zal ik meenemen? Misschien kan ik wel helemaal niets meenemen. Helemaal opnieuw beginnen. Alleen. In een vreemd land.

Ze liet zich op het bed vallen. Ze kon het trillen niet meer stoppen, haar hele lijf schokte ervan. Dus dit is het nou, moeder, dacht ze, en jij hebt me niet gewaarschuwd. Maar je hebt er waarschijnlijk niet over nagedacht... waar dacht jij eigenlijk wel over na? Wat weet ik van jou, behalve het geschreeuw, het gehuil en de ruzies met pappa? Niet zo veel.

Lydia stond op. Ik moet een paar koffers meenemen. Ik moet wat beginnen te pakken. Ik *moet* iets meenemen. Ze ging naar de zolder en nam twee van haar koffers mee naar beneden. Ze legde ze op het bed en deed ze allebei open. Toen die holle ruimtes haar aanstaarden, begon ze weer te trillen.

'Nee!' zei ze. Ze draaide zich om en liep de galerij op.

De deur van Nikolaj's kamer stond open. 'De deur moet dicht, je moet alles netjes houden, Nikolaj,' zei ze hardop terwijl ze met vaste stappen verder liep. Voorzichtig keek ze zijn kamer in; ze kon de deur niet dichtdoen.

De kamer was leeg. Hij was natuurlijk op school. Ze kon Nikolaj niet voor zich zien in de kamer, niet op het bed, niet achter het bureau en niet op de stoel onder de leeslamp. Lydia luisterde naar het huis, naar de trap, naar de hal. Nergens hoorde ze zijn voetstappen of zijn stem. Wat is dit? dacht ze angstig. Het is net of hij hier niet is...

Deze keer kon ze haar tranen niet inhouden en een vage herinnering verscheen voor haar ogen: Haar vader tilde haar hoog op. Het gaf een gek gevoel in haar buik, maar hoewel ze gilde was het heel veilig; ze gilde van plezier.

Nikolaj en Florinda zaten ieder aan een kant van de keukentafel en dronken weer thee. In de taxi naar huis hadden ze niets gezegd. Ze wisten niet wat ze moesten doen. Thee helpt altijd, had Florinda gezegd.
Ze keek uit het raam. Het was net begonnen te schemeren. Er lag een zwaar, donker wolkendek over de hemel. De langsjagende sneeuw lichtte een beetje op. Ze huiverde. Stel je voor dat de maan nooit meer terugkomt, dacht ze. Toen keek ze naar Nikolaj. Ze voelde hoe veel ze van hem hield.
Verbaasd hoorde Nikolaj haar zeggen: 'Ik moet gauw een samowar kopen. Weet je wat dat is, Nikolaj?'
Hij schudde zijn hoofd.
'Dat is een theezet-apparaat uit mijn vaderland. Het... ik kan het eigenlijk niet beschrijven. Je moet het zien – ik zal je eens een plaatje laten zien.'
Ze vouwde haar handen om haar theemok, sloeg haar ogen neer en vertelde: 'Maxim haat mij en dat begrijp ik best. Ik weet nog hoe verdrietig hij was die dag dat hij hier weg moest om bij vreemde mensen te gaan wonen. Hij was acht en ik was niet lief voor hem geweest. Nee, ik sloeg hem niet of zo, maar ik kon hem niet... bij me in de buurt verdragen. Ik nam hem nooit op schoot, aaide hem nooit over zijn bol of over zijn wang, las hem nooit voor en zong nooit voor hem. Ik was hier alleen maar en maakte zijn eten klaar en zorgde voor zijn kleren en ik was thuis als hij kwam. Ik heb het wel geprobeerd, o wat heb ik het geprobeerd, maar het lukte niet. Elke keer dat mijn hand naar hem toeging, zag ik Idun voor me. Als ik hem wilde voorlezen, herinnerde ik me Iduns verwachtingsvolle blik. En dat deed zo verschrikkelijk veel pijn... Ik heb dit nog nooit aan Maxim verteld.'
Ze pakte haar mok en nipte er geluidloos aan.
Ze keek uit het raam en ging toen verder: 'Thuis aan de oever van het Ladogameer zong alles voor mij. De wind, de regen, de

sneeuw, de golven op het meer als het stormde, het geluid van roeispanen in rustig water, zelfs de weerspiegeling van de maan in het meer had op sommige avonden in augustus een melodie in zijn lichte rimpeling. Mijn vader en moeder zongen allebei en ze lazen me allebei voor en ik mocht op hun schoot zitten. Vooral mijn moeder vertelde veel over vroeger, toen zij nog een kind was, over verre familieleden uit Mongolië en over geheimzinnige krachten. Ze kon zelf met haar gedachten dingen verplaatsen en ze kon ervoor zorgen dat mensen beter werden door het alleen maar te wensen. Ik heb alles gekregen wat ik Maxim niet kon geven...'

'Je hebt nog nooit over vroeger verteld, over toen je klein was,' zei Nikolaj zacht.

'Nee...,' zei ze, 'ik heb nog nooit over vroeger verteld, toen ik klein was...'

'Ik...,' Nikolaj vond het moeilijk om verder te gaan.

Ineens keek Florinda hem aan en haar ogen hielpen hem. 'Ik denk dat mijn vader en moeder niet zo erg van me houden,' zei hij. Eigenlijk had hij willen zeggen dat ze haast nooit thuis waren. Hij schrok een beetje toen hij hoorde wat hij eigenlijk zei. Florinda zag dat zijn ogen angstig stonden en zich vulden met tranen. Ze zei niets, maar ze nam een slokje thee en keek voorzichtig naar hem van over de rand van haar mok.

Nikolaj zei niets meer. Hij had al te veel gezegd.

'Ik ben bang dat ze genoeg aan zichzelf hebben,' zei Florinda. 'Net als ik toen Maxim hier woonde.'

'Hoe zal het verdergaan, denk je?' zei Nikolaj.

'Dat weet niemand,' zei Florinda, 'we kunnen alleen maar ons best doen.'

Ze dronken hun thee in stilte. Toen zei Nikolaj: 'Denk jij dat we de juwelen vinden?'

Florinda zuchtte alleen maar.

'Weet je zeker dat ze hier niet zijn?'
'Nee,' zei Florinda, 'ik weet niets meer zeker. Ik ben wel bij de tsaar geweest, maar toen was ik pas acht en ik kan geen juwelen hebben gekregen. Ik was samen met mijn vader en ik kan me ook niet herinneren dat hij iets heeft gekregen.'
'Weet je nog wat er gebeurde?'
Florinda zuchtte weer. 'Nee, niet alles. Ik wil wel proberen om het te vertellen, misschien herinner ik me dan meer.'
Nikolaj knikte en Florinda schonk nog wat thee in voor ze begon: 'Ik mocht een paar dagen met mijn vader mee naar St. Petersburg. Daar woonde de tsaar. Ik kan me niet meer herinneren wat mijn vader daar moest doen, misschien was er een bijeenkomst voor artsen.
Ik weet nog dat ik me er ontzettend op verheugde. Het was vroeg in de zomer, het was warm en mooi weer. Ik had een nieuwe witte jurk gekregen en zwarte schoenen en een nieuwe strik in mijn haar.
In St. Petersburg kwam mijn vader een andere arts tegen, iemand die hij van vroeger kende. Die man was ontzettend blij om mijn vader weer te zien. Ik herinner me nog dat hij me zo hard over mijn hoofd aaide, dat het pijn deed. Hoe heette hij nou ook alweer... Bot... Botkin, hij was de arts van tsaar Nikolaj de tweede. Hij vertelde dat een van de dochters van de tsaar, Anastasia, ziek was. Ze had hoge koorts en die wilde maar niet overgaan. Niets dat Botkin deed, kon de koorts laten verdwijnen. 's Morgens was hij wat gezakt, maar 's avonds kwam hij weer terug. Hij vroeg of mijn vader niet eens naar haar wilde komen kijken. Hij besprak het eerst met de tsaar en die vond het goed.
Ik herinner me nog dat we de trein namen naar Tsarskoe Selo, even buiten de stad. Daar woonden de tsaar en zijn familie meestal. We liepen vanaf het station door een brede straat die recht naar de hekken van het paleis leidde. Achteraf vertelden ze ons

dat we met een rijtuig gehaald hadden zullen worden, maar we hadden een trein eerder genomen.
Even kijken... eh ja, voor het hek reden soldaten met zwarte bontmutsen heen en weer. Mijn vader sprak met iemand en toen mochten we het hek binnen. Ik herinner me nog dat het naar seringen rook en het leek wel of ik overal lichtpaarse en witte seringen zag. Ze hingen als grote, zwevende wolken om ons heen.
Er kwamen een paar mensen op pony's aan rijden over een pad tussen de seringen en ik zag een stukje water glinsteren. Het was net alsof je in een sprookjestuin was. Tussen de groene bladeren stonden onbeweeglijke mensen. Mijn vader zei dat dat standbeelden waren... Ik weet het niet meer precies... maar we gingen enorm grote kamers binnen... ik had nog nooit eerder zoiets gezien en ik heb later ook nooit meer zoiets gezien. Ik herinner me nog dat ik dacht dat het een droom was, want er waren overal zo veel vreemde dingen te zien. Vooral mensen met rare kleren... en ergens stonden een paar mannen met een zwarte huid. Ik dacht dat die geverfd waren, want het was de eerst keer dat ik donkere mensen zag. Ze stonden waarschijnlijk op wacht voor de vertrekken van de tsarina... we gingen een paar trappen op... o, ja, Botkin kwam ons beneden tegemoet en bracht ons daar waar we naartoe moesten... we gingen een halfdonkere kamer binnen waar twee smalle bedden stonden. In het ene lag een klein meisje met donker haar en grote blauwe ogen. Ze lag zachtjes te jammeren weet ik nog, en het leek wel of ze het koud had onder de dekens hoewel het binnen warm was en buiten de vroege zomerzon scheen... Mijn vader en Botkin liepen naar het bed. Ik hoorde ze mompelen, maar ik verstond niet wat ze zeiden... ik stond daar wat rond te kijken... en toen ontdekte ik wat speelgoed op een tafel... ik liep naar de tafel en...'
Plotseling stopte ze.
'Wat is er?' vroeg Nikolaj die gespannen had zitten luisteren.

‘Ik... ik weet het niet,’ fluisterde Florinda, ‘maar ik werd ineens heel erg bang, alsof ik iets gevaarlijks zag...’
Ze stopte weer.
‘Maar je vader dan, en Anas... Anast...’
‘Anastasia, ja... We kwamen de volgende dag weer. Mijn vader had geloof ik tegen Botkin gezegd dat hij thee voor haar moest maken van wat kruiden die hij van het platteland kende. Zijn grootmoeder had hem verteld dat die koortsverlagend werkten. Mijn vader zei dat Botkin niet erg overtuigd leek, maar dat hij alles wilde proberen om de dochter van de tsaar beter te maken... de dag erna was de koorts bijna helemaal verdwenen, en dat binnen vierentwintig uur... Die keer ontmoette mijn vader de tsaar. Hij kwam ons tegemoet op de trap om hem te bedanken... en toen namen we de trein terug naar St. Petersburg en de dag erna gingen we naar huis.’
‘En je kunt je geen juwelen herinneren?’
‘Nee, niets.’
‘Waarom werd je bang toen je bij het speelgoed stond?’
Florinda schudde haar hoofd. ‘Ik weet het niet. Ik herinner me ook niet wat voor speelgoed het was. O ja, een pop, nee er lagen twee poppen... en een spel, een bordspel met stukken... maar... meer, nee het wil nu in elk geval niet komen.’
‘Wat gek,’ zei Nikolaj.
‘Ja,’ zei Florinda.
‘Ik ben een beetje bang voor al die vreemde wezens die ik steeds zie,’ zei Nikolaj.
‘De volgende keer dat je een van die gedaantes tegenkomt,’ zei Florinda, ‘moet je proberen te luisteren wat ze tegen je willen zeggen. Het is niet zeker dat die engel of dat zwarte wezen, zoals jij het noemt, gevaarlijk zijn. Misschien ben je alleen geschrokken omdat je niet geloofde wat je zag. Er zijn waarschijnlijk ook niet zoveel mensen die weleens een engel hebben gezien.’

Nikolaj keek haar een beetje onzeker aan. 'Ik zal het proberen,' zei hij, 'maar ik weet niet of ik het durf.'
Florinda knikte. 'Ik begrijp het,' zei ze.
'Wat doen we met Vladimir?' zei ze. 'En Anna?'
Ze wisten het niet.

Maxim Sverd zwierf wat rond door de stad, zonder iets te doen. Eerst was hij alleen maar verbaasd over dat enorme geldbedrag in Zwitserland, maar toen begon hij zich steeds ongemakkelijker te voelen.
Toen hij in het Theatercafé een kop uiensoep zat te eten en een biertje dronk, besloot hij meteen terug te gaan naar de zaak en de bank nog eens te bellen. Maxim zag de verwonderde blik van zijn assistent, toen hij tegen hem zei dat hij de rest van de dag vrij mocht nemen. Het leek of hij iets wilde zeggen, maar Maxim keek hem streng aan en hij zweeg.
Toen de assistent goed en wel de winkel uit was, deed hij de deur op slot en hing er een bordje aan waarop stond: GESLOTEN VOOR DE REST VAN DE DAG. Zijn hand trilde een beetje toen hij opnieuw naar Basel belde. Hij werd snel doorverbonden met Schneider.
'Sorry dat ik u weer stoor,' zei Maxim, 'maar dat bedrag dat u noemde klopt volgens mij niet helemaal.'
'Niet?' zei Schneider bezorgd. 'Had het meer moeten zijn? Hebben wij een fout gemaakt...'
'Nee, nee... maar zei u ook niet dat dit het bedrag van vier rekeningen was?'
'Ja, dat klopt.'
'Dat kan niet kloppen, want ik heb maar drie rekeningen bij uw bank,' zei Maxim.
De directeur was even stil. Toen zei hij: 'Weet u dat zeker?'
'Ja, dat zou je toch wel denken,' antwoordde Maxim een beetje beledigd.

'Wel, wel,' zei meneer Schneider vlug, 'ik zal dit meteen natrekken en dan bel ik u binnen vijftien minuten terug. Zullen we het zo afspreken?'
'Ja, dat is goed,' antwoordde Maxim.
Er ging een half uur voorbij voordat de bank terugbelde.
'Het spijt mij ontzettend,' zei Schneider, 'maar er is hier een vergissing gemaakt.'
'Ja, dat denk ik ook, want ik heb maar drie rekeningen.'
'Nee, dat is niet helemaal waar... maar... ik weet niet hoe ik dit moet zeggen... moet uitleggen... zonder meer te zeggen dan ik mag...
Maar aangezien u al zo veel weet, kan ik u wel vertellen dat u vier rekeningen hebt bij onze bank... aan de vierde is echter een clausule verbonden.'
'Een clausule?' zei Maxim dof.
'Ja,' zei de directeur, 'een clausule. Er staat in de papieren dat deze vierde rekening in geen geval mag worden genoemd als u inlichtingen over uw rekeningen vraagt. De vierde rekening moet geheim worden gehouden... ook voor u.'
'Ook voor mij?' Maxim schreeuwde bijna. 'Waarom zou ik in godsnaam mijn eigen rekening geheim willen houden voor mezelf. Kunt u mij dat vertellen?'
'Nee, meneer Sverd.'
'Dus dan is het een groot misverstand.'
'Nee, meneer Sverd.'
'Wat zegt u? Heb ik werkelijk vier rekeningen?' Zijn stem sloeg bijna over.
'Ja, meneer Sverd.'
'U bent gek!!'
'Nee, meneer Sverd.'
'Als u niet onmiddellijk toegeeft dat u een fout heeft gemaakt, haal ik nu meteen mijn geld van uw bank af.'

'Juist, meneer Sverd,' zei de directeur met een zucht, 'dan bied ik u namens de bank onze verontschuldigingen aan dat wij een fout hebben gemaakt.'
Maxim hing nog eens op zonder afscheid te nemen.
Toen hij thuiskwam, was hij moe en in de war. Het was moeilijk geweest om de stad door te komen. De middag was zo donker alsof het nacht was, en welke kant hij ook op reed, de sneeuw bleef tegen zijn voorruit aan jagen. Zijn ogen begonnen te tranen. Zijn schoenen zakten een heel eind weg in de sneeuw op het grindpad. Hij huiverde even, want hij vreesde dat het een lange winter zou worden.
'Lydia,' riep hij toen hij binnenkwam, maar er kwam geen antwoord.
Maxim probeerde zijn ergernis te onderdrukken, want hij was ondanks alles eerder thuis dan normaal. Hij wierp een snelle blik op de rommel in zijn studeerkamer, voordat hij de deur nadrukkelijk dichtdeed. Hij rende half de trap op, keek vlug naar binnen in Lydia's kamer en wilde alweer verdergaan, maar bleef toen stilstaan en keek nog eens.
Niet begrijpend staarde hij naar de twee open koffers op het bed. Zou Lydia ergens naartoe gaan? Hij kon zich niet herinneren dat ze dat had gezegd. Hij moest zich vasthouden aan de deurpost. Ze gaat bij me weg, dacht hij. Maar waaro...
Op dat moment ging de telefoon. Hij kon het niet opbrengen om hem in Lydia's kamer op te nemen, met de twee lege koffers voor zijn neus. Daarom liep hij snel naar zijn eigen kamer.
'Ja? Met Sverd,' zei hij. 'Jij? Maar we zouden elkaar toch niet thuis bellen, want dan kan iederee... wat zeg je, is er iets gebeurd? Bij jou? Ben je gek... ja, ja, ik hoor je wel, het is ernstig... Wat? Heb je hem daar? Ben je niet helemaal goed bij je hoofd – je mag nooit je eigen huis voor zulke dingen gebruiken... in de gaten gehouden? – hier ook? Zo zo... ja eh, ja, ja, ik kom, maar ik kan niet

voor zeven uur, nee, dat gaat niet. Ja, ik weet dat jij op de Vangsweg woont, maar welk nummer was het ook alweer, 16? Goed. Nee, het is niet goed, maar ik kom wel... en verder heb je niets gehoord? Nee, dat zal wel niet.'
Maxim hing op. In de gaten gehouden. Iemand bespioneerde hun huis. Ineens leek het wel of hij vreemde geluiden hoorde in het huis, geluiden die hij niet kon plaatsen.
Toen hij weer naar beneden liep, verwachtte hij dat er een man met een hoed en een lange jas en een pistool in zijn hand vanonder de trap te voorschijn zou komen. Hij dacht aan het dreigement op het bandje vanmorgen. Maar de geheimzinnige man had vandaag niets meer van zich laten horen. Maxim had het gevoel dat hij niet nóg meer verrassende, angstaanjagende of onverklaarbare dingen aan zou kunnen. En hij was nog helemaal niets te weten gekomen over de juwelen van de tsaar.
Hij ontdekte een briefje op het telefoontafeltje. Dat was Lydia's handschrift. Ze is echt weg, was het eerste wat hij dacht toen hij het papiertje oppakte. Hij las:
Geen familiebijeenkomst vandaag. Dieter kan niet uit Parijs komen en Patrick heeft belangrijke zaken. Ellen belde. Groetjes Lydia.
'Kan niet komen...' mompelde Maxim, 'belangrijke zaken.' Ze nemen niet eens de moeite om te vragen waar het over gaat. Zelfs van mijn naasten valt geen hulp te verwachten! Maxim keek een beetje hulpeloos om zich heen, haalde zijn schouders op en begon naar de voordeur te lopen. Toen bleef hij staan en draaide zich om.
'Nikolaj?' riep hij zacht, maar die gaf ook geen antwoord.
Maxim ging naar buiten zonder eigenlijk te weten wat hij tot zeven uur moest doen. Maar hij wist ook niet wat hij binnen moest.

Lydia Sverd reed zo vlug ze kon door de sneeuw in de langzamerhand behoorlijk glad wordende straten. De autobanden persten

de sneeuw op elkaar in gaten en kuilen en door de wrijving werd het ijs.
Ze had haar pruik, sjaal en bril weer op en was op weg naar Vettakollen. Ze kneep haar lippen stevig op elkaar. Haar handen omklemden het stuur. Ze probeerde zich te concentreren op het rijden, het verkeer, de weg en de vallende sneeuw. Ze merkte dat haar rechter koplamp minder fel scheen dan de andere.
Het donker in de auto was niet zo heel erg donker, maar ze voelde dat het haar bekroop. Ze was niet meer bang geweest voor het donker sinds ze een klein meisje was. Elke keer dat ze haar ogen dichtdeed, zag ze de twee open koffers op het bed.
Ik kan het niet, dacht ze, maar ik moet. Ze wilde niet denken en boog zich naar voren om dichter bij het stuur en de weg te zijn.
Plotseling dook er een voetganger op, vlak bij haar zijraampje. Ze had hem niet eens gezien. Toch ging ze niet langzamer rijden, maar ze was wel geschrokken.
Ze parkeerde de auto op dezelfde plek als eerder die dag en waadde door de sneeuw naar de villa, waar een warm licht uit de ramen scheen. Ik wou dat wij ook zulke ramen hadden, dacht ze een beetje verdrietig en ze ging sneller lopen. Ze moest haar hoofd omlaag houden tegen de wind en de sneeuw.
Bij het tuinhek aarzelde ze even. Ze ontdekte een brievenbus, aarzelde nog even, maar toen liet ze er een plastic tasje met juwelen in vallen. Ik ben gek dat ik dit doe, dacht ze, zo'n makkelijke buit. Maar toen bedacht ze weer hoe ze zich had gevoeld toen ze alleen thuis was. Ze had zich verlaten gevoeld. En binnenkort zou ze nog eenzamer worden. 'Het moet lukken!'
Ze reed naar het centrum en parkeerde in de buurt van Maxims zaak. Ze zag meteen dat hij dicht was en dat er niemand was. Vreemd. Het was pas half vijf. Ze werd een beetje ongerust en vroeg zich af of er iets gebeurd was.
Voor de zekerheid klopte ze aan. Toen bedacht ze dat ze haar

pruik, haar sjaal en haar bril nog op had en deed ze vlug af, voor het geval Maxim er toch zou zijn. Hij was er niet. Ze liep achterom, deed de deur open en begon het kantoor te doorzoeken. Ze deed het grondig en begon met de kasten die tegen de ene muur stonden. Eerst was ze voorzichtig. Ze wilde niet dat Maxim zou merken dat iemand het kantoor had doorzocht. Maar ze raakte steeds geïrriteerder, want ze vond geen diamanten of een aanwijzing waar ze zouden kunnen zijn.
Lydia werd niets wijzer van alle lades, planken en kasten en ze werd steeds bozer en wilder. Uiteindelijk knapte er iets in haar en ze begon het kantoor ondersteboven te halen. Papieren vlogen in het rond, de lamp viel om en de telefoon belandde op de grond. Ze trok de lades open en haalde alle ordners en dossiermappen eruit. De vloer rond haar voeten lag vol.
Ze vond niets.
Daarna verhuisde ze naar de winkel en ging daar volgens dezelfde methode verder. Ze trok lades uit, leegde kasten, klopte op de meubels om holle ruimtes te vinden en schopte de achterkant van twee kasten aan stukken omdat ze ze verdacht vond klinken.
Ze trok de stellingkasten van de muren, brak de stelen van exotische vegers en gooide aardewerken kruiken en mooie keramieken voorwerpen aan stukken. Lydia raakte er steeds meer van overtuigd dat Maxim haar te slim af was, dat hij zijn eigen vertrek voorbereidde, dat hij bij haar en Nikolaj zou weggaan, zodat zij verlaten en bedrogen achter zouden blijven.
Maar ze zou hem voor zijn. Ze wist heel zeker dat hij ergens een voorraadje diamanten voor zichzelf had verborgen en ze zou niet opgeven voor ze die had gevonden.
Na twee uur had ze nog geen enkele diamant gevonden en de winkel zag eruit alsof hij door een natuurramp was getroffen. Overal lag kapot keramiek, tere houten figuurtjes waren in tweeën gebroken, figuren van steviger hout hadden barsten in

koppen, gebroken snavels, kapotte geweien en versplinterde poten. Er hing een dichte wolk van aardewerkgruis en houtsplinters. Toen er nergens meer een plek was waar ze kon zoeken, zag ze de steen die tussen de papieren en een asbak op de grond lag te glinsteren. Ze pakte hem op. Het was een diamant. Ze begon te huilen, van teleurstelling, van woede en wanhoop. Het lukt me nooit, dacht ze, ik kom hier nooit weg. Ik heb niet eens genoeg geld om me de rest van mijn leven te kunnen redden in een vreemd land.

Nikolaj was net thuisgekomen van Florinda en zat op zijn kamer, toen zijn vader binnenkwam en twee keer 'Lydia' riep. Nikolaj wist dat zijn vader hem niet zou roepen, en toch hoopte hij het. Toen kwam zijn vader de trap op. Nikolaj hield zijn adem in, klaar om onder zijn bed te kruipen als hij zou binnenkomen.
Zijn vader bleef staan en het was een hele tijd stil. Toen ging de telefoon. Na een tijdje werd hij opgenomen en Nikolaj waagde zich de galerij op, bijna totaan zijn vaders kamer. Dat was gevaarlijk. Zodra het gesprek was afgelopen, zou hij zijn moeders kamer binnenglippen. Hij was geschrokken van de twee open koffers, maar het was de enige plek waar hij redelijk veilig zou zijn.
Hij hoorde zijn vaders stem heel duidelijk, maar hij begreep niet waar het over ging of met wie hij sprak. In elk geval ving hij op dat er om zeven uur iets bijzonders zou gebeuren op Vangsweg 16 en daar zou Nikolaj ook bij zijn.
Toen glipte hij zijn moeders kamer binnen. Meer hoefde hij niet te horen. Hij ontweek de koffers met zijn blik. Zijn moeder had toch helemaal niet gezegd dat ze op reis ging?
Zijn vader liep de trap af.
'Nikolaj?' zei hij plotseling. Nikolaj drukte zich dichter tegen de muur aan. Hij had een brok in zijn keel en kon onmogelijk antwoord geven. Toen viel de deur dicht achter zijn vader.

Een uur later verliet Nikolaj het huis. Op de stoep bleef hij staan. De sneeuw viel nog schuiner naar beneden uit wolken die je in het donker niet kon zien en de grond was wit geworden. Het was harder gaan waaien. De wind ging met een ratelend geluid door de bevroren takken en floot langs de kronkelige kale boomtoppen. Af en toe kwamen er zulke dichte wolken sneeuw voorbij dat de ramen aan de overkant van de straat lokkende lantaarns in de verte leken.
Nikolaj wist waar de Vangsweg was. Ongeveer halverwege zijn huis en Florinda. Als hij doorliep, zou hij er binnen een kwartier kunnen zijn. Nikolaj zag het figuurtje dat hem tegemoet kwam niet voordat ze bijna tegen elkaar op botsten.
'Hé,' zei hij en wilde opzijspringen, maar hij gleed uit in de verse sneeuw en viel.
'Heb je je bezeerd?' vroeg het figuurtje met een meisjesstem. Ze boog zich voorover. Nikolaj keek op. Ze had een wollen muts diep over haar voorhoofd getrokken, donker haar stak onder de rand uit. Haar gezicht was nat van de sneeuw maar het leek wel of hij sproetjes zag in het licht van de lantaarn.
'Nee hoor,' zei hij, 'maar...'
Hij zweeg. Die stem – die had hij eerder gehoord – het was het geheimzinnige meisje van de telefoon – en de poort.
'Ik weet wie je bent,' zei hij terwijl hij weer opstond. Ze was net zo groot als hij. Ze knikte bij wijze van antwoord.
'Wie ben je eigenlijk?'
'Ik heet Terry – nee, ik heet Terese, maar iedereen zegt Terry. En jij bent Nikolaj.'
'Hoe weet je dat?'
'Dat kan ik nu niet vertellen, maar ik *moet* met je praten. Ik heb hier uren staan wachten. Ik dacht dat je nooit naar buiten zou komen.'
'Ik ben een tijd van huis geweest,' antwoordde Nikolaj.

'Ik ben hiernaartoe gekomen, omdat ik je niet kan opbellen. En mijn broer is me niet gevol...'

Ze zweeg, en keek hem een beetje angstig aan. Nikolaj begreep niet waarom ze zo angstig keek.

Hij begon het koud te krijgen. 'Ik moet verder, ik heb het druk,' zei hij. 'Ik heb nu geen tijd om met je te praten.'

Ze greep hem bij zijn arm. 'Maar ik *moet* met je praten. Ik moet *echt* met je praten. Het... het gaat over de juwelen van de tsaar.'

'De juwelen van de tsaar?' Nikolaj's stem klonk ineens een stuk hoger. 'Goh, weet jij daar iets vanaf?'

Ze knikte en schudde tegelijk met haar hoofd. 'Dat... dat weet ik niet – ik weet alleen dat er iets is dat zo heet – en dat jij er iets mee te maken hebt.'

Nikolaj keek haar zwijgend en bang aan. Hij dacht aan zijn vader die een geheime afspraak had waar hij het fijne van moest weten. Er ging steeds meer tijd voorbij, het was bijna zeven uur en hij wilde er om zeven uur zijn. Maar nou kwam zij met de juwelen van de tsaar aanzetten. Op dit moment had hij geen tijd om naar haar te luisteren, maar hij zou eigenlijk...

'Ik moet nu iets anders doen – iets belangrijks dat niet kan wachten.'

'Heel even maar,' smeekte ze.

'Het is bijna zeven uur en dan moet ik er echt zijn.'

Nikolaj aarzelde hevig, maar hij vond dat hij toch maar voor zijn vader moest kiezen.

'Kan ik niet met je meelopen? Misschien kan ik het onderweg vertellen.'

Maar dat deed ze niet. De wind en de sneeuw, de mutsen over hun oren en de gladde trottoirs maakten het bijna onmogelijk om over belangrijke dingen te praten en ernaar te luisteren.

Nummer 16 was een witgeschilderde villa met een tuin met grote, grillig gevormde appelbomen eromheen. De struiken torenden als hoge schaduwen tegen de schemerwitte muren op. Uit een kamer op de eerste verdieping drong een zwak licht naar buiten door een spleet tussen de gordijnen. Verder was het huis donker.

Nikolaj bleef staan.

'Moet je hier zijn?' vroeg Terry vlak achter hem.

'Ja.'

'Wat moet je hier dan doen?'

'Dat weet ik niet precies, maar...'

Hij wilde niet te veel zeggen. Hij kende haar nog niet goed genoeg. Het leek of er niemand thuis was in het huis, maar zijn vader had gezegd dat hij hier nu zou zijn. Aan de sporen voor het hek kon je zien dat er kort geleden nog een auto doorheen was gereden. Misschien de auto van zijn vader?

Nikolaj deed een paar stappen in de richting van het hek maar werd toen tegengehouden door Terry's hand.

'Je moet daar niet door naar binnen gaan. Er zit een alarm op het hek.'

'Hoe weet jij dat?'

'Ik weet het niet zeker, maar ik heb genoeg detectives gelezen om te weten dat het kan,' antwoordde ze. 'Kom, we kunnen veel beter over de schutting klimmen.'

Voordat hij verder kon vragen, begon ze langs de stoep te lopen. Een stukje verderop, in de donkere schaduw van een struik die over de schutting hing, klom ze er gemakkelijk overheen. Hij volgde haar.

Aan de andere kant van de schutting bleven ze even staan om te luisteren. Plotseling bevond hij zich in een vreemde wereld. De wind in de tuin huilde klaaglijker dan erbuiten en de sneeuw was scherper en prikte harder in zijn gezicht.

'Wat moet je hier doen?' vroeg Terry. 'Moet je het huis bespioneren? Of moet je naar binnen zien te komen?'

'Ik moet proberen erachter te komen wat hier gebeurt.'
'Kom op dan,' zei ze. 'Je moet niet recht op het huis af lopen, want je weet nooit of iemand je kan zien.'
Ze begon langs een kronkelige weg naar het huis te lopen; ze sloop van een struik naar een boom en van de boom weer naar een struik. De spleet licht tussen de gordijnen kwam steeds dichterbij. Nikolaj volgde haar.
Na een poosje bleef ze staan en draaide zich naar hem om. 'Als het nu ophoudt met sneeuwen, dan kunnen ze morgen onze voetsporen zien, of vannacht. Heb je daar wel aan gedacht?'
Daar had Nikolaj niet aan gedacht, maar op dit moment kon het hem ook niets schelen. Hij *moest* naar het raam om te kijken. Hij wist zeker dat zijn vader achter de gordijnen in de verlichte kamer was.
Zonder te antwoorden liep hij verder. Hij dacht dat hij een berustende zucht achter zich hoorde, maar dat kon ook de wind in de struiken zijn.
Nikolaj was nog maar een paar meter van het raam vandaan, toen hij gegrom hoorde, dwars door de wind en het donker heen. Vlak voor hem dook opeens een beest op. Het kroop in elkaar. Meteen dacht hij dat het het wezen uit het donker was, maar Terry ging op haar hurken zitten en zei: 'Shhh, Sonny, ik ben het maar,' en ze strekte haar hand uit.
Het gegrom werd zachter. Nikolaj hield zijn adem in, want hij was bang voor honden, vooral voor grote honden. Opeens zag hij dat het een rottweiler was. Dat waren toch honden die mensen konden doden? Hij had genoeg films gezien om dat te kunnen weten.
De hond rende op Terry af en sprong tegen haar op. Nikolaj was bang dat ze werd aangevallen, maar hij hoorde haar zachtjes lachen toen ze op haar rug in de sneeuw viel. De hond ging zelfs over haar heen staan om haar gezicht te likken.

'Shhh, het is goed, Sonny, ik ben het maar met een vriend. Je hoeft niet tegen ons te grommen.'
Ze stond weer op en liep naar Nikolaj toe. 'Kom, Sonny,' zei ze en de hond kwam, 'dit is Nikolaj, zeg eens netjes gedag.' De hond ging zitten en stak een poot uit.
'Je moet hem vastpakken,' fluisterde Terry. Nikolaj pakte de poot en schudde hem alsof het een hand was. Bijna zei hij nog goedenavond ook, hij kon zich nog net inhouden.
'Ken je die hond?' vroeg hij wantrouwig.
'Ik kan goed met honden overweg,' antwoordde ze.
'Maar je wist zijn naam.'
'Misschien heet hij wel heel anders.'
Ze liep verder naar het huis en de hond liep met kleine sprongetjes achter haar aan. Nikolaj kwam als laatste. Er was iets met Terry en Sonny dat niet klopte, dat wist hij zeker.
Ze stonden onder het raam. Het was te hoog om naar binnen te kunnen kijken.
'Wacht even,' zei Terry en ze verdween in het donker met Sonny achter zich aan. Toen ze terugkwam, sleepte ze een ladder achter zich aan.
'Waar heb je die nou weer gevonden?' vroeg Nikolaj verbaasd, terwijl Sonny om de ladder heen huppelde en sprong, want dit was een nieuw spelletje.
'Ik dacht dat er misschien een achter dat terras daar zou liggen,' zei ze. 'Je moet even helpen, want we moeten hem heel zachtjes tegen de muur aan zetten.'
Samen ging dat uitstekend.
Nikolaj wilde naar boven klimmen, maar Terry zei: 'Laat mij eerst maar verkennen.' Voordat hij kon protesteren, stond ze al op de ladder. Sonny stond naast Nikolaj en jankte zachtjes naar haar.
'Stil, Sonny,' zei ze tegen de hond, die meteen stil was en naast Nikolaj ging zitten. Dat beviel hem niets.

Nu was ze bij het raam en ze leunde opzij om naar binnen te kijken. Ze bleef een hele tijd staan. Nikolaj begon zich te ergeren. Hij wilde kijken wat zijn vader aan het doen was.
'Kom naar beneden,' siste hij terwijl hij aan de ladder schudde. Sonny kwam overeind en gromde zachtjes.
Terry klom naar beneden en liet Nikolaj naar boven gaan. Een rug belemmerde zijn zicht.
Toen de rug eindelijk wegging, schoof het gordijn een beetje verder opzij en Nikolaj zag een man op een stoel zitten. Hij schrok zo verschrikkelijk, dat hij bijna de ladder losliet. De man was vastgebonden en had een doek voor zijn ogen. Nikolaj had nog nooit in het echt een gebonden man gezien en hij geloofde zijn ogen niet. Hij moest naar beneden kijken.
'Zie je wat je wilde zien?' fluisterde Terry onder hem, maar hij gaf geen antwoord.
Er waren ook nog twee andere mannen in de kamer, maar Nikolaj wist niet wie dat waren. Degene die met zijn rug naar het raam had gestaan, ging nu bij de deur staan, met zijn gezicht naar de kamer. Toen pas zag Nikolaj dat het zijn vader was. Wat moest die daar in godsnaam? Hij stond met zijn handen in zijn zakken naar de gevangene te kijken.
Misschien gaat hij hem helpen, dacht Nikolaj, maar dat geloofde hij eigenlijk zelf niet, want het leek wel of zijn vader de twee anderen kende. Nikolaj zag dat ze met elkaar praatten, maar hij hoorde niet wat ze zeiden.
Ineens werd er aan de ladder geschud. 'Kom naar beneden,' siste Terry. 'Sonny is net de hoek om gerend; misschien komt er iemand aan. We moeten weg.'
Haar stem klonk zo angstig dat Nikolaj naar beneden gleed en in de vochtige sneeuw belandde. Ze trok hem overeind en sleurde hem mee de tuin door.
'Maar de ladder dan?' zei hij. 'Die zien ze toch?'

‘Wil je liever gepakt worden?’ zei ze over haar schouder. ‘Nu weten ze alleen dat iemand een ladder tegen de muur heeft gezet en misschien naar binnen heeft gekeken, maar ze weten niet wie en ze weten ook niet of ze wat hebben gezien.’
Ze klommen over de schutting en begonnen de straat door te rennen. Ze stopten niet voor ze de eerste hoek om waren.
Daar stonden ze tegenover elkaar in de sneeuw.
‘Ik zag mijn vader daarbinnen,’ zei Nikolaj hijgend. ‘Hij stond bij de deur en hij keek alleen maar naar die man die vastgebonden zat. Hij deed niets om hem te helpen.’
‘Kende je verder nog iemand?’ vroeg Terry met een scherpe klank in haar stem.
Nikolaj schudde zijn hoofd, maar ze begreep het zeker niet, want haar handen schoten naar voren en ze greep hem bij zijn arm. ‘Kende je verder nog iemand?’ schreeuwde ze. Nikolaj liep achteruit, maar ze liet hem niet gaan, zodat hij zich los moest rukken.
‘Nee,’ zei hij, ‘die anderen had ik nog nooit gezien. Maar stel je voor dat mijn vader...’
Terry draaide zich om en liep van hem weg, de straat uit, zonder zich om te draaien. Nikolaj stond haar na te kijken. ‘Hé, waar ga je naartoe?’ riep hij en liep achter haar aan.
‘Naar huis,’ antwoordde ze.
‘Je moest me toch iets vertellen?’
Ze stond stil en draaide zich om. Toen hij haar blik zag, bleef Nikolaj ook staan. ‘Nee, ik ben van gedachten veranderd.’
‘Ja maar je zei dat het belangrijk was.’
‘Ik weet het niet meer.’
Ze draaide zich om en begon weer van hem weg te lopen. ‘Hé,’ riep Nikolaj, maar ze stopte niet. Hij rende achter haar aan. ‘Ik denk dat jij die hond kende en ik denk dat jij wist waar we waren. Ken jij de mensen die in dat huis wonen?’
Plotseling draaide ze zich om, rende naar hem toe, boog haar

hoofd en ramde hem tegen zijn borst, zodat hij wankelde en voor de derde keer in korte tijd viel. Hij bezeerde zich aan de harde stoep.
Ze liep door.
'Waarom deed je dat?' riep hij haar achterna terwijl hij weer overeind kwam.
Ze gaf geen antwoord.
'Ga niet weg. Wacht!' riep hij, maar ze liep gewoon door.
'Verdomme, wacht!' schreeuwde hij. Toen pas stopte ze.
'Mag ik niet met je mee naar huis lopen?' vroeg hij.
'Nee,' zei ze.
'Ik loop toch achter je aan.'
Even aarzelde ze, toen zei ze: 'Nou oké, kom dan maar.'
Zonder te praten liepen ze naast elkaar. Nikolaj wilde haar een heleboel vragen, maar hij deed het niet, want ze zag er opeens zo nors uit.
Voor een vriendelijk gebouw bleef ze staan. Tussen het pand en de straat was een plantsoentje en Nikolaj dacht dat daar 's zomers vast gras groeide en dat er bontgekleurde bloemen langs de muren omhoog zouden klimmen.
'Hier woon ik,' zei ze. 'Je kan niet mee naar binnen, het is al te laat.'
'Kun je niet aanwijzen in welke flat je woont?' zei hij.
Ze keek omhoog naar het huis en wees naar een raam op de derde verdieping aan de linkerkant. 'Dat raam waar een klein beetje licht uit schijnt, dat is mijn kamer,' zei ze.
'O ja.'
Toen stonden ze daar in de sneeuw en de wind die tegen hun wangen striemde. Nikolaj had het koud.
'Ik bel je morgen,' zei ze.
Hij zei niets. Ze liep naar de ingang en ging naar binnen. Ze draaide zich niet om. De deur viel achter haar dicht en weg was

ze. Nikolaj wachtte nog even voordat hij naar de ingang liep en de namen naast de bellen las. B. Strasser stond er bij de derde links. Terry Strasser. Dat wist hij dan ook weer.
Het was bijna elf uur toen hij thuiskwam, veel te laat. Voorzichtig liep hij naar het huis, maar hij zag buiten niemand die aan het spioneren was. Er waren ook geen voetsporen. Toen de voordeur achter hem dichtviel, wist hij dat het huis, zoals altijd als hij thuiskwam, leeg was. In de hal scheen het licht nog hetzelfde als toen hij zo haastig was vertrokken.
'Ben ik alleen hier?' zei hij.
'Ben ik echt alleen hier?' zei hij wat harder.
Hij wrong zich uit zijn donsjack en liet het op de grond vallen. De sneeuw smolt en vormde kleine plasjes naast de jas. Hij voelde zijn nek koud en nat worden.
'Is er iemand thuis?' zei hij, maar zijn stem reikte niet eens tot de trap.
'Is er niemand thuis?' schreeuwde hij.
'Niemand thuis,' klonk het fluisterend van ergens ver in het huis.
Maar ik ben er toch, dacht hij.
Het was al heel laat in de avond. Zijn vader was er nog niet. En waar was zijn moeder? Er was geen boodschap voor hem, niet op het antwoordapparaat en ook niet op de blocnote ernaast. Nikolaj was ontzettend moe. Hij had honger, maar hij was ook misselijk.
Hij ging in de oude leunstoel zitten. Hier blijf ik zitten tot ze komen, dacht hij. Maar algauw stond hij op en ging naar zijn kamer, want hij wist niet wat hij tegen zijn ouders moest zeggen als ze thuiskwamen.

Dai-Chi zat al een hele tijd te wachten toen de vreemdeling eindelijk haastig de tent binnenstapte. De hele dag had hij gehoord dat het onrustig was in het kamp en hij had gemerkt dat er veel meer bewakers waren dan de nacht ervoor.
De vreemdeling liep direct naar zijn stoel en ging zitten. Zoals altijd was er wijn voor hem klaargezet. Maar voordat hij iets zei, stond hij weer op en deed de flap in het tentdak opzij, zodat de maan recht op Dai-Chi's gezicht scheen. Daarna ging hij zitten en zonder dat hij wijn had ingeschonken, zei hij:
'Vertel!'
Dat had Dai-Chi niet verwacht. Hij had gedacht dat de vreemdeling opnieuw beschuldigingen naar zijn hoofd zou slingeren over de steeds groter wordende onrust en angst in het kamp. Hij had misschien opnieuw een discussie verwacht over de keus van het juweel waarover hij moest vertellen. En nu zei de vreemdeling alleen dat ene woord: 'Vertel!'
Dai-Chi keerde zijn gezicht naar de maan, sloot zijn ogen, boog zijn hoofd, haalde diep adem en begon:
'Toen Ankhesenamon en Toetanchamon door het machtige priesterschap min of meer naar Thebe waren verbannen, voelde Ankhesenamon dat het einde van haar leven naderde. Terwijl haar leven eigenlijk nog nauwelijks...'
'Waar bevinden we ons in de tijd?' onderbrak de vreemdeling hem.
'We bevinden ons ongeveer 1350 jaar voor Christus – in jouw

jaartelling,' antwoordde Dai-Chi en hij ging verder alsof hij niet was onderbroken:
'... was begonnen. Ik ben nog zo jong, dacht ze. Zal het leven mij dan helemaal geen vreugde brengen? Bedroefd keek ze naar haar echtgenoot, de jonge Toetanchamon, die langzaam onder het toezicht van het priesterschap in Thebe verkommerde. De priesters zagen eindelijk hun kans om de laatste aanhanger van de foute leer te breken en de ware goden in te voeren.
Ankhesenamon stond bij het raam van het gigantische paleis dat ondanks de afmetingen voelde als een gevangenis. Ze staarde naar het weelderige landschap. Het groen trilde in het hete zonlicht en de bomen en planten leken wel te zweven.
Mijn man is alleen nog in naam een farao en ik ben niets. De priesters hebben alle macht, dacht ze. Ze huiverde, alsof ze het plotseling koud had in het hete zonlicht. "O, Amon, god van de zon, ik wou dat ik mij kon laten strelen door jouw warme handen!" barstte Ankhesenamon uit. Maar Amon zou verboden worden. De eigenlijke heersers, de priesters, waren al begonnen alle herinneringen aan hem uit te wissen.
Ik heb er altijd van gedroomd te kunnen vliegen, zo vrij als een vogel, dacht Ankhesenamon, en Amon was een god die liefde en levensvreugde toonde.
"Toetanchamon?" zei ze, terwijl ze zich omdraaide naar de op een troon lijkende stoel waarop hij zat. Hij keek niet op. Ze herhaalde zijn naam. Hij reageerde nog steeds niet. Ze liep naar hem toe en haar verdriet werd groter bij iedere stap die ze deed. Dit is een gevangenis, dacht ze, het is slechts uitstel van onze dood. "Toetanchamon," zei ze vriendelijk terwijl ze zich naar hem toe boog. Toen pas keek hij op en in zijn blik lag zo'n grote angst, dat ze achteruit deinsde.
Ankhesenamon dacht vaak met smart aan het leven dat ze hadden achtergelaten in de heerlijke stad van Aton. En ze vroeg zich

met afschuw af wat er was gebeurd met hun dertig hazewindhonden en hun grote veestapel. Ze vreesde dat ze de hongerdood waren gestorven.
De dagen gingen voorbij en Ankhesenamon wist niet wat ze doen moest. "Zo wil ik niet leven," hoorde ze zichzelf zeggen. Geschrokken door de klank in haar stem, keek ze achter zich om te zien of ze werd bespioneerd door een van de bewakers van het priesterschap. Maar ze had het opgegeven om daar al te veel aandacht aan te besteden.
Op een dag zag ze een goud met blauwe cobra over de grond voor Toetanchamons troonstoel kronkelen. Ze begon te gillen en Toetanchamon keek op.
"Pas op voor die cobra die naar je toe komt!" gilde ze, maar er was geen slang. De grond was leeg en keurig geveegd.
Hij keek haar rustig aan. "Aha," zei hij, "dus hij komt eraan."
"Wat bedoel je?" zei ze.
"Het is een waarschuwingsteken. Ik ben niet bang voor de cobra. Hij beschermt mij, maar hij is ook een voorbode van mijn dood."
"Maar je bent nog zo jong," zei Ankhesenamon, "en ik ook. We zijn te jong om te sterven. Ons leven is nog niet eens begonnen."
"Je weet net zo goed als ik dat de handen van de zonnegod niet ver genoeg meer reiken om ons te beschermen. Het priesterschap heeft ons in zijn greep."
Toen keerde hij zich van haar af.
Ook de dag daarna zag Ankhesenamon de goud met blauwe cobra over de grond kruipen. Nu wist ze dat het een verschijning was en ze wist haar angstkreet binnen te houden. Ze zag hoe hij naar de troonstoel kronkelde en langs Toetanchamon omhoog kroop. Verstard en stom zag ze hoe hij onder zijn hart in zijn borst verdween. Plotseling schrok Toetanchamon op. Hij tilde zijn hoofd op en keek naar zijn geliefde vrouw. "Je hebt de goud met blauwe cobra weer gezien," zei hij.

"Hoe weet je dat hij goud met blauw is?" fluisterde ze.
"Dat voel ik," zei hij.
Die nacht kon Ankhesenamon niet slapen. Rusteloos dwaalde ze over de koele plavuizen van het paleis. Ze voelde de ogen van de bewakers, maar ze trok zich er niets van aan. Ze deed niets verkeerds, ze konden niet beletten dat ze niet kon slapen.
Tegen middernacht liep ze de tuin in, waar ze werd overweldigd door zoete geuren, een heerlijk briesje en het gezang van de nachtvogels. Even vergat ze het verdriet in haar leven. Ze ging aan de rand van de vijver zitten en genoot van de geuren en de geluiden. Misschien is dit het leven, dacht ze. Misschien zou het zo moeten zijn.
Op dat moment vloog er een vogel over de boomtoppen in de tuin. Ze volgde zijn vlucht en voelde het verlangen in haar hart. Het was een ibis die naar open water vloog, ver buiten de tuin. Haar blik stuitte op de maan die vol en zwaar aan de hemel stond, schuin boven haar. De ibis vloog voor de maan langs.
Overdag schijnt de zon, 's nachts leeft de maan, dacht ze en meteen begonnen de tranen over haar wangen te stromen. Ze had nooit eerder gezien dat de maan zo perfect was en dat hij haar bange ziel verwarmde.
De ochtend daarna werd Ankhesenamon wakker met een onrustig gevoel in haar borst. Ze vloog haar bed uit en haastte zich zonder zich aan te kleden het paleis in. In de troonzaal vond ze Toetanchamon. Hij lag op zijn buik op de vloer met zijn handen voor zich uitgestrekt. Zijn gezicht stond vredig.
Hij was dood.
Ankhesenamon wist dat ze er nooit achter zou komen of hij door zijn eigen hand was gestorven, of door een samenzwering, of dat het een natuurlijke dood was. Aan zijn lichaam was niets te zien, maar vergif laat geen sporen achter aan de buitenkant.
De priesters kwamen al jammerend aangestormd, maar ze hoor-

de ze nauwelijks. De volgende keer is het mijn beurt, dacht ze, maar ze voelde geen behoefte om te vluchten.
Die avond was het verdriet om Toetanchamon nog steeds niet tot haar doorgedrongen. Ze zat op het terras en luisterde naar de klaagzangen en de droevige klank van de instrumenten. Ik ben achttien jaar, dacht ze. Ik ben weduwe. Ik heb geen kinderen. Ik was getrouwd met een farao die een vijand van de priesters is. Ik zal niet lang meer leven. Waarom moest mijn leven zijn zoals het is?
Ze hoorde het geruis van vleugels boven zich en weer zag ze een ibis voor de maan langs vliegen. Haar blik bleef rusten op de maan, die haar zachtjes streelde met zijn licht.
"O, licht van de maan," zei ze zacht, "ik geloof dat jij niet schijnt vanuit het rijk der doden, maar vanuit het leven. Ik wil niet sterven, maar ik weet dat ik moet sterven – heel spoedig, omdat ik de vrouw van de dode farao ben. Maar ik voel me zo levend als jij op me schijnt. Hoe ziet het eruit waar jij opstijgt? Hoe ziet de wereld eruit waar jij ondergaat? Hoe ziet de wereld eruit vanaf de vloeiende boog die jij langs de hemel beschrijft?"
Ze barstte in tranen uit, maar zachtjes in zichzelf zei ze: "Ik heb over zoveel dingen gedroomd, over het leven, maar misschien weet ik niet eens wat het is. Waarom zal ik nooit de kans krijgen om meer van de wereld om mij heen te zien en de mensen om mij heen te leren kennen en me te verheugen op alles wat ik nog niet heb meegemaakt?"
De maan stopte haar tranen en de volgende morgen wist ze wat ze doen moest. Ik moet mijn leven redden, dacht ze. Ze zond een boodschapper naar de machtige vijand Suppiluliuma in het rijk van de Hettieten. Haar boodschap was heel direct: *Mijn man is dood en ik heb geen zonen. Ze zeggen dat u een heleboel volwassen zonen hebt. Als u een van uw zonen naar mij toe wilt laten komen, zou hij mijn echtgenoot kunnen worden.*

Na een tijdje stuurde de koning van de Hettieten een afgevaardigde die meer te weten moest zien te komen over Ankhesenamon. Ze was wanhopig, want ze voelde dat de wereld om haar heen haar wantrouwde en de tijd die ze nog te leven had verstreek. Opnieuw stuurde ze een boodschap waarin ze zei dat de zoon van Suppiluliuma koning van Egypte zou worden. Maar ze voelde zelf dat het al te laat was. De dag dat de koning van de Hettieten besloot een van zijn zonen naar Ankhesenamon te sturen, wist ze dat haar laatste nacht was aangebroken. Morgen ben ik dood, dacht ze terwijl ze op haar bed lag en de maanverlichte nacht in staarde.

Na een poosje stond ze op, sloeg een cape om en liep naar het raam dat uitkeek over de tuin. De maan bescheen haar gezicht.

"Wat moet ik doen?" fluisterde ze. "Ik wil niet sterven. Ik wil meer van de wereld zien, van het leven en van de mensen."

Op dat moment hoorde ze een zacht ritselend geluid achter zich. Ze draaide zich om en zag een goud met blauwe cobra over de grond kruipen. Ankhesenamon voelde geen angst. Komt het einde op die manier? dacht ze en ze voelde zelfs een kalme blijdschap. Dan sterf ik misschien net zoals Toetanchamon. Maar de slang wilde haar geen kwaad doen. Hij bleef voor haar voeten liggen en deed zijn bek open, niet om zijn tong naar buiten te steken, maar om een blauwe edelsteen op de grond voor haar te laten vallen.

Ze boog zich voorover en raapte hem op. Hij glansde blauw als een maanverlichte nachthemel, en was stralend helder als een zonverlichte hemel. De cobra kroop weg. Toen wist ze dat de slang en de prachtige steen van Toetanchamon kwamen.

Ankhesenamon nam de blauwe steen mee naar het raam en de maan liet haar zien hoe mooi hij was. Ze hoorde zachte voetstappen door de gangen van het paleis gaan. Nu komen ze, dacht ze. Ze hield de steen omhoog naar de maan. Haar handen trilden

niet. De maan liet de blauwe kleur opvlammen en die straalde haar steeds krachtiger tegemoet. De voetstappen waren nu vlakbij haar kamer, maar ze draaide haar hoofd niet eens om.
Ineens stond ze niet meer in de kamer. Ze zweefde het raam uit, over de tuin heen. Ze sloeg met haar armen en dat waren vleugels geworden.
Ze bekeek haar blauwzwarte verenkleed en begreep dat ze een ibis was geworden die de boog van de maan boven de aarde kon volgen.
De prachtige steen was ze op weg naar buiten verloren, maar ze dankte Toetanchamon met heel haar hart, omdat hij haar op deze manier het leven had geschonken.'

De legende was uit. Dai-Chi zweeg. De maan gleed net uit de opening in het tentdak. De vreemdeling stond op en liep de tent uit. Hij zei geen woord. Dai-Chi bleef zitten kijken naar het smeulende vuur dat weerspiegelde in het glanzende voorwerp vlak onder het tentdak.
Opeens hoorde hij een rinkelend geluid, als van brekend glas en hij keek verbaasd op. Toen begreep hij dat het een spiegel was die daar om de een of andere reden vlak onder het tentdak hing, verborgen in de schaduwen.
Voor hem stond een wat oudere vrouw. Een kleine vrouw met grijs haar in een vlecht op haar rug. Ze was mager en bleek, maar hij zag de trekken van zijn volk in haar gezicht. Ze glimlachte naar hem en keek een beetje verbaasd om zich heen.
'Eindelijk is het me gelukt,' zei ze. 'Jij bent toch Dai-Chi?'
Hij knikte en wachtte tot ze zou zeggen wat hij wist dat ze zou gaan zeggen.
'Ik kom uit een familie van spiegelreizigers, maar het is mij nog nooit eerder gelukt...'
'Maar jij bent toch geen maandienares uit de halvemaantempel?'

vroeg hij voorzichtig. Hij kon bijna niet geloven dat hij iemand door een spiegel had zien komen.
Ze schudde haar hoofd. 'Ik kom van vele plaatsen,' antwoordde ze. 'Mijn familie is Russisch en Mongools, maar ik ben geboren in het verre noorden, in Noorwegen. Ik wist dat ik bepaalde krachten bezat. Ik heb vele jaren geprobeerd om uit te zoeken hoe ik die krachten kon gebruiken. Eindelijk is het me gelukt. Ik heb jou in mijn spiegelstukjes gezien en ik wist dat ik moest opschieten.'
Dai-Chi's hart begon sneller te kloppen.
'Weet jij...,' zei hij een beetje hees, 'weet jij waar de juwelen zijn?'
'Nee,' antwoordde ze, 'niet meer. Een hele tijd geleden heb ik begrepen dat ik ooit de zogeheten juwelen van de tsaar in mijn bezit heb gehad. Ik kreeg ze van mijn moeder toen ik trouwde en ik had ze bij me toen ik naar Rusland ging. Maar ze zijn gestolen. Ik probeer ze al vele jaren terug te vinden, maar tot nu toe zonder succes.'
Dai-Chi richtte zich op en keek haar geschrokken en verwijtend aan. 'Wat zeg je daar? Dus jij, jij onachtzame vrouw, hebt deze waardevolle juwelen in handen gehad en toen... toen zijn ze gestolen? Wat ben jij voor iemand?'
Dai-Chi was verschrikkelijk opgewonden. Hij probeerde zich te ontspannen en achterover te leunen, maar de ontmoeting met een spiegelreiziger en datgene wat ze zei, was bijna meer dan hij kon verwerken.
'Heb jij de afgelopen etmalen geprobeerd in het kamp te komen?' vroeg hij.
Ze knikte en een verlegen lachje verspreidde zich over haar gezicht. 'Ja,' zei ze, 'maar het kostte me enorm veel moeite. Ik ben een paar keer op de verkeerde plek terechtgekomen. Ik kan je vertellen dat het niet zo makkelijk is om de goede weg te vinden, maar uiteindelijk is het me gelukt.'
'Hoe heet je?' vroeg hij.

'Idun, een onbekende naam voor jou,' antwoordde ze.
'Hoe komt het dat je mijn taal spreekt?'
'Die heb ik in ruim veertig jaar geleerd,' antwoordde ze.
'Weet jij wie mij gevangen houdt?'
'Nee.'
Op dat moment klonken er voetstappen voor de tent. Opnieuw hoorde hij het rinkelende geluid en ze was verdwenen. Dai-Chi was alleen. Er kwam niemand binnen en de vrouw kwam niet terug.

Ieder in hun eigen tempel, vertelden Alia en Olim de tempeldienaars wat er aan de hand was. Hun woorden werden met een diepe stilte ontvangen. Het duurde even voordat de volledige betekenis ervan was doorgedrongen.
Dus het licht van de maan was in gevaar? Dus een van de tempeldienaars had de gave van de spiegelreizigers, de gave waar ze misschien in het geheim allemaal van droomden? En dan het ongelooflijke: Het was bewezen dat wat er in de geschriften stond de waarheid was. Velen beschouwden de vertellingen over de twee spiegelreizigers uit vroeger tijden waarschijnlijk als legendes, mooie verhalen om de maan te eren. Daarmee verloren ze hun waarde niet, maar het werd wel een onbereikbare droom.
Een zekere opwinding begon voelbaar te worden: Dit kon betekenen dat de andere legendes ook waar waren, dat alles mogelijk was in onze wereld. Toen kwam de angst. Wat zou er gebeuren met de maan en de nacht, de aarde, de zee en de mensen?
De tongen kwamen los en Alia en Olim gaven zo goed als ze konden antwoord op de vragen. Eliam stond naast Alia voor de achtennegentig overige tempeldienaressen in de halvemaantempel van de vrouwen en ze voelde zich niet prettig. Ze durfde haar blik niet van de plavuizen te halen, maar ze voelde dat iedereen naar haar staarde toen Alia vertelde over de gave van de maan die Eliam bij zichzelf had ontdekt.
Alia sprak over de bevestiging van de geschriften en de noodzaak van het bewaren van hun geschiedenis en ze zei dat ze nooit

mochten twijfelen aan de inhoud van de legendes. Want is er eigenlijk wel een verschil tussen de uiterlijke werkelijkheid en de droom? Het was een groot godsgeschenk voor hen allemaal dat zij mochten meemaken dat er zich voor de derde keer in de geschiedenis van de halvemaantempels een spiegelreiziger tussen hen bevond.

'Eliam moet voor ons allen de spiegel openen naar de plek waar de zeven maanstenen, die de juwelen van de tsaar worden genoemd, zich bevinden. Zij kan de spiegel openhouden zodat wij er allemaal doorheen kunnen en haar kunnen helpen de stenen te vinden als dat nodig mocht zijn. Zodra de maan is opgekomen, horen jullie wanneer wij door de spiegel zullen reizen.'

Het werd zwart voor Eliams ogen. Ze was bang dat ze zou vallen, want ze kon de vloer niet meer duidelijk zien. De zachte maankleuren in de plavuizen flikkerden en de stenen begonnen te golven onder haar voeten – alsof ze op een zee stond. Voor de eerste keer keek ze op. Ze ontmoette Lyga's blik, maar ze keek meteen weer weg.

Alia had niets meer te zeggen en alle vragen waren beantwoord. Het wachten was op het eerste uur van de maan.

Toen Eliam naar haar cel wilde gaan, weken de vrouwen uiteen en maakten zo een doorgang voor haar vrij. Eliam bleef staan. Hier was ze niet op voorbereid. Alia kwam achter haar aan en schoof haar vriendelijk vooruit. Eliam liep vlug tussen de achtennegentig vrouwen door. Een paar dagen geleden was ze nog een van de groep geweest. Nu stond ze erbuiten.

In haar cel ging ze op de rand van haar bed zitten en staarde voor zich uit. Ik had nooit moeten luisteren toen ik het gevoel had dat de maan mij riep, dacht ze. Ik had mijn school af moeten maken. Dat had Alia ook gevonden, maar zelf had ze daar niets van willen horen. Als ik mijn school had afgemaakt, zou het licht van de maan dan in mij zijn gedoofd? dacht ze.

Het wordt nooit meer zoals vroeger. Ik kan nooit meer een van de anderen zijn. Mijn weg leidt waarschijnlijk rechtstreeks naar Alia's plichten als zij er niet meer is.
Plotseling stond ze op en liep naar de grote, open boog die over de vlakte uitkeek. Die zag er somber en bruin uit in het felle zonlicht.
Maar ik wil helemaal geen hogepriesteres worden. Ik wil die gave niet hebben. Ik wil geen spiegelreiziger zijn. Huilend viel ze op haar bed en het kon haar niets schelen of iemand haar zou kunnen horen.
Maar er kwam niemand binnen. Niemand stoorde haar. Niet voordat het avond was geworden en de maan de monoliet van het eerste uur was gepasseerd.
Toen kwam Alia haar kamer binnen. Eliam was opgehouden met huilen. Ze had wat geslapen en haar lichaam voelde zwaar en rustig. Maar haar ogen prikten. In de open boog hing het zilverglanzende maanlicht.
'Morgenavond moet het gebeuren, Eliam, dat zeggen de maantekens in de schaduwen van de monolieten.'
'Morgen,' fluisterde Eliam trillend, 'maar ik kan niet... ik weet niet... Ik weet niet eens wat ik moet doen om de spiegel te openen.'
Alia ging op een krukje zitten. 'Je hoeft helemaal niets te doen, Eliam, de kracht in jou doet het meeste. Maar één ding is wel nodig om het te laten lukken.'
'Wat dan?'
'Op de plek waar jij heen gaat, moet iemand zijn die ook in de spiegel kijkt. Samen maken jullie de weg open.'
'Is zij ook een maanreiziger?'
'Dat hoeft niet, maar de gave ligt in haar verborgen. Haar spiegel moet ook aan de maan zijn gewijd. Er zijn er niet zo veel van op de wereld, maanreizigers en maanspiegels.'

Alia stond op. 'Kom, Eliam,' zei ze, 'het is tijd om de maandienaressen het juiste tijdstip te vertellen.'
Eliam stond op. 'Ik durf niet,' fluisterde ze.
'Dat had ik waarschijnlijk ook gezegd,' zei Alia zacht, 'maar ik had ook geweten dat niemand anders het kon doen. En dat weet jij ook.'
Eliam volgde Alia de gang op, naar de grote middenzaal.

Nikolaj werd wakker doordat iemand aan hem stond te schudden. De kamer om hem heen was donker. Eerst was hij bang, maar toen fluisterde iemand: 'Nikolaj, word eens wakker.' Toen begreep hij dat het zijn vader was.
'Wat is er?' vroeg Nikolaj en hij was meteen wakker.
'Ik vroeg me af of jij weet waar mamma is?'
'Nee,' zei Nikolaj, 'ik weet het niet.'
'Ze is niet thuis,' zei zijn vader, 'en het is bijna vijf uur.'
'Niet thuis?' zei Nikolaj in de war. 'Zijn de koffers er nog?'
'Ja... heeft ze tegen jou gezegd dat ze van plan is om... weg te gaan?'
'Nee, ik begreep er niets van toen ik gisteren die koffers op haar bed zag.'
'Als er maar niks met haar is gebeurd.'
Zijn vader ging rechtop zitten. Zijn stem klonk boos en angstig: 'Waarom kan ze niet gewoon een briefje neerleggen waar ze is, of bellen dat ze laat thuiskomt? Het is zo erg als je niets weet.'
Nikolaj ging overeind zitten in zijn bed en trok het dekbed tot onder zijn kin. Hij zag zijn vader zonder hem echt te zien. Hij was daar in het donker, zonder gezicht, zonder handen, bijna zonder lichaam – zijn lichaam was een vlek die iets donkerder afstak tegen het vroege ochtendlicht in zijn kamer. Alleen zijn stem was duidelijk. Hij klonk anders dan de stem van de vader die hij kon zien, overdag en in de schemering. Hij vroeg zich af hoe zijn vader was als hij sliep.

'Ik... ik hoorde dat jullie ruzie hadden,' zei hij.
'Ruzie?' zei zijn vader verbaasd. 'O ja, heb je dat gehoord? Sliep je dan niet?'
Nikolaj zuchtte even. Had zijn vader altijd geslapen 's nachts, toen hij klein was? Nikolaj dacht van niet, niet na alles wat Florinda hem had verteld.
'We hadden niet echt ruzie,' zei zijn vader, 'het was eigenlijk meer... ik deed een beetje dom.'
Nikolaj ging nog verder overeind zitten. Zijn vaders stem klonk droevig en de woorden kwamen er zo gewoon uit. Misschien voelde zijn vader zich 's nachts beter op zijn gemak dan overdag? Maar toen bedacht hij dat hij zijn vader in het huis aan de Vangsweg had gezien. Hij had daar gewoon staan kijken naar een man die was vastgebonden en geblinddoekt.
Langzaam liet Nikolaj zich terugglijden in bed, zo voorzichtig als hij kon, tot hij weer net zo lag als eerst, op zijn zij met zijn ogen dicht.
'Het is allemaal niet zo makkelijk, Nikolaj,' ging zijn vader verder. 'Ik denk dat we nog niet naar de politie kunnen. We moeten wachten tot morgenochtend. Ik bel wel vanaf de zaak. Ga maar weer slapen, Nikolaj... Nikolaj?'
Hij kon geen antwoord geven, ook al sprak de stem van zijn vader rechtstreeks tegen hem en verwachtte hij een antwoord.
'Nikolaj?'
Zou hij zijn vader nooit meer kunnen antwoorden, zijn hele leven niet? Nikolaj probeerde rustig te ademen. Zijn vader boog zich over hem heen en streek hem over zijn haar.
Streek hem over zijn haar.
Streek mij over mijn haar.
Mijn haar kan zich niet herinneren dat dat eerder is gebeurd.
Toen zijn vader de deur uitliep, draaide Nikolaj zich op zijn buik en drukte zijn gezicht hard in het kussen.

Lydia Sverd had waarschijnlijk even geslapen. Ze zat in een van de leunstoelen op het kantoor van Kirsten Vik. Ze zat niet lekker, maar het was beter dan op de grond liggen.
Elke keer dat haar ogen waren dichtgevallen, was ze opgeschrokken en had ze ze weer wijd opengesperd. Iedere keer dat de slaap haar bijna overmande, had ze sluipende voetstappen op de gang gehoord, iemand die voorzichtig de deurknop naar beneden duwde, iemand die bijna onhoorbaar haar kantoor binnensloop. Toch moest ze geslapen hebben, want ineens waren de geluiden buiten het raam veranderd; er klonk een regelmatig geronk van auto's. Met half dichtgeknepen ogen keek ze op de klok. Half zeven. Haar lichaam was stijf en stram toen ze opstond en ze kon haar voeten niet meteen verplaatsen.
Ze wilde naar huis. Een bad nemen, met enorme hoeveelheden heet water. Ze wilde alleen in het huis zijn nu. Ze had absoluut geen zin om met Maxim te praten. Ze kon het niet uitleggen, wilde het ook niet uitleggen. Met afschuw dacht ze aan hoe ze zijn winkel bijna geheel had vernield. Wat had haar bezield?
Ze wilde niet met Nikolaj praten. Wat moest ze in godsnaam tegen hem zeggen? Ze had zich gerealiseerd dat ze eigenlijk nooit wist wat ze tegen hem moest zeggen. Dat was een verschrikkelijke ontdekking geweest. Ze had over haar hele lijf getrild en ze had haar tanden horen klapperen. Dat was ergens in de loop van die nacht gebeurd, net voordat ze wilde gaan slapen.
Lydia liep heen en weer door het kantoor. Vijf stappen de ene kant op, vijf stappen de andere. Toen ze eenmaal was begonnen met lopen, durfde ze niet meer te stoppen. Ze was bang dat er gevaarlijke gedachten zouden komen, dat ze zich weer zou gaan afvragen wat ze moest doen. Ze kon niet weggaan en ze kon niet blijven.
Hardop telde ze haar stappen in beide richtingen. Als ze de geopende koffers op het bed voor zich zag, begon ze harder te tellen

en vlugger te lopen. Ze liep drie kwartier, toen wierp ze zich op de telefoon en belde naar huis. Als Maxim vroeg weg was gegaan, zoals hij soms deed, was hij nu misschien al het huis uit.
Als Nikolaj vroeg moest beginnen op school, was hij misschien al weg. Dan kon ze naar huis gaan. Als er iemand opnam, zou ze gewoon niets zeggen en ophangen.
Er werd niet opgenomen. Opgelucht hing ze op en haastte zich naar buiten. Het sneeuwde niet, maar het was een donkere ochtend. Ze haalde zwaar adem. Het leek wel of de wolken vlak over de daken van de huizen scheerden.

Verschrikt zag Florinda Olsen dat het al bijna tien uur was. Anders was ze altijd voor zessen wakker. En juist nu ze zoveel verwarrende zorgen aan haar hoofd had in verband met die juwelen van de tsaar. Ze vond het vervelend om te laat wakker te worden en ze vond het nog vervelender om de dag te beginnen met zorgen.
Geërgerd sloeg ze haar dekbed opzij, stapte uit bed en keek uit het raam. Ze huiverde. Het was meer donker dan licht die ochtend. Het sneeuwde niet. De wolken hadden dikke hangbuiken en de lucht was nevelig. Zo ver weg was de maan nog nooit geweest, dacht ze.
Ze had niet gedroomd en ook vlak voordat ze wakker werd, had ze geen leuke beelden uit haar jeugd aan de oevers van het Ladogameer achter haar oogleden gezien. Dat waren de fijnste ochtenden, als ze op het moment dat ze haar ogen opendeed van de met gras bedekte oever teruggleed in haar bed.
Razendsnel werkte ze haar ochtendritueel af. Ze begreep eigenlijk niet waarom ze zich zo haastte. Misschien om iets van de tijd in te halen die ze verslapen had, want ze had geen idee hoe ze de dag moest gebruiken om alle raadsels op te lossen.
Ze wist niet voor de hoeveelste keer ze Vladimir belde en ze wist

ook niet voor de hoeveelste keer hij niet opnam. Daarna belde ze Anna, maar daar rinkelde de telefoon waarschijnlijk ook in een leeg huis.
Florinda dacht aan de katten en de vogel. Als Anna niet gauw thuiskwam, zou ze er misschien heen moeten gaan om ze eten te geven. Ze hoopte dat de katten naar buiten konden.
Ineens had ze ontzettende zin in verse broodjes. Ze zette eerst theewater op en liep toen naar de bakker op de hoek. Het was koud buiten. Ze rilde en dook in elkaar en probeerde niet te denken aan de komende winter, die waarschijnlijk wel zes maanden zou gaan duren.
Binnen was het ook niet zo heel erg warm, merkte ze toen ze de deur achter zich dichtgooide. Ze deed haar jas en laarsjes uit en liep naar de keuken. In de deuropening bleef ze verschrikt staan. Ze hapte naar adem. De zak met broodjes viel uit haar handen en kwam met een zachte plof op de grond terecht. Haar rechterhand vloog naar haar keel en haar vingers begonnen aan haar parelketting te friemelen.
Er zat een vreemde man aan de tafel. Hij glimlachte naar haar. Hij was blond en jong; begin veertig, dacht Florinda.
Hij had zijn jas nog aan, zijn handschoenen lagen op de tafel waar twee theemokken op stonden. De brutaliteit – die had hij daar neergezet.
Hij had haar blik zeker gevolgd, want hij zei: 'Ik heb vast theemokken klaargezet, want het praat gezelliger met een kop warme thee erbij.'
'En hoe komt u erbij dat ik met u wil praten?' zei Florinda. Ze zei nadrukkelijk u, want ze wilde beslist niet dat de vreemde man jij tegen haar zou zeggen, nu hij bij haar had ingebroken.
'Dat wil je vast wel als ik de naam Anna Olsen noem.'
'Anna Olsen? Weet jij iets van Anna?' Ineens was ze zo ijverig dat ze vergat om u te zeggen.

De jonge man glimlachte weer breeduit. Hij zag er bijna gezellig uit. Maar dat is hij niet, dacht Florinda. 'Ja hoor, ik weet dat ze bij ons veilig is – voorlopig.'
'Bij u? Voorlopig? Waar heeft u het in godsnaam over?'
Plotseling had Florinda behoefte te gaan zitten, maar ze wilde voor geen goud aan dezelfde tafel zitten als deze indringer.
'Hoe bent u trouwens binnengekomen?' Ze probeerde haar stem ijzig en uit de hoogte te laten klinken, maar ze geloofde niet dat ze daarin slaagde.
'Ik kom overal binnen,' antwoordde hij, 'en bovendien wist ik niet zeker of je mij binnen zou laten als ik gewoon aanbelde.'
Het irriteerde haar dat hij *je* zei. 'Nee, dat had ik inderdaad niet gedaan,' zei ze boos.
'Zie je wel,' zei hij terwijl hij zijn armen lachend spreidde. 'Daarom heb ik mezelf maar binnen gelaten, zodat wij even kunnen praten over Anna Olsen, en – de juwelen van de tsaar.'
'De juwelen van de tsaar,' siste Florinda, 'ik geloof dat iedereen gek is geworden. Ik snap niet waar dat van die juwelen vandaan komt, en ik begrijp nog minder waarom u het aan mij vraagt, want ik weet er niets vanaf.'
'Dat is jammer,' zei de jonge man en ineens werd hij heel ernstig. 'Erg jammer.'
Het klonk een beetje dreigend, dus Florinda vroeg voorzichtig: 'Hoezo?'
'Ik had een ruil willen voorstellen. Anna Olsen komt veilig thuis op het moment dat jij de juwelen te voorschijn weet te toveren of ons een tip geeft waar we ze kunnen vinden.'
Florinda moest steun zoeken bij de bank. 'Bedoelt u dat u Anna heeft ontvoerd?'
'Niet direct ontvoerd, maar we hebben haar tijdelijk verplaatst tot ze weer naar huis kan.'
'En Vladimir? Wat moeten jullie hebben om hem vrij te laten?'

'Vladimir?' zei de jonge man verbaasd. 'Ik heb niks over een Vladimir gehoord.'
Met beide handen greep Florinda de rand van de bank vast. 'Maar waar is hij dan?' fluisterde ze in zichzelf.
'Die vraag kan ik helaas niet beantwoorden.'
Hij stond op. 'Om te laten zien dat dit een gezellig bezoekje was, ga ik nu vrijwillig weg. Ik zal niet ongevraagd jouw thee opdrinken. En ik zal ook geen onaangename middelen gebruiken om iets van je te weten te komen – nog niet. Maar ik kom binnenkort terug. Je krijgt nog even de tijd om na te denken en misschien nog wat te zoeken, maar niet lang. Gisteravond kon ik namelijk niet zo veel doen omdat jij onverwachts thuiskwam... Voor je het weet ben ik er weer.'
Florinda kneep met haar hand in de parelketting. Het snoer brak en de parels vielen met driftige tikjes op de grond en rolden alle kanten op.
Hij stond recht tegenover haar. Ze keken elkaar aan terwijl de parels vielen en over de grond rolden. Toen bukte hij en raapte eerst de zak met broodjes op. Daarna bukte hij weer en kwam overeind met een handje vol parels. Hij hield haar zijn vuist voor. Florinda strekte haar open hand uit en hij liet de parels erin vallen. Er ging een schok door Florinda heen en ze staarde naar de parels die haar halve hand vulden.
'Tot gauw,' zei de vreemdeling terwijl hij even boog en de gang door liep. Ze merkte het niet. Ze hoorde ook niet hoe de voordeur zachtjes achter hem dichtviel.
Ze stond daar maar te kijken naar de parels, grijswit met een lichte roze en blauwe glans. Hij had de parels in haar hand laten vallen. Dat had een verborgen herinnering bij haar naar boven gebracht. Florinda dacht aan twee andere handen; de ene gaf en de andere ontving. Het was *niet* die keer geweest dat ze mooie steentjes voor haar vader had verzameld aan de oever van het Ladoga-

meer. Het was een andere keer geweest en dat wat er zo had geglinsterd in de hand die ontving, waren edelstenen geweest, zeven stuks.
De juwelen van de tsaar.

Nikolaj hoorde dat er iemand binnenkwam. Voorzichtig liep hij de galerij op en gluurde over de balustrade. Het was zijn moeder die thuiskwam. Hij voelde zich zo opgelucht, dat hij net wilde roepen – 'Hallo, mamma.' Maar toen zag hij haar gezicht. Ze was bleek en haar vel hing slap over haar wangen. Diepe groeven liepen van haar neus naar haar mond. Ze sjokte over de vloer, trok haar jas uit en liet hem gewoon op de grond vallen.
Toen ze halverwege de trap was, zag ze Nikolaj. Ze bleef staan, ze keken elkaar aan, haar ogen vulden zich met tranen.
'Sorry,' zei ze zacht.
'Wat is er?' vroeg Nikolaj angstig.
Ze schudde alleen haar hoofd en liep verder de trap op.
'Mamma?' zei hij. Ze bleef weer staan. 'Ga je weg? Waarom heb je je koffers klaargelegd...?'
Ze stond daar maar met haar hoofd gebogen en zei niets.
'Ik was een beetje bang vannacht, en pappa was ontzettend bang, hij...'
Nikolaj hield plotseling op. Hij schaamde zich en wist ineens niet meer of hij dat wel moest vertellen.
Zijn moeder gaf een geluid dat hij nog nooit eerder had gehoord. Ze draaide haar gezicht naar hem toe en keek hem vluchtig aan.
'O Nikolaj,' zei ze alleen en toen rende ze de rest van de trap op en verdween haar kamer in.
Huilde zijn moeder?
Dat was zo akelig om te zien, dat Nikolaj niet langer binnen kon blijven. Hij deed zijn jas aan en liep de donkere ochtend in. De sneeuw op de grond was nat, het grind stak er als de zwart gekar-

telde rug van een grijswit dier doorheen. Het kon niet veel graden boven nul zijn, er ging een bijtend koude windvlaag door de lucht.
Het was bijna schooltijd. Het was maar goed dat hij nu wegging, voor het geval zijn moeder zich begon af te vragen waarom hij thuis was.
Hij had deze morgen nog niet aan Terry gedacht. Nu dook ze op in zijn gedachten. Hij had er spijt van dat hij gisteren niet even had gewacht om te horen wat ze hem wilde vertellen. Dan was hij te weten gekomen wat zij van de juwelen van de tsaar afwist. Maar hij was zo nieuwsgierig geweest naar wat zijn vader ging doen. Hij wilde dat hij zijn vader gisteravond niet in dat huis had gezien.
Aangezien het bijna schooltijd was, kon hij dat misschien als excuus gebruiken om zo vroeg al bij Terry aan te bellen. Hij ging vlug op weg, hij rende half. Zijn ademhaling deed hem pijn. Verderop scheerden de wolken over de daken. Hij vond het huis en liep er meteen op af om aan te bellen. Als hij wachtte, zou hij vast niet meer durven.
'Ja,' zei een beetje slaperige stem.
'Is Terry al naar school?'
Het was even stil, voordat de stem geïrriteerd zei: 'Er woont hier geen Terry.'
Toen het was uitgekraakt, stond Nikolaj met een dom gezicht naar het luidsprekertje te staren. Hij liep tien passen achteruit tot hij midden op de straat stond, bekeek het huis nauwkeurig en keek toen naar de stoep. Ja, hier was Terry gisteren naar binnen gegaan.
Hij slikte, raapte al zijn moed bij elkaar en belde nog eens aan.
'Ja?' zei de stem precies even geïrriteerd, alsof hij al begreep dat het Nikolaj weer was.
'Pardon,' zei Nikolaj, 'maar ik zit bij Terry in de klas. Ze heet ei-

genlijk Terese. Ik ben gisteravond met haar meegelopen en ik *weet* dat ze hier woont.'
Hij hoorde iemand zuchten en toen begon de stem te praten, eerst rustig en koeltjes, maar hij begon steeds harder en bozer te klinken: 'Ik zal toch zeker wel weten wie er in mijn eigen huis woont? Ik woon hier al vijfentwintig jaar en ik noch mijn hond heten Terry of Terese. Maak dat je wegkomt en waag het niet om nog eens aan te bellen.'
Het drong tot Nikolaj door dat Terry tegen hem had gelogen en hem voor de gek had gehouden. Nu wist hij zeker dat ze iets met dat huis van gisteravond te maken had. Niemand kan een vreemde waakhond zo speels krijgen als zij gisteren deed. Maar betekende dat dat ze ook iets te maken had met de vastgebonden man met de blinddoek voor zijn ogen? Stel je eens voor dat ze daar zelfs woonde?
Daar moest hij even over nadenken en hij wilde er met iemand over praten. Vlug liep hij naar Florinda toe.

Maxim Sverd geloofde zijn ogen niet toen hij de deur van zijn zaak opendeed. Hij waadde door de papieren op de grond van het kantoor en klom en klauterde over vazen, kasten, kisten en stellingen in de winkel.
Wat is dit, dacht hij, heb ik dit verdiend?
Hij keek rond. Er was geen voorwerp of meubelstuk onaangeroerd. Hij moest de politie bellen, maar hij wist zeker dat het opnieuw een dreigement was van de geheimzinnige man die hem wilde afpersen... of van die andere groep. Er zou toch niet nog een derde zijn opgedoken? Toen hij dat bedacht, begon hij zenuwachtig te giechelen.
'Ik kan me niet voorstellen dat je dit grappig vindt,' zei een stem achter hem.
Maxim schrok zo, dat hij struikelde toen hij zich omdraaide en

tussen de scherven en gedeukte messingen doosjes belandde. Toen keek hij op en zag het verschrikte gezicht van Ellen. Hij merkte dat het hem ontzettend kwaad maakte om haar te zien.
'Wat is hier in godsnaam gebeurd?' vroeg ze terwijl ze rondkeek.
'Iemand heeft zich hierbinnen vermaakt,' zei hij.
'Zochten ze iets speciaals?'
'Wat bedoel je daarmee?' vroeg hij achterdochtig.
'Nee, is er iets gestolen?'
Hij lachte. 'Hoe moet ik dat in godsnaam zien in deze bende?'
Ze keek hem lichtelijk beledigd aan en sloeg haar blonde haar over haar schouders naar achteren. Ze droeg geen muts of das. De kraag van een gevoerd blauw spijkerjack was tot aan haar kin opgeslagen.
'Wat kom je doen?'
'Ik reed hier langs. Ik moet een boodschap doen buiten de stad en toen zag ik jouw auto staan en ik wilde even...'
'Hoe ben je binnengekomen?' onderbrak hij haar bot.
'De achterdeur stond open,' antwoordde ze.
Was hij die nou ook al vergeten dicht te doen?
'Ik wilde alleen even zeggen dat Dieter overmorgen thuiskomt, dus dan kunnen we die bijeenkomst houden.'
Toen knapte er iets in Maxim. 'Overmorgen,' brulde hij terwijl hij met gebalde vuisten op de omgevallen kast naast zich sloeg. 'Jullie hebben geen idee waar jullie het over hebben. Jullie hebben geen enkele belangstelling voor de rest van de familie. Ik vroeg jullie gisteren om te komen omdat het om leven of dood en miljoenen kronen gaat, en dan hebben jullie geen tijd of jullie zijn op reis of hebben het te druk met andere zaken. En nu kom je hier aanzetten en zeg je minzaam dat jullie overmorgen wel kunnen. Maar dan is het te laat. Dan is het uren en uren te laat. Ga weg, ik wil je hier niet meer zien, ik wil jou en Dieter en Vera en Patrick nooit meer zien. Jullie hoeven nooit meer een voet binnen onze

deur te zetten. Ik kan jullie niet meer luchten of zien. Verdwijn uit mijn leven, verdwijn uit alles wat van mij is!'
Hij dook in elkaar en begon in Ellens richting te lopen. Die deinsde verschrikt achteruit. Ze stond vlakbij de deur, dus ze was zo buiten.
In de gang draaide ze zich om en zei bijna hatelijk: 'Wees daar maar niet al te zeker van, Maxim Sverd. Misschien staat jou wel een onaangename verrassing te wachten.'
'Eruit!' brulde Maxim.
Ellen vluchtte de deur uit. Die viel met een klap achter haar dicht.
Toen hij weer alleen was, zakte Maxim volkomen uitgeput op de omgevallen kast in elkaar.

Nikolaj keek Florinda verbaasd aan. Ze trok hem opgewonden naar binnen in de flat en duwde hem bijna de keuken in.
'Er is vanmorgen zoveel gebeurd,' zei ze en terwijl ze de thee klaarzette, vertelde ze over de indringer en dat ze Anna hadden ontvoerd en over de ruil die hij had voorgesteld.
'En toen,' zei Florinda, 'precies op het moment dat hij de parels in mijn hand liet vallen, zag ik een andere hand die glinsterende stenen in een geopende hand liet vallen.'
Ze ging recht tegenover hem zitten, schonk thee in en zei: 'Dat waren de juwelen van de tsaar.'
Nikolaj keek haar met grote ogen aan. 'De juwelen van de tsaar?'
'Ja... dat ik nou uitgerekend dát beeld zo lang was vergeten. Toen we de kamer van Anastasia uitkwamen, vroeg Botkin ons voor de deur te wachten. Hij verdween en na een poosje kwam hij terug met een man met een mooie baard. Dat was tsaar Nikolaj de tweede. Hij liep met uitgestrekte handen op mijn vader af en kuste hem op beide wangen en toen tilde hij mij op en kuste mij ook op mijn wangen. Toen zei hij tegen mijn vader dat hij hem niet rijkelijk genoeg kon belonen voor het feit dat hij zijn lieve Anas-

tasia had betergemaakt. Mijn vader moest een teken van zijn dankbaarheid aanvaarden.'

Het leek wel of Florinda het opnieuw beleefde terwijl ze het vertelde. Nikolaj had haar nog nooit eerder zo horen vertellen. Ze was waarschijnlijk vergeten dat hij er was.

'Tsaar Nikolaj de tweede vroeg mijn vader zijn hand op te houden. Toen bracht hij zijn eigen hand omhoog en liet een gouden ketting met zeven glinsterende stenen in mijn vaders hand vallen. "Ze worden de maanstenen genoemd," zei hij, "en bij elk hoort een verhaal uit de tijd van de mythen. Ik ken de verhalen niet, maar u kunt ze vast wel achterhalen. Het sieraad schijnt waardevol te zijn. Ik geef het graag weg, want niets weegt op tegen de waarde van het leven van mijn lieve Anastasia."

Daar stond mijn vader met het sieraad en hij keek van de zeven stenen naar de tsaar. "Uwe Hoogheid," zei mijn vader, "dit kan ik onmogelijk..." "Ik sta erop," zei tsaar Nikolaj de tweede, "U doet mij er een plezier mee. Dan heeft u mij vandaag twee keer blij gemaakt." En hij sloot mijn vaders hand om het sieraad heen.'

'Dan heb jij dus de juwelen van de tsaar gezien,' fluisterde Nikolaj, die gespannen had zitten luisteren naar wat ze vertelde. 'Maar hoe kon je zoiets nou vergeten?'

Florinda schudde haar hoofd, 'Je moet bedenken dat ik nog een kind was toen, en ik begreep niet hoe waardevol en belangrijk die ketting was. Voor mij was het gewoon een cadeautje dat mijn vader van de tsaar had gekregen – ja natuurlijk was het geweldig, maar toch... en het sieraad werd niet de juwelen van de tsaar genoemd. Tot een paar dagen geleden had ik die uitdrukking nog nooit gehoord. Bovendien kon ik me niet voorstellen dat ik iets met die juwelen te maken zou hebben...

...en dat is nog niet alles,' ging ze verder terwijl ze zich nog meer naar voren boog. Haar stem klonk nu ernstiger. 'Er is nog meer. Lieve hemel, er is nog meer... ook daar heb ik niet op die manier aan gedacht. Voor mij betekent die herinnering het afscheid van mijn vader en een teken dat hij van me houdt... en dat heeft niets te maken met die juwelen van de tsaar...'

Ze schudde haar hoofd. 'Gedachten en herinneringen zijn iets wonderlijks... Mijn vader bracht me naar de boot toen ik met Arthur Olsen meeging naar Noorwegen. Hij gaf me een afscheidscadeau. "Goede reis, ik zal je eeuwig missen, Florinda, mijn eigen meisje," zei hij... ja, hij zei "Florinda, mijn eigen meisje."'

Florinda begon heel zachtjes te huilen. Geluidloos stroomden de tranen over haar wangen.

'Toen huilde ik ook,' zei ze, 'en mijn vader huilde. Ik denk dat we eigenlijk allebei wisten dat we elkaar nooit meer zouden zien.'

Ze snoot haar neus, snoof nog even en glimlachte toen naar Nikolaj.

'En toen gaf hij mij dus dat sieraad dat hij van de tsaar had gekregen die keer dat hij en ik samen in St. Petersburg waren.'

'Maar dan *heb* jij die juwelen toch,' zei Nikolaj opgewonden, 'waar zijn ze dan?'

'Ik heb ze niet,' zei Florinda, 'ik heb ze aan Idun gegeven op de dag dat ze trouwde... en de spullen die niet zijn verkocht, zijn hier in huis.'

'Dan zijn de juwelen van de tsaar dus misschien ook hier?' zei Nikolaj, 'Is er een plek waar je nog niet hebt gezocht?'

'Op zolder, maar de dingen waar ze het meest van hield en die het meest voor haar betekenden, zijn in mijn werkkamer. Maar misschien moeten we toch ook tussen de spullen op zolder kijken.'

Nikolaj stond op. 'Waar wachten we op? Kom.'

'We moeten een jas aan, want het is koud boven,' zei Florinda.

Even later deed ze de deur van de zolder open en liep meteen op haar berging af. Daar stonden keurig opgestapelde kartonnen dozen en houten kisten en drie enorme hutkoffers. 'Die drie zijn van Idun,' zei Florinda. 'Kom, we nemen er allebei een.'

'Maar hoe weet ik dat het de juwelen van de tsaar zijn, als ik wat vind?'
'Dat weet je meteen,' antwoordde Florinda, 'het is sprookjesachtig mooi en er zitten natuurlijk zeven stenen in.'
Ze deden ieder hun deksel open. Florinda begon meteen te zoeken. In haar kist zaten alleen maar kleren. Ze haalde elk kledingstuk eruit, schudde het heen en weer en doorzocht het nauwkeurig.
Nikolaj deed zijn kist open en zat toen een hele poos alleen maar naar de inhoud te staren. Bovenop lag speelgoed. Een bouwdoos, houten blokken, een zeilbootje, een trekpop, een versleten teddybeer, tinnen soldaatjes... ouderwets speelgoed.
'Florinda,' zei hij verrukt, en hij pakte de teddybeer die hem met zijn zwarte glazen ogen droevig aankeek. 'Van wie is dit speelgoed?'
Florinda kwam naast hem zitten. 'O nee, dat was ik vergeten,' zei ze zacht. 'Dat is Maxims speelgoed. Hij wilde het niet meenemen naar zijn pleeggezin. Het moest hier blijven. Misschien dacht hij dat hij dan makkelijker terug zou kunnen komen. Bah, dat had ik nu eigenlijk liever niet willen zien, ik word er zo verdrietig van. Maar ik heb het in een van Iduns kisten gelegd, nu weet ik het weer.'
Nikolaj bekeek het gezicht van de beer en probeerde erachter te komen hoe zijn vader de beer had behandeld, of ze het leuk hadden gehad samen, of de beer hem had getroost. Hier en daar was de beer helemaal kaal gesleten, dus hij was vast veel geaaid en geknuffeld. Nikolaj drukte de beer tegen zich aan en hij was blij dat Florinda was teruggegaan naar de kist die ze aan het doorzoeken was. De beer voelde zacht aan tegen zijn wang. Precies zo heeft pappa hem vroeger ook tegen zich aan gehouden, dacht hij en hij deed zijn ogen dicht tegen de versleten wang van de beer. Toen legde hij hem opzij en legde de rest van het speelgoed ernaast. Hij

had de hele tijd het gevoel dat de beer naar hem keek. Hij wil vertroeteld worden, meegenomen van de zolder door een lekkere warme arm die hem niet in de steek laat.
Tussen het speelgoed vond hij boeken, schetsboeken, een verfdoos, naaispulletjes, wat borduurwerkjes, kleurige restjes stof, een grote doos met stoffen bloemen zonder stelen, een doosje met knopen... maar nergens vond hij iets wat op de juwelen van de tsaar leek.
Florinda ook niet.
Voordat hij de kist weer dichtdeed, legde Nikolaj de beer voorzichtig bovenop. Misschien zou hij ooit eens kunnen vragen of hij hem mocht hebben.
Samen doorzochten ze de derde kist. Daar zaten voornamelijk kleren in, maar ook een paar fotoalbums. Florinda wilde de bovenste al opendoen, maar ze bedacht zich. 'Dan blijf ik hier de hele dag zitten,' zei ze.
Er zat ook een grote stapel brieven in – en een juwelenkistje.
Florinda pakte het voorzichtig uit de kist en deed het open. Er zat alleen een ring in.
Ook in de derde kist vonden ze de juwelen van de tsaar niet.
'Maar ze moeten toch ergens zijn,' zuchtte Florinda.
'We moeten ook maar even in een paar van mijn dozen en kisten kijken. Als ik het me goed herinner, heb ik die gelijk met Iduns kisten hier neergezet, want toen zij weg was gegaan en Egon naar het buitenland was vertrokken, heb ik mijn en Iduns spullen tegelijk uitgezocht. Misschien zijn de juwelen hier ergens terechtgekomen.'
Ze deed de eerste doos open en begon er dingen uit te pakken. Plotseling verstijfde ze. Haar hand verdween in de doos en kwam er weer uit. Er zat iets in, maar Nikolaj kon niet zien wat het was. Florinda hapte naar adem en hij zag dat ze helemaal wit werd en naar haar keel greep.

'Wat is er?' vroeg hij. 'Laat eens kijken.' Hij kroop naar haar toe, maar ze verborg vlug haar hand.
'Er... er is niets.'
'Maar ik zag toch dat er iets was, het leek wel of je bang was. Heb je de juwelen gevonden?'
'Nee,' zei Florinda, 'ik heb de juwelen van de tsaar niet gevonden. ...Nikolaj, ik geloof niet dat het zinvol is dat we nu verder zoeken... ik moet even alleen zijn en nadenken.'
Hij geloofde haar niet, ze hield iets achter.
'Ik zal je een andere keer vertellen wat ik heb gevonden. Het zijn niet de juwelen van de tsaar, ik lieg niet tegen je. Het is iets persoonlijks... iets waar ik over na moet denken.'
'Beloof je dat je het vertelt?'
'Ik beloof het.'
Toen ze weer naar beneden gingen, zei Nikolaj ineens: 'Wat zal het gevaarlijk voor jou zijn dat je je de juwelen van de tsaar herinnert en dat je ze zelfs hier hebt gehad.'
'Ja,' zei ze, maar Nikolaj merkte dat ze niet erg bang klonk.
'Ik vraag me af wie dat wist,' zei ze nadenkend.

Lydia Sverd kon niet zo van het overdadige schuimbad genieten als ze had gehoopt. Haar lichaam wilde zich niet ontspannen, haar nekspieren waren stijf en de licht kloppende pijn in haar slapen ging niet weg. Ze kon ook het verdriet dat zich langzaam om haar hart sloot niet uitzweten. Haar gedachten werden ook niet traag en mild. Ze stond veel te vlug weer op uit het bad, droogde zich zo hard af dat haar huid gloeide en kleedde zich toen weer aan.
Ze was de koffers die geopend op haar bed lagen even vergeten. Met een ruk bleef ze in de deuropening staan. Ze kreunde zachtjes, maar ze dwong zichzelf de kamer binnen te gaan.
Ik kan niet weggaan en ik kan niet blijven, maalde het door haar

hoofd. Nu kwam er nog een nieuwe gedachte bij: Ik kan ook niet in dit huis blijven. Ik moet hier weg, maar ik kan nergens heen. Een oude angst brak uit in de vorm van zweetdruppels op haar pas gewassen huid. Ze herinnerde zich maar al te goed de angst van toen ze nog een kind was: stel je voor dat we morgen moeten verhuizen, waar moeten we dan heen? Dat was als de rekeningen niet meer konden worden betaald en haar ouders uit pure wanhoop ruzieden en vochten.

Ik moet weg, dacht ze.

'Het *moet*,' zei ze hardop, maar hoe?

Als ze zou blijven, zou ze ontmaskerd worden. Al die diefstallen die ze de afgelopen vijf jaar had gepleegd, zouden aan het licht komen. Iedereen zou kunnen zien dat er achter haar commissievergaderingen een keiharde juwelendief schuilging. Dan zou ze in de gevangenis belanden, in een kleine cel, en ze zou niet langer zelf kunnen bepalen wat ze met haar eigen tijd en haar eigen leven deed.

Dat kan ik niet, dacht ze, ik zal geen lucht meer krijgen. Ik zal veel te vroeg sterven. Ze was altijd al bang geweest voor de dood.

Ze had hulp nodig. Iemand die haar kon vertellen wat ze moest doen. Ze kon zelf niet kiezen.

Ze liep naar de koffers toe, deed ze dicht en zette ze in haar garderobekamer. Ze wist nog niet zeker hoe ze die koffers aan Maxim zou uitleggen. Ze had het vervelend gevonden wat Nikolaj zei. Of niet?

Misschien kon Harry Lim haar helpen, nee, hij *moest* haar helpen.

Toen er werd aangebeld, wist ze zeker dat ze was omsingeld, het was te laat, ze waren gekomen om haar te halen. Bovenaan de trap bleef ze staan wachten op het onvermijdelijke. Er werd nog eens aangebeld, maar ze verroerde zich niet.

Toen hoorde ze een onduidelijke stem roepen: 'Lydia, ik weet dat je daar bent, doe open.'

Ze was zo opgelucht dat ze de trap af rende en de deur opendeed.
'Patrick,' riep ze, 'o, wat goed dat jij het bent.'
Ze drukte zich tegen zijn jas aan. Die was koud en een beetje vochtig, maar dat kon haar niets schelen. Ze klemde zich aan hem vast alsof ze hem nooit meer los wilde laten.
'Wat een heftige ontvangst, ik ben je broer maar,' zei hij terwijl hij haar voorzichtig van zich af duwde. 'Is er iets?'
Ze schudde haar hoofd, ze wilde hem niet aankijken.
'Nee, er is niets.'
'Maar ik zie toch dat er iets is.'
Ze rukte zich los en ging een paar stappen van hem af staan.
'Waarom kom je hier zo midden op de dag?'
'Ik was toevallig in de buurt en ik wilde je vragen of je morgen met mij wilt lunchen. Ik moet iets heel belangrijks met je bespreken.'
'Net zo belangrijk als die familiebijeenkomst die Maxim wilde?'
Hij zweeg even voor hij antwoordde. 'Dat kan ik niet weten,' zei hij tenslotte. 'Zullen we morgen om één uur in Rigoletto afspreken? En beloof me dat je komt, hè.'
Ze knikte.
'Is Maxim trouwens thuis?' zei hij terwijl hij langs haar heen de hal in keek naar de studeerkamer.
'Nee, hij is denk ik op de zaak.'
'Ik hoorde van Ellen dat de boel daar vannacht is vernield door vandalen.'
'O ja? Hij heeft mij niet gebeld om dat te vertellen.'
'Dus jij weet niet of er iets gestolen is, of wat ze zochten?'
'Als het vandalen zijn geweest, zoals jij zegt, is het toch niet zeker dat ze iets speciaals zochten, dan hebben ze de boel alleen maar willen vernielen.'
Lydia probeerde haar stem zo luchtig mogelijk te laten klinken.
'Misschien wel,' zei Patrick.

Hij liep naar de deur en draaide zich nog even om. 'Weet je zeker dat er niets is?'
'Ja, heel zeker. Ik voel me alleen niet zo lekker, ik heb slecht geslapen vannacht.'
'En er is ook niet iets dat je me wilt vertellen?'
'Jou iets vertellen? Wat zeg je toch een vreemde dingen vandaag. Nee, wat zou ik jou moeten vertellen?'
'Nee, nee, nou tot morgen dan.'
Hij ging weg. Lydia bleef met gefronst voorhoofd staan kijken naar de gesloten deur. Er klopte iets niet, maar ze wist niet wat.

Nikolaj had gehoopt dat Terry in de loop van de dag zou opduiken, dat ze ineens voor zijn huis zou staan of dat ze misschien zou bellen. Maar Terry liet niets van zich horen.
Om zes uur hield hij het niet langer uit. Hij verliet het lege huis. Hij was ook bang dat zijn ouders gauw thuis zouden komen en hij wilde er niet zijn als zij kwamen.
Het was weer begonnen te sneeuwen. Het was nu meer regen dan sneeuw; de vlokken waren groot en ze voelden bijna als spetters op zijn huid.
De stoep was glad, er liepen veel mensen met paraplu's. In een kuil had zich al een donkere plas gevormd.
In de villa scheen achter een paar ramen licht. Hij keek of hij de hond ergens kon zien of horen, maar dat kon hij niet. Hij waagde het erop en klom op dezelfde plek als gisteren over de schutting. Onder de sneeuw van die nacht waren hun voetafdrukken nog vaag te zien.
De sneeuw was van de appelbomen gewaaid. De ladder was weggehaald. De gordijnen voor het raam waar ze gisteren door naar binnen hadden gekeken, waren goed dichtgetrokken.
Hij liep helemaal naar het huis en ging het terras op. Hij wist dat het gevaarlijk was, maar hij kon het niet laten. Als de hond er nu

aan zou komen en zou blaffen, dan zou hij niet meer weg kunnen. Toch liep hij verder.
Ineens stroomde er licht uit een kamer rechts van het terras. Er waren geen gordijnen voor het raam getrokken. Hij liep ernaartoe, dook een beetje in elkaar en keek van opzij naar binnen.
Er was een man de kamer binnengekomen, nee een jongen. Het was een grote jongen. Hij had lang, licht krullend haar dat losjes om zijn hoofd viel. Nikolaj wist dat hij hem al eens eerder had gezien. Het was de man die voor de ingang van de poort had gestaan toen Terry tegen hem stond te fluisteren.
De jongen liep naar een klein bureautje toe en begon in de laatjes te zoeken. Er stond een bed en er hing een boekenkastje aan de muur. Boven het bed hingen posters van een paar popgroepen.
Toen vloog de deur open en er kwam een meisje binnenstormen. Het was Terry. Nikolaj was niet verrast, want hij had gisteren eigenlijk al begrepen dat ze daar woonde. Wat hem wel verbaasde, was dat Terry naar de jongen toe rende en hem aan zijn trui trok. Nikolaj kon haar stem net horen, ze schreeuwde, maar hij kon niet verstaan wat ze zei.
De jongen duwde haar gewoon weg, maar Terry kwam terug en begon hem te slaan. Het hielp niet, want hij schoof haar weer opzij. Toen leek het of Terry iets naar de deur riep en vlak daarna kwam er een man binnen die Nikolaj nog nooit had gezien. Hij leek op de grote jongen, maar hij was kleiner en niet zo stevig gebouwd.
Terry praatte tegen hem en de man gaf antwoord. Terry werd boos, de jongen bij het bureautje lachte. De man zag er ook boos uit en tenslotte zweeg Terry en liep de kamer uit.
Nikolaj was zo opgegaan in wat er binnen gebeurde, dat hij was vergeten om op te letten wat er in de tuin gebeurde. Op het moment dat Terry uit het zicht verdween, hoorde hij een zacht gegrom. Hij draaide zich om, en onderaan het terras stond de zwar-

te rottweiler. Hij ging vlug liggen maar het gegrom hield niet op. Nikolaj werd bang, maar raakte niet in paniek. Ik moet niet wegrennen, dacht hij. 'Braaf hondje,' zei hij zachtjes, 'ken je me nog van gisteravond? Ik was hier samen met Terry of hoe ze ook heet.'
De hond was even stil, maar na een paar woorden begon hij weer en het gegrom werd harder. Zo meteen springt hij, dacht Nikolaj, wat moet ik nou? Het enige wat hij kon doen, was over het hekje achter hem springen en naar de oprit rennen.
Op het moment dat de rottweiler in elkaar dook, zag Nikolaj hoe er een schim uit het donker te voorschijn gleed en veranderde in een zwart, glanzend dier dat zich afzette en recht voor de hond landde, net toen hij wilde springen.
Het zwarte beest zwiepte met een lange, slanke staart en liet zijn tanden zien aan de hond. Die begon te janken en verdween om de hoek van het huis.
Dit is nog erger dan die hond, dacht Nikolaj die vergat dat hij Florinda had beloofd dat hij zou proberen de wezens te benaderen als ze weer zouden opduiken.
Hij draaide zich om en wilde over het hekje springen, ook al wist hij dat dat niet zou helpen. Maar alles was beter dan stil te blijven staan en dat enge beest dichterbij te zien komen.
'Niet wegrennen,' gromde het plotseling heftig maar toch vriendelijk binnen in hem en hij wist meteen dat dat het beest was.
Nikolaj draaide zich om. Hij was niet verbaasd, want hij had zo langzamerhand wel begrepen dat er iets heel speciaals aan de hand was met die wonderlijke wezens die in zijn buurt opdoken.
'Ik ben niet gevaarlijk,' gromde het zodat Nikolaj's hele lijf ervan trilde.
'Je bent nu lang genoeg voor ons weggelopen. We hebben je de tijd gegeven om aan ons te wennen, nu moeten we praten. Wij willen jou iets belangrijks vragen, iets waarvan we denken dat alleen jij het kan. Jij...'

‘Hallo,’ klonk een stem, ‘is daar iemand?’
‘Als dat zo is, dan moet het wel een monster zijn,’ zei een andere stem, ‘zoals die hond naar binnen kwam stormen en wegkroop.’
Zonder erbij na te denken, sprong Nikolaj over het hekje en rende om het huis heen naar de oprit. De stemmen waren van de andere kant gekomen. Als er maar niet ook iemand van deze kant kwam, maar dat was niet het geval. Hij rende weg zonder om te kijken. Hij verwachtte ieder moment een hand te zullen voelen die hem vastgreep, maar hij wist het hek uit te komen en hij hoorde geen alarm of zo. Het beest kwam hem ook niet achterna. Hij wist nog niet eens wat voor beest het was.
Eindelijk stopte hij, omdat hij niet meer kon. Hij bleef een hele tijd staan. Af en toe keek hij angstig de straat door om te zien of er iemand achter hem aan kwam. Nee.
Nu had hij het bewijs. Terry woonde in dat huis waar ze gisteren een gevangene hadden gezien. De jongen die voor de ingang van de poort had gestaan, was vast haar broer en die kamer waarin hij ze had gezien, was misschien Terry’s kamer, waar de jongen iets had gezocht zonder haar toestemming. Terry had geprobeerd hem tegen te houden, maar dat was haar niet gelukt. Toen had ze haar vader geroepen. Die was gekomen en had de kant van haar broer gekozen.
Dat dacht Nikolaj, en hij vond het zielig voor Terry. De volgende keer dat hij haar tegenkwam, zou hij haar vragen wat het allemaal te betekenen had.

Maxim Sverd belde niet naar de politie. Hij was bang dat dat het begin van het einde zou zijn. Twintig miljoen Zwitserse franc. Hij schudde zijn hoofd en begon op te ruimen. Opruimen? Hij wist niet waar hij moest beginnen en waar hij alle vernielde spullen moest laten. Ik kan hier nooit verdergaan, dacht hij. We moeten zo snel mogelijk weg zien te ko... We? *Ik* moet weg zien te komen... De koffers op Lydia's bed gaapten hem aan en dat gaf zo'n felle steek in zijn hart, dat hij zijn ogen moest dichtknijpen om het beeld te verdringen.

Als ik de politie niet bel, krijg ik geen geld van de verzekering. Twintig miljoen Zwitserse franc, ik heb geen politie en geen verzekering nodig.

Maar iemand heeft jou onrecht aangedaan.

Ja. Nee. Misschien moet het wel zo zijn...

Maxim huiverde toen hij dat laatste dacht. Moet het zo zijn? Niets is zoals het moet zijn. Dit in ieder geval niet. En al dat geld is niet van mij. Misschien is niets ervan van mij?

Waarom denk ik dat?

Maxim liet zich neervallen op een stoel met een hoge rugleuning die uit één stuk gesneden was. Hij wist niet meer wat voor houtsoort het was. De stoel voelde warm aan, alsof de hitte van de Afrikaanse zon nog in het hout zat.

De uren gingen voorbij en hij bleef zitten in zijn winkel. Het werd die dag niet echt licht. Toen het begon te sneeuwen, leek het even of de lucht wat helderder werd, maar algauw werd het zicht slecht. De wind joeg de sneeuw in wonderlijke golven door de lucht. Hij kwam van alle kanten. Niets was meer zoals het moest zijn.

Maxim zat te kijken naar de sneeuw in de straat. De verlichte ramen aan de overkant waren eenzaam en ver weg. Mensen haastten zich voorbij. Niemand bleef voor zijn deur staan. Niemand pakte de deurknop. Niemand stond stil om het bordje GESLOTEN te lezen. Niemand keek door de ramen. Niemand kon weten dat daar iemand was. Hij had geen licht aangedaan. Van buiten zag het er vast uit alsof de winkel was opgeheven.

Er zou licht moeten branden, dacht hij, dat is veiliger. Veiliger dan wat? Veilig tegen wat? Er valt hier niets meer te vernielen of te stelen.

Ineens verlangde hij naar stemmen en gezichten in een verlichte omgeving en hij verbeeldde zich dat hij honger had. Maxim stond op en wilde zijn jas pakken. Toen ontdekte hij dat hij die de hele dag had aangehad.
Hij verliet de winkel door de achterdeur. Alsof ik vlucht, dacht hij, de kapitein die het zinkende schip verlaat. Hij sloot niet af. In het steegje bedacht hij zich, liep terug en deed de deur op slot.
Het was prettig om het Theatercafé binnen te komen. Hij zou daar een bekende kunnen tegenkomen, maar dat vond hij niet erg. Hij wilde alleen zitten en dat was zijn goed recht. Toen de ober hem naar zijn plaats achterin het restaurant bracht, keek hij niet naar de mensen aan de tafeltjes. Hij kreeg een klein tafeltje vlak bij een pilaar. Daar was hij blij om. Hij had het niet kunnen opbrengen om midden in het restaurant te zitten.
Hij liet zich omringen door stemmen en hij bekeek de kaart. Hij snoof het aroma van sigarettenrook op, en af en toe zweefde er een golf parfum voorbij. Om hem heen klonk murmelend gelach, mensen liepen heen en weer, zoekend, afscheid nemend of net binnenkomend.
Maxim bestelde kreeftensoep en een biefstuk met ui en patat. Zijn lichaam voelde licht, zijn hoofd wazig. Hij had een stevige maaltijd nodig om te kunnen overleven. Hij bestelde er rode wijn bij, een halve fles, nee, hij nam een hele.
Buiten werd het donker doorsneden door koplampen en het lichtschijnsel van het Nationaal Theater. De sneeuw joeg wervelend en golvend langs de ramen. Hij had liever gehad dat het regende. De winter was te vroeg.
Toen er vioolklanken over de rand van de galerij stroomden, moest hij ophouden met eten. De klanken herinnerden hem aan iets dat hij was vergeten. Hij kon er niet precies op komen wat. Maar hij zag Florinda's droevige ogen voor zich toen ze hem optilde, een keer toen hij klein was, te klein. De dag dat hij bij haar

wegging, was hij groot geworden. Maar zij had hem nooit opgetild, dat wist hij zeker.
Toen de biefstuk werd gebracht, kwam er een man tegenover hem zitten. Maxim was niet eens verbaasd. Hij had eigenlijk de hele dag zitten wachten tot iemand zich zou laten zien en een gezicht, een lichaam en een stem zou krijgen. Nu gebeurde het.
Maxim begon te eten en de biefstuk voldeed precies aan zijn smaakverwachting. De man aan de andere kant van het tafeltje liet hem een poosje rustig eten. Toen zei hij: 'Smaakt het?'
Maxim herkende de stem meteen. Het was de stem zonder gezicht die vanachter het felle licht tegen hem had gesproken.
Nu had de stem een lichaam gekregen.
'Ja, het smaakt uitstekend,' zei hij en hij verbaasde zich over zijn eigen woorden. 'Als u bent gekomen voor de juwelen, dan kan ik u vertellen dat ik ze niet heb en dat ik niet weet waar ze zijn. En het heeft geen zin om mijn winkel te vernielen. Ik weet nog precies even weinig.'
'Niemand heeft uw winkel vernield,' zei de man.
'Ga zelf maar kijken,' zei Maxim.
'Dat is in elk geval niet ons werk,' zei de man.
Maxim keek hem verbaasd aan.
Hij moest drie grote slokken van zijn rode wijn nemen.
'Zelfs als u alles vernielt wat ik bezit, kan ik u nog niet helpen,' zei Maxim.
'Ik ben niet wie u denkt dat ik ben,' zei de man, 'ik ben maar een boodschapper. Mijn baas zegt dat hij weet dat u weet waar de juwelen zijn. Hij beweert zelfs dat u misschien de enige bent die het weet.'
Maxim staarde hem met open mond aan. Een stukje biefstuk bleef halverwege zijn mond in de lucht hangen. Hij voelde hoe de bearnaisesaus op zijn schoot druppelde en hij hoopte dat zijn servet daar lag.

'Maar ik had eigenlijk nauwelijks van die juwelen gehoord voordat u mij met uw gangstermethodes ondervroeg.'
De man lachte zacht. 'Dat maakt altijd indruk,' zei hij, 'maar ik moet toegeven dat de baas er niet zo blij mee was toen ik hem vertelde dat ik die methode had gebruikt.'
Maxim zweeg. Vanbinnen voelde hij zich kalm en rustig, maar er lag niet meer dan een dun vliesje om de onrust en de chaos die hij eigenlijk voelde. Dat vliesje mocht niet breken.
De man aan de andere kant van het tafeltje ging verder: 'De baas denkt dus dat u de enige bent die kan weten waar de juwelen van de tsaar zijn en hij vroeg mij het volgende tegen u te zeggen: U beweert dat u er nog nooit van hebt gehoord. Dat klopt misschien wel, maar toch hebt u ze.'
'Ik heb ze niet,' siste Maxim.
'En hij vroeg of u eens heel goed na wilde denken, want u hebt maar tot morgen de tijd.'
'En wat gebeurt er dan?' vroeg Maxim dof.
'Dat,' zei de man terwijl hij opstond, 'zult u morgen wel merken. Maar ik denk niet dat u zich erop hoeft te verheugen.'
Hij boog zich voorover en pakte een patatje dat hij in de saus doopte. 'Zet maar op de rekening,' zei hij terwijl hij wegliep.
Maxim zat hem na te kijken tot hij door de deur was verdwenen. Toen at hij verder. Maar het koele vliesje begon steeds strakker te staan door de druk.

Lydia Sverd liep rusteloos door het huis. Ze vond niets om te doen. Zodra ze was gaan zitten, stond ze meteen weer op. Haar benen werden moe van al het heen en weer lopen, maar het lukte haar niet om kalmer te worden.
Ze betrapte zichzelf erop dat ze zich afvroeg waar Maxim zou zijn. En wat was Nikolaj aan het doen? Dat maakte haar nog meer in de war dan ze al was en ze moest zachtjes op en neer springen

om het gevoel van verlamming in haar benen kwijt te raken. Als ze dat niet had gedaan, was ze waarschijnlijk omgevallen.
Ze liep rond terwijl ze koffie dronk. Ze liep rond terwijl ze probeerde te lezen. Ze liep rond terwijl ze de kranten doorbladerde. Het begon donker te worden. Plotseling was het avond. Toen merkte ze dat ze van alle kanten begluurd werd. Vaag zag ze een bleek gezicht achter het raam. Het staarde naar haar vanuit de donkere tuin. Ze schrok en kon nog net een gil binnenhouden.
Nu gaat het gebeuren, dacht ze.
Op het moment dat ze het zag, was het gezicht weer verdwenen. Ze zag alleen nog grote, zware, jagende sneeuwvlokken die om het hardst naar de grond toe wervelden.
Daarna voelde ze steeds dat er iemand door het raam naar binnen keek. Ze volgden haar van kamer naar kamer. Ze probeerde te doen alsof ze niets in de gaten had, om de spionnen te kunnen betrappen. Zodra ze uit haar ooghoek iets zag, draaide ze zich vlug om naar het raam. Ze zag de gezichten nooit, maar ze wist dat ze er waren. Hoeveel konden het er zijn? Twee? Drie? Ze had geen idee.
Toen hoorde ze iemand aan het slot van de voordeur morrelen.
'Is daar iemand?' zei ze zo zelfverzekerd als ze maar kon. Meteen hielden de geluiden op. Maar hoorde ze daar niet iemand bij de achterdeur? Vlug liep ze naar de keuken en het werd weer stil bij de deur.
Toen hoorde ze klopgeluiden op de ramen van de eetkamer en zo gingen de geluiden van kamer naar kamer. Op het laatst rende ze bijna door het huis om zich de gevaren van het lijf te houden.
'Ik heb hulp nodig,' zei ze, 'nu meteen!'
Ze deed haar jas aan en dwong zichzelf stil te blijven staan terwijl ze een taxi belde. Toen ging ze voor het raam op de uitkijk staan tot ze de auto bij het hek zag stoppen.
Nu durven ze me niets te doen, dacht ze en ze haastte zich naar

buiten. Op het moment dat de deur achter haar dichtviel, dacht ze dat ze ergens een ruit hoorde breken.
Ze rende half naar de taxi en haalde opgelucht adem toen ze in de warme auto zat.
'Vangsweg nummer zestien,' zei ze.
Harry Lim was de enige die haar kon helpen. Dat had hij al zo vaak gedaan. Bovendien kon ze niemand anders vertrouwen. Of liever gezegd; hem kon ze nog het meest vertrouwen. Ze wilde niet dat haar broers zagen hoe ze eraantoe was en bovendien wisten die niet waar ze mee bezig was geweest al die jaren dat ze naar vergaderingen en bijeenkomsten was geweest.
Harry Lim wist dat wel en hij had zijn deel van de winst gekregen. Hij had eigenlijk tegen haar gezegd dat ze hem nooit thuis mocht bellen en hem daar al helemaal niet mocht opzoeken. Dat zou voor hen allebei rampzalige gevolgen kunnen hebben. Ze had daar later nog om gelachen, want het had zo dramatisch geklonken.
Als ze voor zijn neus stond, kon hij toch niet weigeren om met haar te praten. Voor de zekerheid vroeg ze de chauffeur een eindje voorbij de ingang te stoppen, zodat niemand haar door het raam kon zien aankomen.
Plotseling draaide ze zich om en keek door de achterruit. Dat leek Nikolaj wel, die daar aan de overkant van de straat liep, maar dat kwam vast alleen doordat ze vandaag zoveel aan hem had gedacht.
Ze belde aan. Het duurde even voordat er werd opengedaan. Voor haar stond een grote jongeman met een enorme bos krullen. Ze deed een stap naar achteren. Hij zag het en glimlachte, maar het was niet bepaald een vriendelijk lachje.
'Ik wil Harry Lim graag spreken, het is belangrijk,' zei ze.
Hij bekeek haar even, ging toen opzij en liet haar binnen in een grote hal.

'Wacht hier maar even,' zei hij en hij verdween een hoek om.
Even later kwam Harry Lim te voorschijn. Hij was zo woedend, dat zijn woorden als een hees gesis klonken: 'Ik heb je toch uitdrukkelijk verboden hier te komen? Ik geloof dat je helemaal gek bent geworden. Wil je het voor ons allebei verpesten?'
Lydia stond met open mond te kijken naar die man met zijn knalrode gezicht en zijn uitpuilende ogen die haar aanstaarden. Ze had wel verwacht dat hij geïrriteerd zou zijn, maar dit had ze niet verwacht.
Hij pakte haar bij haar arm en trok haar mee in de richting van de trap. 'Schiet op, kom mee,' siste hij. Hij wist niet hoe snel hij haar de trap op moest krijgen.
Lydia was zo verbouwereerd dat ze geen woord wist uit te brengen. Toen ze boven waren gekomen, duwde hij haar naar binnen in de kamer die het verst van de trap af lag.
'Wacht hier tot ik terugkom, en hou je heel stil, alsof je er niet bent,' zei hij. Toen deed hij de deur dicht en draaide de sleutel om.
Ik ben opgesloten, dacht Lydia. Eigenlijk ben ik gewoon een gevangene. Ze schudde ongelovig met haar hoofd. Vlucht ik mijn huis uit om niet gevangen te worden, ga ik naar Harry Lim om hem om hulp te vragen, word ik hier opgesloten.
Op de tast liep ze de kamer door. Hij was leeg. Helemaal niets. Niet eens een krukje. Dit is eigenlijk erger dan een cel, dacht ze terwijl ze zich met haar rug tegen de muur op de grond liet zakken. Wat moet ik in godsnaam beginnen? Ze kon niets anders doen dan wachten, dacht ze.
Lydia wist niet hoe lang ze daar in het donker had gezeten toen ze hoorde dat de deur openging. Ze stond op en wilde iets zeggen, toen ze een stem hoorde fluisteren: 'Ssst, kom met mij mee.'
Weer was Lydia verbaasd, want het was een meisje dat daar in de deuropening stond.

'Kom dan, voordat ze ons ontdekken,' zei ze.
Lydia liep naar haar toe en het meisje trok haar mee naar een kamer die dichter bij de trap lag. Daar was licht en er stonden een bed, stoelen en een commode.
'Dit is de logeerkamer,' zei het meisje.
Lydia bekeek het meisje dat ongeveer even oud was als Nikolaj. Ze zag eruit alsof ze had gehuild en ze trok haar haar voor haar gezicht.
'Ik moet uw schoenen even hebben,' zei het meisje, 'om sporen te maken in de tuin.'
'Kom op nou,' zei het meisje toen Lydia aarzelde. Maar toen deed ze wat ze zei. Het meisje verdween de kamer uit.
Lydia wist niet hoe lang ze had gewacht. Haar horloge was stil blijven staan. Het leek ontzettend lang te duren omdat ze de hele tijd zat te luisteren of ze iets hoorde, klaar om zich onder het bed te verstoppen. Als Harry Lim niet zo had gereageerd als hij had gedaan, had ze gedacht dat het een flauw kinderspelletje was.
Toen hoorde ze vlugge voetstappen op de gang en ze kroop zonder enige moeite onder het bed. Ze was blij dat ze zo dun was. De voetstappen bleven staan, er werd een deur opengedaan, stilte, en toen een vloek en voetstappen die de trap af renden. Meer kon ze niet horen.
Lydia durfde niet te voorschijn te komen. De geluiden hadden dreigend geklonken en ineens wist ze dat ze Harry Lim niet kon vertrouwen.
Waar was hij mee bezig?
Het kon wel diep in de nacht zijn toen de deur eindelijk voorzichtig werd opengedaan.
'Kom maar te voorschijn,' fluisterde het meisje.
Lydia kroop onder het bed vandaan en daar stond het meisje met haar schoenen.
'Wat is er gebeurd?' vroeg Lydia nieuwsgierig.

Het meisje lachte even. 'Ik heb ze voor de gek gehouden. Ze denken dat u ervandoor bent gegaan.'
Ze, dacht Lydia. Ze zijn dus met meer. Maar wat willen ze?
'Ik heb het raam van de kamer waar u was opgesloten opengedaan en me met uw schoenen aan in de goot laten zakken. Toen ben ik de tuin door gerend en over het hek geklommen. Ik moest toch weg, dus ik kon weer binnenkomen zonder dat iemand dat gek vond.'
'Allemachtig,' zei Lydia, 'dat was slim van je. Harry zal wel onder de indruk zijn als hij in de gaten krijgt dat ik langs dakgoten kan klimmen.'
Ze merkte dat het meisje haar onderzoekend aankeek.
'Jij kunt mij zeker niet vertellen wat er aan de hand is?' vroeg Lydia.
Het meisje schudde alleen haar hoofd.
'Ik hoopte dat Harry mij zou kunnen helpen,' zei Lydia. 'Ben jij zijn dochter?'
Het meisje gaf geen antwoord, en dat had Lydia eigenlijk ook niet verwacht.
'Kan ik nu veilig weg?' vroeg ze toen.
'Nee,' zei het meisje, 'maar het is veiliger dan daarnet. We moeten zachtjes de trap af sluipen. Dat wil zeggen, jij moet zachtjes de trap af sluipen. Ik moet eerst naar beneden om de hond rustig te houden. Die zou je kunnen verraden.'
'Waarom help je mij?' vroeg Lydia.
Het meisje deed of ze het niet hoorde en zei in plaats daarvan: 'Als je de trap af bent, ga je naar links en dan loop je recht op de deur af. Het slot gaat makkelijk open. Wacht nog een paar minuten als ik weg ben.'
'Wat gebeurt er als ze me pakken?' vroeg Lydia. 'Wat gebeurt er dan met jou?'
'Het lukt wel,' zei het meisje en ze verdween.

Toen ze dacht dat er een paar minuten voorbij waren, deed Lydia de deur open en sloop naar de trap. Ze was bang, maar als ze was blijven staan om te luisteren of ze iets hoorde, was ze nog banger geworden. Er lag dik tapijt op de trap en hij kraakte niet. Gelukkig lag er ook tapijt op de vloer van de gang. Ze stond voor de deur, zag het slot, draaide het de verkeerde kant op en dacht dat ze er niet uit zou komen. Maar uiteindelijk lukte het toch.
Buiten zat het meisje op haar hurken naast een grote rottweiler die begon te grommen, maar het meisje praatte vriendelijk tegen hem en hij werd stil. Het meisje zei niets tegen haar en Lydia liep snel de oprit af. Na een paar stappen bleef ze staan, draaide zich om en bedankte haar.
'Schiet nou maar op,' antwoordde het meisje alleen.
Lydia liep zo vlug ze kon.

Florinda Olsen kon niet slapen. Ze was opgewonden door het bezoekje aan de zolder. Ze had de rest van de dag gebruikt om na te denken en ze had geen tijd gehad voor Vladimir of Anna. Ze dacht aan het bezoek bij tsaar Nikolaj de tweede en aan de juwelen. Ze voelde dat ze de oplossing bijna had gevonden.
Ze had het sieraad dan wel aan Idun gegeven, maar het zou toch gek zijn als die haar niet had verteld wat ze ermee had gedaan, waar ze het had gelaten. Want ze had toch helemaal niets bij zich gehad toen ze haar gezin, haar thuis en haar land verliet. Ze moest zich herinneren of Idun iets over het sieraad had gezegd!
Het was ver na middernacht toen het plotseling leek of ze de zoete geur van pasgemaaid hooi rook; een sterke, bedwelmende geur in de warme zon.
Verbaasd ging ze overeind zitten en snoof. Ja het rook een heel klein beetje naar zomerhooi. Wat gek...
Hoorde ze daar niet een paard hinniken, roeispanen die stil water doorsneden en ritmisch krakende dollen?

‘Florinda?’
Ze zou kunnen zweren dat iemand haar naam had geroepen. Het kwam van heel ver. Bijna als in een droom. Maar ze was wakker.
‘Florinda...’
Daar was het weer, alsof het door de wind over een lange afstand werd meegedragen.
‘Ja?’ zei ze vragend.
‘Het duurt nu niet lang meer...’
‘Idun, ik hoor je, ben je teruggekomen?’
Florinda sloeg haar dekbed opzij, stapte snel haar bed uit en rende op blote voeten door de flat.
‘Idun?’ zei ze in elke kamer, ‘Idun...’
Maar haar dochter gaf geen antwoord.
Opeens stond ze in de boekenkamer. Zoals altijd zag ze gloeiende puntjes oplichten in de spiegel, ook al was de kamer leeg.
Florinda stak een kaars aan en liep naar de spiegel toe. Ze zag een gestalte op zich afkomen. Zoals altijd kreeg ze een zuigend gevoel in haar buik. Alsof er ieder moment iets kon gebeuren. Iets onverwachts. Het wonder waar haar moeder over had verteld.
En nu had ze het zelf gezien. De spiegel was een weg tussen twee werelden.
Terwijl ze langzaam naar de spiegel toe liep, kwam de gestalte in de spiegel dichterbij. Ze kon nog niet zien of ze het zelf was. Maar de witte vlek van het gezicht kreeg haar eigen gelaatstrekken. Toen ze vlak voor de spiegel stond, zag ze zichzelf. Er keken geen vreemde ogen over haar schouder. Er was geen beweging te zien achter haar in de kamer.
‘Idun...?’ zei ze terwijl ze met haar handen over het koele glas streek. De houten lijst was nog steeds warm en ze voelde de licht kloppende hartslag, die iemand anders vast niet zou opmerken.
‘Idun, kom je naar huis...? Eindelijk... O, je moest eens weten hoe ik je heb gemist. Als je nu was weggegaan, had ik je met al mijn

kracht tegengehouden. Ik had je niet laten gaan. O Idun, geef alsjeblieft antwoord...'
Maar er kwam geen antwoord. Florinda liep een eindje weg van de spiegel. Haar hart beefde zo merkwaardig.
Toen Florinda weer naar bed ging, had ze heel sterk het gevoel dat er iets bijna op zijn plaats viel, maar ze had ook het idee dat het enorm veel toestanden zou geven voordat alles weer goed zou zijn.

Vannacht gebeurt het, dacht Nikolaj toen hij in bed lag. Hij was in een leeg huis naar bed gegaan. Zijn ouders waren nog geen van beide thuis, maar vanavond vond Nikolaj dat niet zo erg, want hij wachtte gespannen op de nacht. Hij was niet bang voor wat er zou kunnen gebeuren.
Hij lag nog wakker toen zijn vader thuiskwam. Hij herkende hem aan de geluiden, ook al waren die zachter en vriendelijker dan anders, vond Nikolaj.
Hij lag nog wakker toen zijn moeder laat, heel laat thuiskwam. Zij maakte bijna helemaal geen geluid, je hoorde alleen de zachte plofjes van haar voeten op de trap.
Het was even over vieren, toen Nikolaj voelde dat het donker in zijn kamer begon te trillen en langzaam dunner werd, voordat het oploste en verdween. De muren kwamen te voorschijn, maar ze trilden, werden meteen weer onduidelijk en veranderden in een lichtschijnsel in een vreemd landschap. Plotseling was Nikolaj's kamer weg. Hij lag nog steeds in bed, maar boven hem scheen een goudkleurige, volle maan. De hemel was hoog en weids en blauw zoals de zee 's avonds is. De sterren waren veel groter dan die Nikolaj boven Oslo had gezien en hun licht had alle kleuren van de regenboog.
Nikolaj kon niet zien of de bodem uit zand of gras bestond, of dat hij op zee dreef. Hij bevond zich in een maanruimte.

In de verte kwam een vogel aangevlogen. Hij kwam steeds dichterbij, hij kwam zijn kant op. Nikolaj had hem al eerder gezien. Hij sloeg met zijn vleugels, die blauw glansden in het maanlicht. Ze klapwiekten met een zacht zingend geluid toen de vogel op een hoge steen landde. Nikolaj had de steen niet gezien.
Toen kwam de engel met lange passen aangebeend. Zijn gewaad ruiste, zijn lange krullen kregen een gouden glans in het licht en op zijn zwaard glinsterden zilveren sterretjes van het maanlicht. De engel was even trots en onbuigzaam als Nikolaj zich herinnerde. Het was niet zo gek dat hij bang voor hem was geweest. Toen hij Nikolaj aankeek, herkende hij de doordringende, bijna vurige blik weer, maar er lag ook een vriendelijke warmte in en zijn ogen waren zo blauw als water dat de blauwe lucht weerspiegelt. De engel ging zitten op een bank die ineens naast de steen stond.
De derde die kwam, was de vrouw van het weefgetouw. Haar gezicht stond ernstig, maar er schitterde een fonkelende lach in haar ogen. Ze bracht de geur van jasmijn met zich mee. Ze boog diep voor Nikolaj en de twee andere wezens voor ze op haar knieën ging zitten in het gras dat Nikolaj niet had gezien.
Als laatste kwam het zwarte beest op lichte poten aangeslopen. Er zat maanstof in zijn vacht. Het leek wel of hij rechtstreeks uit het hemelruim kwam. In zijn smalle gele ogen lag een lichte schittering van gouden sterren. Hij sprong soepel in een boom en ging op een tak liggen. Nikolaj had de boom ook niet gezien voordat het beest erin sprong. Nu wist hij wat voor dier het was. Een jaguar.
Plotseling sloeg de ibis met zijn vleugels en zong een paar wonderlijke klanken. Toen zat daar ineens het jonge meisje dat Nikolaj de vorige avond had gezien. De jaguar blies even en sloeg naar haar met zijn ene poot, maar het meisje trok zich er niets van aan.
'Wij zijn blij dat we elkaar konden ontmoeten voordat het te laat zou zijn,' hoorde Nikolaj een stem binnen in zich zeggen. Hij begreep meteen dat het de weefster was.

'We wilden dat je eerst aan ons zou wennen,' zei het ibismeisje.
'Het spreekt in je voordeel dat je niet meer vlucht,' sprak een dreunende stem. Dat was de engel.
'We zijn er niet allemaal,' gromde de jaguar. 'Er ontbreken er drie.'
'Ik weet niet wat er in de tijd van hun legendes gebeurt,' dreunde de engel. 'Maar ze kunnen niet komen.'
'Zouden we dat eigenlijk niet moeten onderzoeken en ze misschien moeten helpen?' zei de weefster.
'Hou op,' zei Nikolaj, 'ik begrijp niet waar jullie het over hebben.' Hij had het hardop gezegd en alle vier richtten ze hun blik op hem. Ze konden hem dus horen en begrijpen.
'Wij zijn afkomstig uit de geschiedenis en de mythen,' zei de weefster.
'We bestaan en we bestaan toch niet,' zei het ibismeisje.
'Ook al kan ons bestaan en dat wat er over ons wordt verteld niet worden bewezen, we bestaan toch,' gromde de jaguar.
'Wij komen uit de tijd van de legendes,' dreunde de engel zodat Nikolaj's hoofd er pijn van deed.
De weefster stond op en liep naar Nikolaj toe. 'Wij zijn naar jou en jouw tijd toe gekomen omdat we je hulp nodig hebben. Wij zijn eigenlijk zeven figuren met elk een eigen legende. Die legendes zijn verbonden aan zeven edelstenen – de enige van hun soort op de hele wereld.'
'Elk van die edelstenen heeft extra kracht gekregen van het maanlicht, omdat de vrouwen die de edelstenen bezaten hun hart erin hebben gelegd. De maan heeft die harten aanvaard, en de stenen er kracht voor in de plaats gegeven...,' zei de ibisvrouw.
'... want de maan is goed. Als de mens laat zien hoe kwetsbaar hij kan zijn, geeft de maan hem daar zijn kracht voor in de plaats. De mens en de maan zijn altijd in balans,' gromde de jaguar.
'Maar niemand weet wat de tijd zal brengen. De mens is onberekenbaar, ook al is zijn hebzucht en machtswellust door de eeuwen

heen altijd gelijk gebleven. De maan staat voor dromen en verlangens, fantasie, verbeelding en onverschrokkenheid. Er is moed voor nodig om je 's nachts bij volle maan buiten te wagen, want niets is eigenlijk zoals het lijkt,' dreunde de stem van de engel binnenin Nikolaj.
De weefster nam het weer over: 'Deze kracht is verzameld in zeven juwelen die de maanstenen worden genoemd. Wij met z'n vieren die hier nu zijn en nog drie anderen, komen uit verschillende tijden en verschillende legendes, maar we zijn verbonden door die stenen.'
'Tegenwoordig worden ze de juwelen van de tsaar genoemd,' zei de ibisvrouw terwijl ze overeind kwam en op de steen ging staan. Haar zwarte haar glansde in het maanlicht, net zo blauw als haar vleugels hadden gedaan.
'Het verhaal van de juwelen is lang en veranderlijk. Maar de sporen leiden hiernaartoe.'
De jaguar ging op de tak zitten. Zijn staart zwiepte langzaam heen en weer. Hij tilde zijn hoofd op en zei als het ware tegen de maan: 'De maan is in gevaar. Zijn eigen licht is aan het uitdoven. De stenen kunnen de maan weer nieuwe kracht geven. Wij zijn gekomen om ze te halen.'
'En jij kunt ons daarbij helpen, Nikolaj Sverd,' dreunde de stem van de engel.
'Maar ik heb ze niet... Florinda, mijn overgrootmoeder, weet dat zij ze vroeger van haar vader heeft gekregen en hij had ze weer van de tsaar gekregen, dus jullie zouden het eigenlijk aan haar moeten vragen, ook al weet ze niet meer wat ermee is gebeurd.'
'We zijn bij jou gekomen, Nikolaj Sverd,' dreunde de engel verder, 'want alle tekenen zeggen dat jij ons ernaartoe zult leiden. Morgen is het tijd. Morgen is het zeven etmalen geleden dat het eigen licht van de maan begon te verdwijnen. Morgen voor middernacht, moet de maan zijn kracht terug hebben.'

'Maar... maar ik weet niet waar ik moet zoeken. Ik weet niet hoe ik jullie moet helpen... Ik weet niets.'
'Wij komen terug,' zei de engel. Zijn stem klonk opeens verder weg. Nikolaj keek op en zag dat de vier gedaantes langzaam verdwenen. Zijn muren kwamen weer te voorschijn, de maan doofde uit en het donker werd weer dichter. Algauw was er geen spoortje meer te zien van het nachtelijke bezoek.
Nikolaj bleef in zijn bed zitten. – Wat moet ik doen? dacht hij. Ik kan dit niet. O, wat moet ik doen?

'Klymene was de dochter van Hylas, een vooraanstaand overheidsdienaar in Athene. Ze was zeventien jaar en dolgelukkig, want ze zou gaan trouwen met haar geliefde Akamas. Maar zo heeft het niet mogen zijn,' begon Dai-Chi.

Hij bleef even stil zitten en staarde in het vuur dat deze avond feller brandde dan de avonden ervoor. Misschien om de boze machten die het kamp de afgelopen dagen hadden bezocht op een afstand te houden. Even dacht hij verwonderd terug aan zijn ontmoeting met de spiegelreizigster.

Hij richtte zijn blik op de vreemdeling. Net als de dag ervoor was hij zwijgend de tent binnengekomen en in de stoel gaan zitten met zijn ene enkel op de knie van zijn andere been. Hij had zijn handpalmen tegen elkaar gelegd en ondersteunde zijn kin.

Zijn hoed was iets naar achteren geschoven, maar dat had hij waarschijnlijk niet gemerkt. Dai-Chi had nog niet eerder zoveel van zijn gezicht gezien. Hij was bleek, zijn huid was bijna doorschijnend wit, alsof het vuur geen warme gloed op zijn gezicht wilde werpen. Het was een lang, smal gezicht; in zijn eigen land was het vast een knappe man, dacht Dai-Chi, maar voor hem zag hij er vreemd uit. Hij had maar weinig blanke mensen ontmoet in zijn leven op de vlakte tussen de bergen. De vreemdeling raakte de wijn niet aan.

'Op Kreta heerste koning Minos. Hij had een zoon die hij boven alles liefhad. Maar die zoon werd gedood in Athene, door afgunstige jongelingen die het niet konden hebben dat een jongen van

Kreta beter was in verschillende sporten dan zij,' ging Dai-Chi verder.
'Koning Minos zwoer wraak en bewapende zich voor een oorlog tegen Athene, dat niet was voorbereid op de aanval. De stad was een makkelijke prooi voor koning Minos. Hij sprak het overwonnen volk toe:
"Jullie hebben mij beroofd van het allerdierbaarste dat ik bezat, namelijk mijn zoon, die ervoor zorgde dat ik de toekomst optimistisch tegemoet zag. Ik heb wraak gezworen, een verschrikkelijke wraak. Onder één voorwaarde sluit ik vrede met jullie. Iedere negen jaar, moeten jullie zeven jonge mannen en zeven jonge meisjes naar Kreta sturen, zodat zij met hun bloed kunnen boeten voor de moord op mijn zoon."
Kreta was wijd en zijd bekend om een bouwwerk dat het labyrint werd genoemd. De onoverzichtelijke, kronkelige gangen leidden uiteindelijk naar de Minotaurus, een monster dat half mens, half stier was. Het was een wild en afschrikwekkend monster en als het niet bij elke tweede nieuwe maan een mensenoffer kreeg, stormde het zijn labyrint uit en richtte het een bloedbad aan onder het volk.
Verschrikt hoorden de Atheners dat hun zonen en dochters aan dit monster geofferd zouden worden. Voor die tijd had de Minotaurus alleen misdadigers gekregen, maar van nu af aan zou het monster om de andere nieuwe maan onschuldige Atheense jongeren krijgen om zijn gulzige honger te stillen.
Koning Minos wilde meteen de eerste veertien jonge mensen meenemen. De burgers van Athene wisten niets beters te bedenken dan de ongelukkige slachtoffers bij loting aan te wijzen, want niemand wilde zijn kinderen vrijwillig afstaan. De loting viel zo uit dat Klymene en Akamas zich beide tussen de veertien jonge mensen bevonden.
Toen de namen van de veertien bekend werden gemaakt, barstte

het volk in geweeklaag uit. Er heerste grote wanhoop toen de veertien jonge mensen aan boord van een schip gingen en het verdriet volgde hen een heel eind de zee op. Klymene en Akamas bleven bij elkaar.
"Niemand zal ons kunnen scheiden voordat onze tijd gekomen is," zei Akamas.
"We blijven zo lang mogelijk bij elkaar," zei Klymene.
"Ben je bang?" vroeg Akamas.
"Niet zolang jij bij me bent," antwoordde Klymene. "En jij?"
"Niet zolang jij me vasthoudt," antwoordde Akamas.
Toen ze bij de stad van koning Minos aankwamen, werden de veertien jonge mensen meteen naar een huis gebracht waar ze onder strenge bewaking zouden blijven tot de nieuwe maan aankondigde dat hun tijd gekomen was.
Vele malen per dag verklaarden Klymene en Akamas elkaar hun liefde. 's Nachts slopen ze weg om ongemerkt wat tijd samen te kunnen doorbrengen in de tuin. De eerste nieuwe maan kwam snel naderbij.
Koning Minos had een dochter die Ariadne heette. Zij wandelde altijd in het park dat grensde aan de tuin die rondom de gevangenis lag. Een aantal keren had ze tussen de bomen de jonge mensen uit Athene gezien en er was er een die haar speciaal was opgevallen. Dat was Akamas. Maar ze had ook de tederheid gezien tussen hem en Klymene, ook al probeerden ze die voor de anderen te verbergen. Ariadne had een paar keer geprobeerd om de aandacht van Akamas te trekken, maar hij had alleen oog voor de Atheense.
Op een avond wandelde Ariadne door het park. Ze hoorde iemand huilen en ze ging op het geluid af. Onder een olijfboom in de tuin van de gevangenis, zat een jong meisje te snikken met haar gezicht in haar handen.
Het was Klymene die daar zat te huilen. Iedere dag van hun ge-

vangenschap werd het moeilijker voor haar. De liefde tussen haar en Akamas leek hopeloos.
Ze keek op toen ze een stem hoorde zeggen: "Waarom huil je?"
Aan de andere kant van het hoge hek stond een jonge vrouw, ongeveer van haar eigen leeftijd. Klymene voelde zich zo eenzaam met haar gedachten, dat ze al de wanhoop en vertwijfeling die ze van binnen voelde uitsprak. Ze zei dat ze niet bang was voor haar eigen dood, maar de gedachte dat Akamas moest lijden en door het monster zou worden toegetakeld, kon ze niet verdragen. Die gedachte liet haar maar niet met rust. Klymene zei dat ze er alles voor over had om Akamas te redden.
Ariadne had Klymene herkend. Het was het meisje dat de Athener blind maakte voor anderen.
"Misschien kan ik je helpen," zei Ariadne, "maar mijn hulp heeft wel zijn prijs."
Klymene wachtte af en Ariadne ging verder: "Als jij bereid bent om als eerste naar de Minotaurus te gaan, zal ik het leven van jouw geliefde redden."
"Ja, o ja," zei Klymene, "bedankt dat je mijn hart vrede schenkt en mijn gedachten rust geeft."
Ariadne had al bedacht hoe ze Akamas uit de gevangenis kon bevrijden en hem kon verbergen in een grot waar ze hem helemaal voor zichzelf zou hebben. Dat was hij wel verschuldigd aan een koningsdochter die hem van de dood had gered.
"Ik ben niet bang voor de Minotaurus," zei Klymene. "Ik heb iedere nacht dezelfde droom. Ik loop op de tast door het donker, door kronkelige gangen en plotseling staat hij voor me. Op het moment dat ik opkijk en zijn stierenkop zie, word ik wakker. Zo gaat het elke nacht... Ik wil er het liefst zo snel mogelijk vanaf zijn."
Toen de nieuwe maan opkwam boven de koraalblauwe zee, was Klymene de eerste die zich bereid verklaarde om het labyrint binnen te gaan naar de Minotaurus. Ze hoorde de hoge, zware poort

krakend achter zich dichtvallen en daar stond ze in het donker. Een bedompte, bedorven lucht kwam haar tegemoet. Ze stond in een soort voorportaal. Er waren meerdere wegen waartussen ze kon kiezen, dat wist ze. Klymene liep op de tast naar de eerste opening en ging het labyrint binnen.

De grond was vlak en goed begaanbaar, het leek wel of de gang naar beneden afliep, maar ze wist het niet zeker. Als ze allebei haar armen opzij strekte, raakten haar vingertoppen net de muren. Die waren vochtig en in de verte hoorde ze af en toe water druppelen. Er kroop iets over haar voet. Met een verschrikt gilletje bleef ze staan, maar toen begreep ze dat het een rat was. Er waren heel veel ratten, merkte ze algauw.

Na een tijdje leek het wel of het donker niet meer helemaal zwart was, maar een beetje grijs. Het is alsof je de dood nadert, dacht ze verdrietig.

Klymene hield niet bij hoe de gang heen en weer kronkelde, dat was onmogelijk in het donker. Misschien liep ze zonder het te weten in een kringetje. Maar ineens voelde ze een koelere windvlaag langs zich heen gaan. Ze begreep dat ze in een grote holle ruimte was gekomen. Ze rook de stank bijna niet meer, haar neus was eraan gewend geraakt.

Opeens verschenen er twee fakkels achter een uitstekende punt. Ze stond in een grot en daar, aan de andere kant, stond de Minotaurus. Reusachtig stond hij daar voor haar met zijn mensenbenen en een krachtig, stevig mensenlichaam, maar op zijn schouders rustte een enorme stierenkop met vurige, boosaardige rode ogen en als hij snoof, kwam er stoom uit zijn neusgaten.

De Minotaurus stormde op haar af. Klymene was zo verrast, dat ze geen tijd had om weg te lopen. Ze bleef staan wachten, precies zoals in haar droom. Dit verraste de Minotaurus, die waarschijnlijk gewend was dat zijn slachtoffers zo snel mogelijk probeerden te vluchten. Hij bleef vlak voor haar stilstaan. Klymene hief haar

hoofd op en keek de Minotaurus recht in zijn lelijke stierenkop. Zo stonden ze elkaar aan te kijken.
Toen gebeurde er iets. Klymene keek dwars door het stierengezicht heen en verbaasd herkende ze de trekken van Akamas. Achter zijn lelijke stierenkop, was de Minotaurus knap.
Klymene strekte een hand uit en aaide de stierenkop voorzichtig over zijn koele, vochtige snuit. De Minotaurus brulde en deed een stap achteruit.
Op dat moment kwam de maan de grot binnen door een spleet in het dak en hij bescheen een verborgen opening in de muur. Klymene begon ernaartoe te lopen. De Minotaurus kwam achter haar aan, maar probeerde haar niet tegen te houden. Ze vond een smalle spleet die de toegang vormde tot een tunnel die naar de vrijheid leidde. Toen ze in de tunnel was, hoorde Klymene hoe de Minotaurus haar verdrietig en eenzaam achterna brulde vanuit de grot, waar hij voor eeuwig opgesloten moest blijven.
Klymene wist dat ze zich verborgen moest houden. Ze wist zeker dat Akamas in veiligheid was, want Ariadnes woorden hadden haar vertrouwen ingeboezemd. Nu wilde ze proberen hem te vinden.
Die nacht brak er een verschrikkelijk onweer los en Klymene zocht beschutting onder een olijfboom. In het licht van de bleekblauwe bliksemflitsen, zag ze ineens twee gestaltes door het olijfbosje voor zich lopen. Ze stond op en riep, want in de ene gestalte herkende ze Akamas, maar het onweer overstemde haar geroep. Klymene volgde de twee naar een grot. Na een poosje ging een van de gestaltes weer weg, alleen. Het was Ariadne.
Toen Klymene de grot binnenkwam, dacht Akamas dat ze een spook was, maar toen hij begreep dat ze levend uit het labyrint was gekomen, stroomde hij over van geluk. Akamas zei dat hij niet had begrepen waarom Klymene vrijwillig had aangeboden om het labyrint binnen te gaan. Ze hadden toch afgesproken dat

ze zo lang mogelijk bij elkaar zouden blijven. Hij was zo wanhopig geweest dat hij erover had gedacht om zichzelf van het leven te beroven. Maar toen was Ariadne gekomen en die had gezegd dat ze hem bij Klymene zou brengen.
Toen vertelde Klymene hoe het allemaal in elkaar zat en Akamas trok Klymene zonder nog iets te zeggen in zijn armen. Maar Ariadnes list had hem teleurgesteld.
De volgende morgen vroeg, terwijl de ochtendnevel nog tussen de olijfbomen hing, kwam Ariadne naar de grot. Toen ze zag dat Klymene in de armen van Akamas lag te slapen, werd ze razend. Akamas stond op en vroeg of ze hem terug wilde brengen naar de gevangenis en Klymene wilde laten gaan. Ariadne probeerde hem te lokken met rijkdommen en ze dreigde met de straf van de koning, maar Akamas' wil stond onwrikbaar vast.
Uiteindelijk stemde Ariadne erin toe om hem terug te brengen. Ze dacht dat Klymene niet erger gestraft kon worden dan wanneer ze verder zou moeten leven nadat Akamas in het labyrint was gedood.
"Doe mij dit niet aan," fluisterde Klymene tegen hem toen hij met Ariadne terugging naar de gevangenis. Ze was zo wanhopig dat haar stem het begaf.
Toen de volgende nieuwe maan voorbij was, en de daarop volgende aan de hemel verscheen, meldde Akamas zich als volgend slachtoffer voor de Minotaurus. Klymene stond samen met de bevolking voor de ingang van het labyrint te wachten toen Akamas naar binnen werd geleid. Ze had zich vermomd en ze stond helemaal vooraan. Op het moment dat de poort bijna achter Akamas dichtviel, sprong ze naar voren en wrong zich tussen de smalle spleet door. De wachters durfden de poort niet te openen om haar eruit te halen.
Dolgelukkig omarmden Akamas en Klymene elkaar. Akamas begreep dat hij Klymene in de steek had gelaten door te kiezen voor

zijn eigen dood in ruil voor haar vrijheid, zoals zij zelf ook had gedaan toen ze zich had opgeofferd zodat hij in leven zou blijven. "Ik denk dat ik ons misschien allebei hieruit kan krijgen," zei Klymene, "houd mijn cape vast, zodat we elkaar niet kwijtraken."
Opnieuw liep ze op de tast naar de eerste opening en voor de tweede keer ging ze het labyrint binnen. Na een poosje verschenen de twee fakkels en net als de vorige keer stond de Minotaurus aan de andere kant van de grot. Hij tilde zijn hoofd op en brulde toen hij zag dat er eindelijk een mens aankwam en hij stormde op Klymene af. Akamas stond achter haar in de schaduw en hij was doodsbang voor wat hij zag.
De Minotaurus wilde nog eens brullen, maar toen herkende hij Klymene, want hij liet een vriendelijk gesnuif horen. Hij liep naar haar toe en liet zijn hoofd naar voren zakken, alsof hij geaaid wilde worden. Klymene aaide hem, terwijl ze zachtjes tegen de Minotaurus sprak. "Je moet me laten gaan, Minotaurus," zei ze. "Deze keer ben ik hier om mijn eigen leven en dat van mijn geliefde te redden. Laat ons veilig naar de tunnel gaan waar ik vorige keer door naar buiten ben gekomen."
Akamas stapte te voorschijn uit de schaduw en ging naast Klymene staan. De Minotaurus richtte zijn hoofd op en stond even naar ze te kijken. Toen wierp hij zijn hoofd in zijn nek en brulde van verdriet en wanhoop. Klymene keek verwonderd naar hem, want ze had niet begrepen dat ze de liefde van het monster had opgewekt.
Dol van woede liep de Minotaurus een stukje naar achteren. Toen draaide hij zich om en stormde met zijn hoofd naar beneden op Klymene af. Ze had de tijd niet om te gillen of te vluchten. Ze strekte alleen haar handen voor zich uit. Die grepen de punt van de ene hoorn en terwijl de andere haar borst doorboorde, brak ze het uiterste puntje van de geelbruine hoorn af.
Klymene viel dood neer. Akamas wierp zich jammerend naast

haar op de grond. De Minotaurus draaide zich om en sjokte terug naar de andere kant van de grot, zonder Akamas te verlossen uit zijn verdriet door hem te doden.
Akamas keek hem wanhopig na: "En ik dan?" schreeuwde hij. "Moet je mij ook niet doden? Moet je mij niet opeten?"
Maar de Minotaurus stond daar alleen maar met gebogen hoofd en met zijn rug naar hem toe. De hand van Klymene opende zich en er rolde een steen uit die de dieprode kleur van het verdriet had. Akamas raapte de steen voorzichtig op en klemde hem stevig in zijn hand. Op dat moment scheen de maan naar binnen in de grot en wees Akamas de opening van de tunnel waar Klymene het over had gehad en hij ging naar buiten.
De rest van zijn leven reisde Akamas de Helleense wereld door, op zoek naar de ingang van het dodenrijk, want hij wilde zijn dode geliefde terug halen. Hij heeft de ingang nooit gevonden.'

Dai-Chi was klaar. De maan gleed weg uit de opening in het tentdak. De vreemdeling stond op en verliet de tent zonder een woord te zeggen. Precies zoals hij was gekomen.

Eliam stond tussen Alia en Olim in en ze keek naar de grote halve cirkel van maandienaars. Iedereen uit de twee halvemaantempels was er. Dat had Eliam nog nooit eerder meegemaakt.
Ze had het koud. Dat kwam niet alleen door wat er straks zou gebeuren, maar ook omdat de wind die over de vlakte streek, koude herfstlucht uit de bergen meebracht. Achter de bergen zou het gauw winter worden. Alleen tussen de bergketens zorgde de maan ervoor dat de zomer aanhield en de wind langer mild bleef. Het sneeuwde nooit op de vlakte tussen de bergen en de maanspiegel vroor nooit dicht.
Het was donker. De heldere, maanloze hemel wierp een bleek schijnsel op de avond. Zeven fakkels stonden eenzaam te branden. De maan zou nu gauw opkomen. Vier maandienaars, twee uit elke tempel, hielden een enorme maanspiegel vast die in een lijst was gevat. Eliam had die spiegel nog nooit eerder gezien en ze wist ook niet waar hij werd bewaard.
Alia trok haar voorzichtig aan haar arm, boog zich een stukje naar haar toe en fluisterde: 'Eliam, vergeet niet dat je niet zelf hebt gekozen voor de krachten die je bezit. Niemand kan beslissen of hij die wel of niet wil hebben. Ze zijn er gewoon. Je zult merken dat sommige van je mede-maandienaars jaloers op je zijn, maar je moet proberen om je daar niets van aan te trekken...'
De maan kwam op boven de berg, er viel weer licht op de vlakte. De gestaltes die de halve cirkel vormden, kregen gezichten. Eliam

richtte haar blik op de maan. Ze was bang, banger dan ze ooit was geweest. Maar de zachte contouren van de afnemende maan maakten haar rustiger en het licht ontstak een gloed in haar die haar kracht gaf.
Olim zei: 'Het is tijd. Wij die hier en nu leven, en die de maan en de aarde met onze beste krachten dienen, zullen een handeling uitvoeren die wij alleen uit onze geschriften kennen. Wij zullen de legendes herhalen en aantonen dat ze werkelijk waar zijn, want *wij* zijn werkelijk waar. Laten we tonen dat wij de maan en de aarde dienen. Laten we de uitdaging tegemoet treden met vrees in onze geest en met moed in ons hart. Alles hangt van Eliam af. Ik weet dat dat hard klinkt, maar zonder jou kunnen we de maan niet te hulp komen. Laten we door de spiegel gaan en de maanstenen zoeken.'
Eliam liep met rustige stappen naar de spiegel toe. Bij iedere stap die ze deed, gleed er een stukje angst van haar af en ze bleef met een prettig gevoel van kalmte voor de spiegel staan. Met grote waardigheid tilde ze haar hoofd op.
'O, maan, ik dien jou met mijn hart, dat jij vult met dromen. Ik dien jou met mijn woorden, die jij vult met verlangen. Ik dien jou met mijzelf, aan wie jij deze niet-verdiende kracht hebt gegeven...'
Verbaasd luisterde Eliam naar haar eigen woorden. Ze wist niet dat ze iets moest zeggen, en ze wist ook niet waar de woorden vandaan kwamen. Toen richtte ze haar blik op de spiegel, zoekend, wachtend op een antwoord, zodat de weg zich kon openen.

Nikolaj werd heel vastberaden wakker: zo kon het niet verder. Eerst moest het belangrijkste veranderen.
Hij wilde niet langer alleen zijn in een leeg huis. Als ze een gezin waren, dan moesten ze er ook af en toe allemaal tegelijk zijn, en niet alleen 's nachts als ze in hetzelfde huis sliepen.
Er was vast een verklaring voor dat zijn vader in het huis met de gevangene was geweest, een verklaring die Nikolaj kon begrijpen. Misschien had zijn vader op dat moment niet kunnen helpen omdat die anderen vijanden waren. Dan was Terry misschien ook een vijand? Daar wilde Nikolaj achter zien te komen. De ontmoeting van die nacht had hem rustig gemaakt. Hij zou doen wat hij kon om de juwelen van de tsaar te vinden, hoewel hij niet wist hoe hij zou kunnen helpen.
Als het me niet lukt om dit lege huis te vullen, dacht Nikolaj terwijl hij zijn trui over zijn hoofd trok, dan ga ik verhuizen. Ik zal het er met Florinda over hebben. Als zij het goed vindt, wil ik bij haar wonen, dan kunnen die domme ouders van me in dit lege huis blijven wonen en samen zwijgen of ruzie maken.
Ik wou dat Florinda erachter kwam waar die juwelen waren, dan zijn we tenminste van al dat geheimzinnige gedoe af.
Eén ding zal ik zeker doen: Terry vragen of zij iets van de juwelen af weet en ik wil ook weten waarom ze liegt en mij zo gemeen voor de gek heeft gehouden. Dat ga ik nu meteen doen. Ik wacht gewoon voor haar huis tot ze naar buiten komt – al duurt het de hele dag. Ik *moet* erachter zien te komen wat zij weet.

Dapper liep Nikolaj de donkere morgen in, hij voelde zich sterk. Het motregende. De wolken hingen nog steeds zwaar en laag aan de hemel; het had 's nachts gevroren. Nikolaj liep stevig door. Zijn adem kwam in wolkjes uit zijn mond. Ik ben een stoomlocomotief dacht hij, hakke-hakke-puf-puf, en hij lachte om zijn eigen kinderachtigheid.
Het was een hele tijd geleden dat hij had gelachen. Zijn lijf voelde lichter dan het een hele tijd had gedaan. Zijn schouders waren ook makkelijker te dragen. De gedachtes waarmee hij was opgestaan, maakten hem bang, maar hij had ze nou eenmaal gedacht en hij kon ze niet meer wegtoveren. Hij meende wat hij had gedacht. Nu moest hij maar zien hoe het allemaal zou lopen. Even over achten was hij bij het huis. Er brandde licht achter een paar ramen. Het raam waar hij de gevangene had gezien, was donker. Misschien waren de gordijnen goed dichtgetrokken.
Hij liep voorbij het hek en bleef een stukje verderop langs de schutting staan, maar wel zo dat hij de oprit nog kon zien. Al duurt het de hele dag, dacht hij. Nu zal ik erachter komen.
Even over tienen kwam Terry naar buiten. Zij spijbelt ook, dacht Nikolaj. Ze was samen met de grote jongen. Hij gaf haar een duw zodat ze bijna viel. Ze zei niets, en liep gewoon door. Nikolaj liep vlug naar de hoek. Hij moest weg kunnen als het gevaarlijk zou worden. Als ze maar geen taxi namen, dan zou hij ze niet meer kunnen volgen. Daar had hij niet aan gedacht, en hij had er ook niet aan gedacht dat Terry samen met iemand anders naar buiten zou kunnen komen.
Ze kwamen zijn kant op. Terry liep iets voor de jongen uit. Het lijkt wel of hij haar bewaakt, dacht Nikolaj. Ze gingen een hoek om, maar Nikolaj volgde ze. Voor een kruidenier bleven ze staan. Terry zei iets, maar de jongen greep haar bij haar arm en trok haar mee naar binnen.
Ze wordt écht bewaakt, dacht Nikolaj een beetje geschrokken. Hij

liep vlug naar de winkel en waagde zich naar binnen. De jongen duwde een winkelwagentje dat hij met boodschappen vulde. Terry sjokte ernaast. Ze keek niet op. De jongen stopte bij de vleesafdeling en vroeg iets aan de man die daar hielp. Hij was helemaal op het vlees geconcentreerd. Terry stond iets achter hem.
Nu, dacht Nikolaj en hij liep vlug naar haar toe. Net voordat hij bij haar was, zag ze hem. Ze zag er tegelijkertijd opgelucht en geschrokken uit.
'Kom,' fluisterde hij terwijl hij haar hand pakte en ze gingen ervandoor.
De jongen was waarschijnlijk zo verbouwereerd, dat ze al bijna bij de kassa waren toen er een schelle kreet achter ze klonk: 'Hé, stop!'
Ze vlogen de winkel uit, renden de hoek om, tussen twee huizen door in de richting van een heg, wat struiken en een verlaten tuinbank. Ze kropen door de struiken en aan de andere kant er weer uit en stuitten op een hek. Ze liepen langs het hek totdat het ophield bij een heuveltje, daar klommen ze overheen en toen renden ze door een groepje bomen tussen de huizen. Ze kwamen uit op een binnenplaats en konden zo weer een andere straat inlopen.
Ze liepen kris-kras door de stad naar het centrum, want ze dachten dat ze zich daar makkelijker zouden kunnen verstoppen. Toen glipten ze de Saga bioscoop binnen en gingen in de halfdonkere foyer op een bankje zitten, waar je ze niet kon zien vanaf de ingang. Toen ze weer een beetje op adem waren gekomen, stelde Nikolaj zonder omhaal zijn vragen:
'Waarom heb je tegen mij gelogen?'
'Waarom zei je niet dat je in dat huis woonde?'
'Wat deed die gevangene in jouw huis?'
Terry zei niets.
'Misschien heet je niet eens Terry.'

Ze schudde haar hoofd. 'Ik heet Terese, maar ik heb altijd Terry willen heten.'
'Waarom heb je gelogen over waar je woonde?'
'Ik wilde niet zeggen dat ik in dat huis woonde.'
'Hoe kwam je dat andere huis binnen?'
'Mijn vader heeft er ook een flat, maar daar wonen wij niet.'
'Wie is je vader?'
'Doe nou niet zo vervelend!'
'Denk je dat het leuk is om erachter te komen dat je steeds wordt belazerd?'
'Nee,' zei ze, 'dat is waar.'
Nikolaj zweeg, wachtte af.
'Nou oké dan,' zei ze, 'het heeft ook geen zin meer, niks heeft meer zin. Iedereen is boos op mij en mijn vader dreigt dat hij me weg zal sturen en mijn broer moet me in de gaten houden zodat ik geen contact met jou kan zoeken...'
'Met mij?'
'Ja, die jongen die bij me was, is mijn broer. Hij helpt mijn vader een beetje. Hij heeft mij de hele week bespioneerd, want mijn vader was bang dat ik jou zou waarschuwen.'
'Mij waarschuwen?'
'Ja, ze hadden ontdekt dat ik iets had gehoord dat ik niet had mogen horen. Ze noemden jouw naam en ze zeiden: "In het ergste geval moeten we de jongen pakken."'
'Zeiden ze dat? Maar waarom...'
'Dat weet ik eigenlijk niet,' zei Terry. 'Maar het begon ermee dat er ruim een week geleden een oude man bij mijn vader op bezoek kwam. Mijn vader doet zoveel vreemde dingen. Ik weet niet precies wat, maar ik ben een beetje bang. Een tijdje geleden was de politie nog bij ons om met hem te praten. Mijn vader wist niet dat ik thuis was toen die oude man op bezoek kwam. Hij kijkt eigenlijk altijd of ik weg ben als hij bezoek heeft. Ik was iets aan het

zoeken in de kelder en toen hij mij boven niet vond, dacht hij waarschijnlijk dat ik er niet was. Toen ik uit de kelder kwam, hoorde ik stemmen uit de kamer. Ze praatten niet zo hard, maar ik sloop naar de deur om te luisteren. Als je iets te weten wilt komen, moet je luisteren als volwassenen praten. Ik hoorde de man aan mijn vader vragen of hij iets wilde uitzoeken over de juwelen van de tsaar, die Florinda Olsen in haar bezit had gehad. En toen noemde hij Maxim Sverd en Nikolaj en Lydia. Ze bespraken een heleboel en toen zei mijn vader: "In het ergste geval moeten we de jongen pakken."'

'Belde je mij daarom?'

Terry knikte. 'Ja, maar ik vond het wel eng om te bellen. Mijn vader of mijn broer konden er elk moment aankomen. Ik was zo ingespannen aan het luisteren, dat ik hem niet hoorde voordat hij vlak achter me stond en vroeg met wie ik aan het praten was. Ik ben gewoon mijn kamer ingerend. Toen is mijn vader waarschijnlijk achterdochtig geworden.'

'Hoe heet je vader dan?'

'Harry... Harry Lim.'

'Maar wat deed mijn vader daar?'

'Ik... ik geloof dat hij en mijn vader samen ergens mee bezig zijn. Die man die gevangen was, weet je nog? Die heet Vladimir nog wat...'

'Vladimir!' schreeuwde Nikolaj. 'Dat ik dát niet begreep. Dat is een vriend van Florinda, mijn overgrootmoeder.'

'... en ze wilden geloof ik dat hij iets zou vertellen over de juwelen van de tsaar, want ze dachten dat hij dat van Florinda had gehoord,' ging ze verder alsof hij niets had gezegd.

'Heeft mijn vader geholpen om een man te ontvoeren en hem gevangen te houden?' zei Nikolaj verschrikt.

Terry gaf geen antwoord en haalde hulpeloos haar schouders op.

'We moeten iets doen,' zei Nikolaj.

'Wat dan?' zei Terry.
'We gaan naar Florinda.'
'Ik kan nergens heen,' zei Terry, 'ik kan niet naar huis, nu ik ben weggelopen voor mijn broer en zo. Mijn vader sluit me voor de rest van m'n leven op.'
'We gaan natuurlijk samen naar Florinda. Kom mee!'

Lydia Sverd verheugde zich erop om Patrick te zien. Dat was het enige leuke tussen alle vervelende dingen die ze de afgelopen week had meegemaakt. Die gedachte hield ze angstvallig vast. Ze wilde niet dat er iets tussenkwam dat dat kleine beetje plezier zou verstoren. Misschien kon ze hem wat vertellen over waar ze mee bezig was. Ze zou hem nooit kunnen vertellen dat ze aardig wat verdiende met het stelen van juwelen. Hij zou vast alleen ongelovig lachen als ze dat zei. Hij zou zich waarschijnlijk niet kunnen voorstellen dat zijn kleine zusje zich met zulke duistere praktijken bezighield.
Maar ze konden vast wel gezellig samen praten en lekker eten. Ze had zin in wijn bij het eten, lekkere koppige rode wijn, die haar zweverig en slaperig maakte. Dan kon ze misschien de rest van de dag slapen zonder dat er nog meer vervelende dingen gebeurden. Vroeg of laat moest ze met Maxim praten. Maar het bleef bij 'laat'. Ze stelde het steeds uit, ze had niet eens een verklaring gegeven voor de koffers en hij had niets gevraagd, hoewel hij ze gezien had. Het was niet makkelijk. Ze was er niet zo goed in om de dingen te zeggen zoals ze waren. Bovendien kon ze hem niet vertellen dat ze al een paar jaar een eigen leven aan het voorbereiden was, een financieel onafhankelijk leven, weg van hem. Zonder hem.
Had ze de laatste jaren dan niet van hem gehouden? Jawel, ze hield wel van hem. Maar waarom was ze dan toch begonnen juwelen te stelen en een nieuw leven voor te bereiden, helemaal alleen, ergens anders? Ze wist het eigenlijk niet.

Rigoletto, het kleine Italiaanse restaurantje, was gezellig. Als je binnenkwam, was het net of het avond was, ook al was het midden op de dag. Witte tafelkleden op ronde tafeltjes, waxinelichtjes en rozen. Niet te veel tafeltjes, niet te dicht op elkaar. Patrick was er al. Hij begroette haar glimlachend, maar Lydia merkte dat hij ernstig was.
O nee, dit gaat toch geen moeilijke lunch worden, dacht ze terwijl ze zich in de kaart verdiepte. Patrick wilde alleen een licht lunchgerecht, maar zij bestelde een voorgerecht en een hoofdgerecht en rode wijn. Dat wilde hij ook wel.
'Ik heb vandaag verder misschien geen tijd meer om te eten,' zei ze verontschuldigend.
Ze hadden het over allerlei gewone dingen terwijl ze aten, maar toen Lydia het laatste hapje van haar kalfsschnitzel had doorgeslikt, schonk hij nog wat wijn in hun glazen en zei: 'Ik heb de indruk dat jij niet helemaal gelukkig bent met Maxim.'
Lydia gooide bijna haar wijnglas om.
'Patrick, ik hoop niet dat je me hebt uitgenodigd om over mijn huwelijk te praten. Ik denk dat je wel genoeg hebt aan je eigen huwelijk.'
'Ja, dat heb ik ook, en ik ben ook niet van plan om over het jouwe te praten, het is meer een inleiding voor wat ik ga zeggen. Ik vraag me af of jij eventueel iets zou willen doen wat in Maxims nadeel is, of doe je alles met hem samen?'
'Ik begrijp niet wat je bedoelt.'
Patrick pakte haar handen. 'Misschien komt wat ik nu ga zeggen wel als een schok voor je. Maar ik zeg het toch, omdat ik wil dat je met ons meedoet. We zijn toch familie, Dieter, jij en ik.'
Lydia voelde een koude rilling over haar rug gaan.
'Ik vraag me af of je met ons mee wilt doen in een handeltje dat je miljoenen zal opleveren.'
'Miljoenen?' fluisterde ze.

'Ja, miljoenen. We hebben besproken of we het aan jou zouden vragen en ik zei ja, absoluut. Ik weet bijna zeker dat jij bij Maxim weg wilt. Er zijn te veel dingen die erop wijzen dat het niet goed gaat tussen jullie.'
'Vertel,' zei ze.
Hij liet haar ene hand los en nam een grote slok van zijn wijn.
'Wil je meedoen en het geld voor de juwelen van de tsaar met ons delen?'
'De juwelen van de tsaar?' zei Lydia terwijl ze naar adem hapte, 'maar... hoe... waarom...'
'We hebben ze nog niet, maar wel bijna. Het is niet eerlijk dat zo'n enorme rijkdom binnen één familie blijft. Of Florinda ze nou heeft, of Maxim of die idiote moeder van hem; er zouden meer mensen van het geld moeten kunnen profiteren, wij namelijk.'
Lydia hield zich uiterlijk koel, en ze luisterde zo geïnteresseerd ze maar kon. Maar binnen in haar kolkte de opstand.
'Ik vraag je: Wil je meedoen om te zorgen dat wij dat sieraad in handen krijgen, zodat we nog lang en gelukkig kunnen leven – zo staat het toch altijd in sprookjes?'
'Weten jullie al lang van dat sieraad af?' vroeg Lydia.
'Nee, ongeveer drie weken geleden hoorden we er een gerucht over.'
'O?'
'Ja, een goede vriend van mij gaf me de tip.'
'Is dat iemand die ik ken?' vroeg Lydia. Ze kon haar stem nauwelijks in bedwang houden.
'Nee, dat denk ik niet. Hij heet Harry Lim.'
Lydia greep zich zo hard vast aan de rand van de tafel, dat haar knokkels er pijn van deden. Ze deed haar ogen dicht en kreunde zachtjes.
'Lydia,' zei Patrick bezorgd, 'voel je je niet lekker?'

Ze schudde haar hoofd, durfde niets te zeggen. Ze was bang dat ze tegen hem zou gaan schreeuwen. Terwijl ze daar zo met gesloten ogen zat, flitsten er verschillende scènes uit hun jeugd door haar hoofd. Al die keren dat Patrick haar dingen had laten doen omdat ze samen een team vormden. Ze moest bij hun vader bedelen om geld voor de bioscoop, maar dan hielden Patrick en Dieter alles voor zichzelf. Ze moest bij hun moeder bedelen om chocoladecake, maar zelf kreeg ze er geen hap van. En nu moest ze hun helpen om een sieraad te vinden waar ze toch geen cent voor zou krijgen.
'Sorry, Patrick, ik moet weg,' zei ze en ze stond op. 'Maar ik wil nog wel even twee dingen kwijt,' ging ze verder terwijl ze haar wijnglas pakte: 'Schrijf me voortaan geen anonieme dreigbrieven meer en praat nooit meer tegen me zolang je leeft!'
Toen gooide ze de inhoud van haar glas recht in zijn gezicht. Voordat ze zich omdraaide en Rigoletto uit marcheerde, zag ze zijn stomverbaasde, natte gezicht.

Maxim Sverd stond nog vroeger op dan gewoonlijk. Hij had wakker gelegen tot Lydia thuiskwam. Hij had besloten om dan op te staan en met haar te praten. Het was verschrikkelijk om zo in onzekerheid te moeten zitten en hij had haar nog niet eens verteld over de vernielingen in de winkel. Toen hij haar zachtjes de trap op hoorde lopen, bleef hij toch liggen. Het moest maar tot morgen wachten.
Hij had nog maar een uurtje geslapen, toen hij met een ruk wakker schrok. Hij voelde dat er gevaar dreigde. Maar alles om hem heen was stil. Voor de zekerheid deed hij de lamp op zijn nachtkastje aan. Hij voelde zich meteen veiliger, maar hij kon niet meer slapen. Om zes uur stond hij zachtjes op, dronk een kop koffie in de keuken en liep toen naar buiten, de koude, bewolkte ochtend in. Het motregende.

Toen hij in zijn auto zat, wilde hij het bandje van Vivaldi opzetten, maar zijn hand stopte halverwege op weg naar de autoradio. Hij durfde het risico niet te nemen dat er weer een boodschap op zou staan. Hij reed maar wat rond door de straten. Het was te vroeg om naar de winkel te gaan. Wat moest hij daar trouwens? Hij kon er niet meer tegen om al die kapotte spullen te moeten zien.

Het schoot door Maxim heen dat hij was vergeten het door te geven aan zijn assistent. Daarom ging hij toch maar naar de zaak om te bellen. Hij zei tegen zijn assistent dat hij tot het weekend vrij mocht nemen, doorbetaald natuurlijk. Er was iets gebeurd waardoor de zaak dicht moest. Toen hij ophing, hoopte hij dat zijn assistent niet naar de winkel zou gaan om te kijken wat er aan de hand was.

Zo ging de dag voorbij. Daar zat hij tussen de resten van een bloeiend bedrijf. Maxim had altijd alleen voorwerpen en meubels geïmporteerd die hij zelf mooi vond. In zekere zin was het zijn huis dat vernield was.

Tegen lunchtijd ging hij naar buiten om wat te eten. Zoals gewoonlijk liep hij in de richting van het Theatercafé. Hij had nog maar een paar stappen gedaan, toen er vlak voor hem een donkere auto stopte langs de rand van het trottoir. Het portier aan de kant van de bestuurder ging open en de man die de vorige dag in het Theatercafé bij hem was komen zitten, keek naar buiten.

'Stap in, Sverd,' zei hij.

'Nee,' zei Maxim en hij wilde doorlopen.

'Ik moest jou halen van de baas en ik denk dat je maar beter kunt meegaan.'

'Wil hij mij spreken?'

'Ja.'

'Persoonlijk?'

'Ja.'

Maxim liep om de auto heen en ging naast de chauffeur zitten. Hij reed de weg op.
'Moet ik niet geblinddoekt worden?' vroeg Maxim ironisch.
'Nee, daar heeft de baas niets over gezegd.'
Zwijgend reden ze verder het centrum uit. Ze reden langs de fjord, die er peilloos diep en somber uitzag onder de laaghangende bewolking. Een boot lag hevig te schommelen op de golven. Er stonden grauwe koppen op.
Na een hele tijd sloegen ze rechtsaf. Maxim moest toegeven dat hij niet zeker wist hoe de weg waar ze nu op reden heette. De auto stopte bij een stenen huis dat hem deed denken aan een klein kasteeltje. Op een van de hoeken stond een hoge toren met een bronzen spits. De voordeur leek wel een kasteeldeur. De chauffeur belde aan. Je hoorde niets. Nadat ze even hadden gewacht, gleed de deur geruisloos open en een vrouw met een zwart schort deed rustig een stap opzij toen ze zag wie het was.
De chauffeur duwde Maxim een enorme hal in en verder schuin naar links, waar een eikenhouten deur op een kier stond. Hij klopte voorzichtig aan.
'Binnen,' antwoordde een krachtige stem.
De chauffeur schoof Maxim naar binnen en deed de deur achter hem dicht. Bij het raam stond een statige man met zijn rug naar de kamer. Hij had dik wit haar, hij droeg een gemakkelijk zittend bruin ribfluwelen pak en hij leunde op een stok. Maxim bleef staan wachten. Hij wist niet precies waarop. De man bij het raam nam de tijd voor het uitzicht.
Terwijl hij nog met zijn rug naar de kamer toe stond, zei hij: 'Ik had gehoopt dat dit niet nodig zou zijn, Maxim.'
Toen draaide hij zich eindelijk om, langzaam. Zijn linkerbeen kwam een beetje later dan de rest. Maxim kon het gezicht van de man niet duidelijk zien. Hij stond bij het raam met het kleine beetje licht dat nog van buiten kwam achter zich.

'Ga zitten,' zei de man.
Maxim keek de kamer rond. Er stonden zware leren meubels. Een bank die met de rugleuning naar het raam stond, een donkere, massief houten tafel en drie leunstoelen. Toen Maxim in een van de stoelen ging zitten, zakte hij er een heel eind in weg en veerde toen weer iets omhoog. De man stond nog steeds met zijn rug naar het licht.
'Ik had echt gehoopt dat dit niet nodig zou zijn,' herhaalde hij, 'eigenlijk hadden we elkaar onder andere omstandigheden moeten ontmoeten. Maar het heeft niet zo mogen zijn.'
Maxim vond het merkwaardig wat hij zei, maar hij gaf geen antwoord, wachtte af.
'Ik begrijp dat je weigert te vertellen waar de juwelen van de tsaar zijn?'
'Weigeren is niet helemaal het juiste woord,' antwoordde Maxim. 'Ik weet niet waar ze zijn. Ik had er nog nooit van gehoord voordat die handlangers van u mij op zo'n ruwe manier ondervroegen.'
'Dat spijt mij,' antwoordde de man terwijl hij met zijn vrije hand gebaarde. 'Maar Tony heeft een beetje een romantisch beeld van een misdadiger. Dat krijg je waarschijnlijk als je te veel films met Humphrey Bogart ziet... en dan nog iets. Ik wil graag dat je jij tegen mij zegt – als je dat kunt.'
'Ik weet niet waar die juwelen zijn,' herhaalde Maxim koel. 'Het is verspilde moeite van u om mij hiernaartoe te halen.'
De man bij het raam zweeg. Hij tikte zachtjes met zijn stok op de grond.
'Wil je koffie?'
'Nee dank u.'
'Iets anders?'
'Nee dank u.'
Het getik ging op dezelfde kalme manier door.

'En als ik nou zeg dat ik weet dat jij de enige bent die weet waar de juwelen zijn?'
'Dan zeg ik dat u liegt. Hoe komt u er in godsnaam bij?'
'Jij hebt die juwelen gestolen.'
'Ik?? Maar ik was toch nog maar een kind.'
Maxim had nog nooit zoiets gehoord. Met welk recht stond die vreemde man hem daar van zoiets vreselijks te beschuldigen?
'Ja, precies, en daarom kun je het niet echt diefstal noemen. Maar waar is een kind niet toe in staat om te zorgen dat zijn moeder niet weggaat?'
Maxim verstijfde. Een waanzinnige gedachte borrelde op uit het donker binnen in hem. Hij probeerde hem weg te drukken, maar het was al te laat. Hij slikte moeilijk en wist niet wat hij moest zeggen. Hij was bang om de woorden te gebruiken die op het puntje van zijn tong lagen en probeerde ze in te slikken.
'Hoe weet u dat?' fluisterde hij.
'Omdat ik heb gezien dat je ze pakte.'
'Hoe kunt u dat gezien hebben?' Zijn stem was nauwelijks hoorbaar, maar de ander begreep toch wat hij zei.
'Omdat ik in de kamer was toen jij je over het juwelenkistje van je moeder boog en met vlugge vingertjes dat mooie ding dat daarin lag te glinsteren, weggraaide. Toen liep je de kamer uit zonder dat je moeder gezien had wat je had gedaan.'
'Maar u had het gezien, waarom heeft u mij niet tegengehouden?'
'Ik vond dat je er recht op had. Wat had je anders nog van je moeder? Een paar half vergeten herinneringen, misschien niet eens. Je was nog maar zo klein.'
Maxim werd duizelig en hij moest zich aan de armleuningen van zijn stoel vasthouden.
'En nu wil ik het sieraad graag terug hebben. De tijd is gekomen.'
'Terug hebben,' zei Maxim. Zijn stem begaf het en hij moest zijn keel schrapen. 'U praat alsof het van u is.'

Daar gaf de man geen antwoord op.
'Ik wil het hebben in ruil voor iets anders.'
'Voor wat?'
'Laten we zeggen rond de vijftien miljoen Zwitserse franc.'
Maxim sprong op uit zijn stoel. 'Wat zegt u daar... Wat bedoelt u... Hebt u dat... Maar waarom...'
Hij liet zich weer in zijn stoel vallen. Zijn benen wilden hem niet meer dragen.
'Ik weet dat het sieraad meer waard is. Jij bent nog jong en je kunt veel met dat geld doen. Ik ben oud en mijn tijd is beperkt. Ook al beantwoorden vijftien miljoen Zwitserse franc niet helemaal aan de waarde van het sieraad, de rest krijg ik in de vorm van herinneringen.'
'Herinneringen...?' zei Maxim. Hij voelde steken rond zijn hart. Hij was altijd al bang geweest voor een hartaanval. Hij kreeg het ook benauwd. Het zweet liep langs zijn voorhoofd.
'Herinneringen aan wat?' fluisterde hij.
De man zweeg even. Toen kwam hij een paar stappen dichterbij, langzaam, alsof hij op zijn hoede was voor Maxims reactie. Hij ging op de bank zitten. Er viel een mat lichtschijnsel op de helft van zijn gezicht, en Maxim wist dat hij deze man eerder had gezien. Hij herkende de gelaatstrekken. Hij zag dat ze op elkaar leken.
'Jij bent...'
De man knikte. 'Ja, Maxim, ik ben Egon Sverd. Ik ben jouw vader.'
Het werd stil. De pijn in zijn borst was bijna ondraaglijk geworden. Vlakbij zich hoorde Maxim iemand zachtjes snikken. Zijn wangen werden nat. Verbaasd bracht hij zijn ene hand naar zijn wang. Die werd vochtig. Zat hij te huilen? Hij begon over zijn hele lijf te trillen en hij kon er niet meer mee ophouden.
Hij wist niet hoeveel tijd er voorbij was gegaan toen hij achter-

over viel in de stoel en zijn hoofd tegen de rugleuning liet zakken. Hij had zijn ogen dichtgedaan. Waarom voelde hij geen reacties op deze vreemde man die na veertig jaar terugkwam en zich zijn vader noemde?

'Ik weet niet goed wat er met Idun aan de hand was,' zei Egon Sverd. 'Maar ze werd 's nachts wakker van onrustige dromen. Ze wilde nooit zeggen wat ze had gedroomd. Maar soms stond ze op en dan ging ze naar de badkamer. Ik ging haar een keer achterna. Ze stond voor de spiegel. Ze keek niet naar zichzelf, maar staarde als het ware de spiegel in, naar iets achter haar eigen spiegelbeeld en ze streek met haar handen over het glas alsof ze iets zocht.

Ik hield van haar en ik weet dat ze ook van mij hield. De dag dat ze vertelde dat ze naar Rusland terug moest gaan, was voor ons allebei een heel verdrietige dag. Ze zei dat ze niet wilde, maar dat ze moest. Ze kon mij niet uitleggen waarom, want ze wist zelf nauwelijks de reden. Ze zei dat ze terug zou komen als ze had gevonden waarnaar ze zocht. Maar ik wist dat het een afscheid voor altijd was.'

De man zuchtte even en tilde zijn linkerbeen op zodat het gestrekt kwam te liggen.

'Ik vroeg of we niet met z'n drieën konden gaan, maar ze zei dat ze dit alleen moest doen. Ze wilde niets groots van thuis meenemen, alleen een paar boeken, een foto van ons en het sieraad dat ze van Florinda had gekregen voor ons trouwen. Ik zag dat jij die ketting wegpakte Maxim, je was zo ongelukkig. Je was drie jaar en je begreep heel goed dat mamma nooit meer terug zou komen. Ze zou voor altijd weggaan.

En toen ging ik ook voor altijd weg... Ik stortte helemaal in toen Idun weg was. Ik kon het allemaal niet aan. Mezelf niet, en jou verwaarloosde ik ook zo verschrikkelijk. Je herinnerde me de hele tijd aan haar en ik kon het niet verdragen om bij jou in de buurt te zijn. Het sieraad kon me eigenlijk niets schelen. Ik heb je nooit gevraagd waar je het gelaten had. Ik ben het land uitgegaan, heb rondgezworven en allerlei losse baantjes gehad. Uiteindelijk belandde ik in Brazilië en vond daar goud, wat mij rijk heeft gemaakt, kun je wel zeggen. Maar ik kon niet naar huis teruggaan. Al die jaren heb ik zo goed mogelijk gevolgd wat er met jou gebeurde. Ik had een paar contactpersonen die me over jou schreven.

Toen je diamanten begon te smokkelen, werd ik ongerust.'

Maxim werd rood en hij voelde zich opeens klein worden, heel klein.

'En ik ben *de chef* die al jouw gesmokkelde diamanten heeft gekocht. Het geld heb ik gestort op een rekening die op jouw naam staat, bij de Zwitserse bank die je al had. Ik heb daar gedurende jouw hele volwassen leven ook steeds een gedeelte op gestort van het geld dat ik overhield.'

Hij boog zich voorover, zijn stem werd zachter toen hij zei: 'Dat is niet hetzelfde als liefde, maar...'

Maxim opende zijn ogen en staarde naar het plafond, hij kon de man die zijn vader was niet aankijken.

'Ik moet dat sieraad hebben, Maxim. Jij bent de enige die weet waar het is.'

Maxim schudde zijn hoofd. 'Ik kan me er niets van herinneren,' zei hij. 'Ik weet niet waar het is.'

Egon Sverd stond een beetje moeizaam op.

'Wel, je hebt tot vanavond de tijd.'

'Wat gebeurt er als ik het niet vind?'

'Dan trek ik die vijftien miljoen terug,' was het antwoord.

Maxim stond ook op: 'En jij hebt het over liefde. Je hebt volkomen gelijk als je zegt dat geld geen liefde is, het lijkt er niet eens op. Ik heb me mijn hele leven zonder jou gered en ik kan me in de toekomst ook zonder jou en je snertgeld redden. Neem het maar terug.'

Toen liep hij de kamer uit en Egon Sverd riep hem niet terug.
De chauffeur stond te wachten. Dit keer ging Maxim op de achterbank zitten. Het was hem te intiem om voorin te zitten. Zich redden zonder Egon Sverd? Natuurlijk, dat was toch geen kunst? Mijn vader, dacht hij, mijn vader, fluisterde hij en hij huilde zo hard dat hij ervan schokte. Het kon hem niet schelen wat de chauffeur ervan dacht.

'Het is gek,' zei de vreemdeling toen hij een poosje in de stoel met de hoge rugleuning voor zich uit had zitten staren, 'maar vandaag maken al die voor mij onbegrijpelijke dingen die in het kamp gebeuren me niet bang.'
Dai-Chi zei niets.
'Een aantal mensen heeft een oudere vrouw gezien die plotseling opdook en weer verdween. Ze was er maar even, in een flits. De meesten denken dat ze haar echt hebben gezien en sommigen denken dat het een verschijning was. Wat denk jij?'
Dai-Chi keek hem recht aan toen hij antwoordde: 'Vreemdeling, zo moet je niet tegen een gevangene praten. Je stem klinkt alsof je tegen een vriend praat en je vraagt mij om raad alsof ik je gelijke ben. Maar je hebt mij onwaardig behandeld en vernederd. Verwacht van mij geen antwoord.'
De vreemdeling zat een poosje naar hem te kijken. Ineens flakkerde het vuur en het sloeg neer, alsof er een plotselinge windvlaag langs ging.
Toen stond hij op, liep naar Dai-Chi toe, maakte de boeien om zijn enkels los en ging weer zitten.
'Nu ben je vrij,' zei de vreemdeling.
Dai-Chi schudde zijn hoofd. 'Wij kunnen nooit gelijken worden na wat er hier is gebeurd. Jij hebt mij gedwongen om over de maanstenen te vertellen. Je hebt mijn nichtje gebruikt om me zo ver te krijgen en ik weet niet hoe het met haar is.'
De vreemdeling stond op en liep de tent uit. Hij kwam algauw te-

rug met het jonge meisje dat angstig om zich heen keek toen ze binnenkwam.
'Nu kun je zelf zien dat haar niets is overkomen,' zei de vreemdeling. 'Vraag het haar zelf maar.'
Dai-Chi zei niets, maar hij bekeek het meisje nauwkeurig.
'Als je wilt dat ze hier blijft terwijl jij vertelt, vind ik het best.'
Dai-Chi zei iets tegen het meisje, dat een eind van de vreemdeling vandaan ging zitten, zo ver dat ze buiten het licht van het vuur zat.
'Ze heeft geen honger of dorst,' zei de vreemdeling. 'Wij hebben goed voor haar gezorgd.'
'Ook dat verandert niets,' zei Dai-Chi, 'het evenwicht tussen ons is verstoord en het kan niet meer hersteld worden. Moet ik de zevende en laatste legende vertellen?'
'Dit is dus de laatste avond,' zei de vreemdeling. 'Wat gebeurt er als de zevende legende is verteld?'
'Dat hangt van jou af,' zei Dai-Chi.
'Maar zal ik dan weten waar ik de juwelen kan vinden?'
'De legendes vormen geen kaart die naar de juwelen leidt,' antwoordde Dai-Chi, 'ze leiden tot iets anders.'
'Tot wat?' zei de vreemdeling en hij boog zich zo snel naar voren dat hij zijn hoed verloor. Verbaasd zat hij te kijken hoe de hoed bij zijn voeten lag. Het halflange blonde haar maakte dat hij jonger leek, jonger dan Dai-Chi had gedacht. Langzaam pakte de vreemdeling de hoed op en draaide hem een paar keer rond tussen zijn vingers, voordat hij hem naast de stoel legde.
'Vertel,' zei hij.
Dai-Chi wachtte.
De vreemdeling stond op en maakte de flap in het tentdak los.
'Op een nacht droomde koning Astyages van Media dat het water van zijn dochter Mandane brak en het was zo veel dat zijn hele stad en heel Azië overstroomden. Verontrust bezocht hij de

droomuitleggers die de droom als volgt verklaarden: zijn dochter zou een zoon krijgen die in zijn plaats koning zou worden.
Astyages had zijn dochter willen uithuwelijken aan een vooraanstaand man van het volk der Meden. Maar nu veranderde hij zijn besluit en gaf haar aan een Pers die Kambyses heette. Ook al was deze Kambyses van goede familie, de koning vond hem geringer van afkomst dan iemand uit de middenklasse van het volk der Meden.
Na een tijdje was Mandane in verwachting, en Astyages droomde opnieuw: uit zijn dochters schoot groeide een druivenboom en de kroon van die boom bedekte heel Azië. Hij was zo geschrokken van de droom, dat hij zijn dochter liet terughalen uit Perzië, zodat hij haar in de gaten kon houden en het kind kon vermoorden zodra het was geboren.
Mandane had haar vader, van wie ze heel veel hield, altijd gehoorzaamd. Ze had ermee ingestemd dat ze werd uitgehuwelijkt aan een Pers en ze hield veel van Kambyses. Maar ze had nooit begrepen waarom haar vader haar niet in haar eigen land had laten trouwen. Toen haar vader haar nu liet halen, dacht ze dat dat was uit zorg voor haar en de baby die ze verwachtte. Kambyses vond het prima dat ze wegging, want hij zou veel van huis zijn.
Toen het kind geboren was, en het een jongetje bleek te zijn, was ze heel gelukkig en ze hoopte dat haar vader haar blijdschap zou delen. Maar toen hij kwam en het kind bij haar weghaalde en haar terugstuurde naar Perzië, was ze geschokt. Tijdens de reis naar huis, naar Kambyses, voelde ze de haat voor haar vader groeien en ze zwoer wraak. Ze had wel begrepen dat haar vader de pasgeboren baby wilde doden.
Het jaar daarna kreeg Mandane een dochter en ze gebruikte al haar tijd en energie om die dochter op te voeden in haat voor haar grootvader, zodat zij het werktuig van de wraak kon worden. De dochter, Aldime, luisterde naar haar moeders verhalen over

het monster in Media, dat zijn dochter had verstoten, haar eigen broer had vermoord en hen zodra hij zijn kans schoon zag, zou vervolgen.
Het duurde niet lang voordat Aldime met haar moeder meehuilde, haar vuisten balde tegen de onrechtvaardigheden van haar grootvader en haar tanden liet knarsen in razernij over zijn afschrikwekkende daden. Ze zwoer dat ze haar moeder en haar broer zou wreken.
Toen Aldime twaalf was, vond Mandane dat het tijd was. Haar dochter was voorbereid. Ze stuurde Aldime naar haar grootvader onder het voorwendsel dat hij zijn kleindochter misschien wat zou kunnen leren aan het hof. En ze dacht dat hij haar vast ook wel zou willen zien.
Maar haar broer was niet gedood. De koning dacht dat hij dood was, maar hij was meegegeven aan een herdersfamilie en die hadden hem grootgebracht als hun eigen zoon. Hij heette Kyros. Toen de koning hem zag, erkende hij hem als zijn kleinzoon. De droomuitleggers dachten dat de eerdere dromen van de koning niet langer een bedreiging vormden en Kyros werd naar zijn ouders in Perzië gestuurd.
De wegen van broer en zus kruisten elkaar zonder dat ze het wisten. Kyros was op weg naar huis, zonder te weten dat hij een zus had die onderweg was om zijn vreselijke dood te wreken. Aldime wist niet dat haar broer nog in leven was en dat hij op weg was naar Perzië.
Koning Astyages ontving Aldime met veel eer. Aldime was goed voorbereid en ze deed alsof ze blij was om haar grootvader te leren kennen. Deze vond het oprecht fijn om haar te zien. Aldime was een beetje verbaasd dat hij er niet uitzag als het monster dat ze zich had voorgesteld uit de verhalen van haar moeder. Maar ze dacht dat hij zich misschien achter een vermomming verschool. Ze hoefde alleen maar te wachten op het moment dat hij zijn

ware gezicht zou laten zien. Ze had het flesje gif in de plooien van haar gewaad verborgen en de kleine dolk aan haar been gebonden. Ze was voorbereid om het monster te lijf te gaan.
Ze had over zijn wreedheden gehoord, maar zelf zag ze er niets van. Hij was oprecht in haar geïnteresseerd. Astyages gaf vele feesten ter ere van Aldime. Hij wandelde met haar door de tuinen en wees haar bloemen en vogels aan. Hij nam haar mee op jacht en ze maakten een tocht te paard van enkele dagen, omdat hij haar wilde laten zien hoe mooi het land was. Aldime verbaasde zich steeds meer. De woorden van haar moeder klopten niet met wat ze zag en hoorde en algauw wist ze niet meer wat de waarheid was.
Kyros was thuisgekomen, tot grote vreugde van Mandane, die meteen spijt had. Kyros vertelde alleen maar positieve dingen over zijn grootvader en Mandane stuurde vlug een boodschapper naar het hof van Astyages om te zeggen dat Aldime niet moest doen wat ze hadden afgesproken, maar zo gauw mogelijk naar huis moest komen. De boodschap kwam echter te laat.
Aldime kon 's nachts niet slapen, zo onzeker was ze over de woorden van haar moeder. Ze durfde ook niet te dicht in de buurt van haar grootvader te komen, want haar moeders woorden hielden haar tegen. Elke keer dat hij met zijn hand over haar haar wilde strijken, ontweek ze hem, want ze dacht: nu veranderen die handen in klauwen die mij aan stukken zullen scheuren. Als hij haar tegen zich aan wilde drukken, als teken dat hij van haar hield, rende ze weg, want ze dacht: nu gaat het monster mij verslinden. Astyages merkte het wel, maar hij begreep niet waarom ze zo deed. Hij dacht dat het meisje gewoon uit haar doen was en dat het wel over zou gaan.
Tijdens haar slapeloze nachten liep Aldime door de tuin. Rusteloos wandelde ze rond tot de nacht om was. De maan was haar enige troost. Ze vertrouwde haar gedachten aan de maan toe.

Fluisterend vertelde ze over haar twijfel en haar angst. Wat moet ik doen? zei ze. Wat moet ik geloven? Ze kon geen oplossing bedenken.
"Aldime," zei Astyages op een avond terwijl ze door de tuin wandelden, "kom eens hier, ik wil je iets geven."
Ze liep naar hem toe en hij gaf haar een gouden ketting met kleine figuurtjes die waren gemaakt van kleurige edelstenen. Onder de figuurtjes waren een vogel in de vlucht, een maan omgeven door kleine sterretjes, druivenbladeren die zich ontvouwden en een springend hert. Aldime voelde dat ze bijna moest huilen en dat de gevoelens die ze voor haar moeder had, veranderden in haat. Wat ze voor haar grootvader voelde, durfde ze niet goed onder ogen te zien.
Toen Astyages haar over haar wang aaide en zei: "Dat is voor jou, omdat ik van je hou, mijn kind," gaf ze een schreeuw. Haar woorden verstomden, haar huid verstijfde, ze voelde dat ze steeds verder weggleed van het zonlicht en de geuren in de tuin. Verbijsterd zag Astyages hoe Aldime in een steen veranderde. Hij was ongelukkig, maar begreep niet dat hij er zelf de oorzaak van was. Ze moest in de macht van kwade geesten zijn.
Hij zond een ijlbode naar Mandane, die haar zoon terugstuurde. Misschien dat Aldime bij het zien van haar broer weer uit de steen te voorschijn zou kunnen komen.
Iedere dag ging Astyages naar Aldime toe. Hij praatte tegen de steen, hij dacht dat ze betoverd was en probeerde van alles om de betovering te verbreken, maar al zijn pogingen waren vergeefs.
’s Nachts, als de maan scheen en er niemand in de tuin was, viel het maanlicht op de menselijke steen en verwarmde hem mild, zodat hij voorzichtig droomde. Dan voelde Aldime dat haar hart zachtjes klopte, dat er gedachten en beelden door haar heen stroomden die ze niet kon tegenhouden.
Toen Kyros kwam, nam Astyages hem meteen mee naar de tuin

en hij liet de twee alleen. Het was avond, ijle vogelgeluiden zweefden door de tuin waar behalve Aldime en Kyros niemand was.
Kyros viel voor zijn zuster op zijn knieën en zei: "O, lieve zus, die ik nog nooit heb gezien. Ik ben jouw broer, Kyros, en ik ben gekomen om jou uit die steen te halen. Geef mij een teken als je weet hoe je bevrijd kunt worden."
Die woorden drongen door tot Aldime binnen in de steen. Haar broer. De broer die toch dood was? De broer die zij moest wreken, daarom was ze hier. Haar hele jonge leven was gebruikt om te leren haten en wraak te nemen. Ze voelde de steen steviger en vaster om zich heen sluiten.
Nee, dacht ze, laat de steen mij niet helemaal opslokken. Maar ze had de kracht niet om zich te verzetten tegen de sterke machten binnenin haar die haar de steen in dreven. De maan scheen vriendelijk en troostend op de steen en toen Kyros opkeek, ontdekte hij dat er klein straaltje vloeistof uit een barst bovenin de steen liep. Het straaltje vormde een druppel die in zijn hand viel. Daar veranderde hij onmiddellijk in een steen die de vorm had van een traan. Hij had een zilver-zwarte glans en er liep een lichte roze streep doorheen.
Kyros slaagde er niet in om Aldime te bevrijden en hij ging naar huis om de droeve boodschap aan zijn moeder over te brengen. Die sprak gedurende drie jaar daarna geen woord.
In de loop der tijd gebeurde er iets wonderlijks met Aldimes steen. Sommige mensen dachten dat hij groeide, alsof hij zich uitstrekte naar de hemel en misschien wel naar de zon?'

Dai-Chi vouwde zijn handpalmen tegen elkaar en boog zijn hoofd nederig voor de maan, die net uit de opening verdween.
'Was dat het einde van de zevende legende?' vroeg de vreemdeling.
Dai-Chi knikte.

'Wat weet ik nu?' zei de vreemdeling verbaasd. 'Wat moet ik nu denken?'
Dai-Chi zweeg.
'Kun jij me dat niet vertellen?' vroeg de vreemdeling terwijl hij opstond.
'Nee,' zei Dai-Chi. 'Ik weet niet wat er gebeurt met iemand die de legendes heeft gehoord. Misschien is dat van mens tot mens verschillend.'
'Maar hoe vind ik de juwelen? Hoe kan hun macht worden gebruikt...?'
'Ik weet niet waar ze zijn,' zei Dai-Chi, 'en ik weet ook niet hoe de mensen de kracht voor hun eigen profijt kunnen gebruiken. Ik ken alleen de legendes, of een weerspiegeling ervan. Niemand weet wat er precies is gebeurd in de tijd waarin ze plaatsvonden, en ze worden op verschillende manieren verteld. Ik heb ze alle zeven verteld zoals ik ze ken.'
'Ben ik dan alleen hiernaartoe gekomen om sprookjes te horen?' zei de vreemdeling geërgerd. 'Heb ik een hele week en een klein vermogen gebruikt om naar een sprookjesverteller te luisteren?'
'Heb ik je iets beloofd dat je niet hebt gekregen?'
'Maar die legendes moeten toch iets betekenen? Ze moeten toch samenhangen in een patroon dat in de richting van de juwelen wijst?'
Dai-Chi zei niets.
Zijn nichtje had doodstil gezeten terwijl Dai-Chi vertelde in een taal die zij niet verstond. Plotseling zoog ze haar adem naar binnen en op dat moment hoorde Dai-Chi het geluid van brekend glas. Even later stond de oude buitenlandse vrouw in de tent. De vreemdeling bleef doodstil staan en gaapte haar aan. Toen slaakte hij een zachte kreet, wankelde achteruit en viel terug in zijn stoel.
'Dit kan niet,' mompelde hij, 'dit is onmogelijk.'

‘Spreekt u Noors?’ vroeg de vrouw verbaasd terwijl ze zich naar hem omdraaide.
‘Ja, maar... u ook dan? Wie bent u in godsnaam?’
In plaats van te antwoorden, keek Idun hem een hele tijd aan.
‘Bent u degene die Dai-Chi hier gevangen houdt?’
‘Nou, gevangen, gevangen,’ zei de vreemdeling, ‘ziet u ergens boeien of touwen?’
‘Die heb ik gisteren gezien,’ antwoordde ze. ‘Wat wilt u van hem?’
‘Ik wilde de legendes over de maanstenen horen,’ zei hij.
‘De juwelen van de tsaar,’ zei ze.
De vreemdeling ging overeind zitten.
‘Wat?’ zei hij. ‘Kent u de juwelen van de tsaar?’
‘Ja,’ zei Idun. ‘Ik heb ze zelfs in mijn bezit gehad, maar ze zijn van me gestolen tijdens mijn reis naar Rusland, vele jaren geleden.’
‘Rusland,’ fluisterde de vreemdeling, ‘Maar dan moet jij... Idun Sverd zijn! de dochter van Florinda Olsen?’
Ze keek hem verbaasd aan. ‘Ja, maar hoe kun jij dat weten?’
‘Weet je zeker dat de juwelen gestolen zijn? Dat je ze niet hebt? Heb ik al die tijd en al dat geld voor niets verspild?’
‘Dat hangt er vanaf hoe je het bekijkt,’ zei Idun.
‘Maar hoe ben je hier binnengekomen?’ vroeg de vreemdeling. Hij sprong van de hak op de tak, zijn gedachten waren chaotisch.
‘Ik ben door de spiegel gekomen,’ zei ze gewoon.
‘De spiegel? Dat kan niet.’
‘Als je dat denkt,’ zei Idun, ‘heb je weinig geleerd van de legendes... Maar wie ben jíj eigenlijk?’ voegde ze eraan toe.
‘Dat is niet belangrijk, alles is nu toch zinloos.’
‘Misschien, misschien ook niet. Ik denk niet dat het nu al voorbij is.’
Ze richtte zich tot Dai-Chi en vertelde hem over de voorbereidingen die verderop op de vlakte bij de maanspiegel werden getroffen. Ze vroeg hem of hij mee wilde om de afloop van de legendes die hij had verteld te zien.

Hij boog zijn hoofd weer. Het werd hem te veel. Zouden de voorspellingen in de geschriften van de maan uitkomen?
'Kom,' zei Idun, 'ik vind dat jij bij dit laatste gedeelte aanwezig moet zijn, jij die zo dicht bij de legendes en de kracht van de stenen staat.'
Toen richtte ze zich tot de vreemdeling. 'Ga met ons mee,' zei ze, 'ik beloof je dat je iets zult zien wat je nog nooit eerder hebt meegemaakt.'
'Wat... waar dan...' zei hij.
'Niet vragen, want je gelooft het antwoord toch niet,' zei ze.
Ze verlieten alle vier de tent. Idun voorop, dan Dai-Chi met zijn nichtje, dat niet alleen achter wilde blijven en achteraan de vreemdeling.
Toen ze de tent uitkwamen, ontstond er opschudding. Er kwamen mannen met wapens aanlopen, sommigen wilden hen gevangennemen en even zag het er heel dreigend uit, totdat de vreemdeling ze weer wist te kalmeren. Toen liepen ze het kamp uit, de vlakte op die in het maanlicht lag te glanzen. Het was kil. Er kwam een koude wind uit de bergen.
Ze hadden nog niet zo ver gelopen toen ze zeven oplichtende puntjes voor zich zagen – alsof er zeven sterren waren neergedaald uit de hemel.

'Goed dat je er bent,' zei Florinda Olsen toen Nikolaj vroeg in de avond aanbelde. 'Ik heb het gevoel dat er vanavond iets gaat gebeuren, maar ik weet niet wat.'
Toen zag ze Terry, die een beetje achter hem was blijven staan. Nikolaj vertelde wie ze was. Florinda lachte tegen haar en zei dat ze welkom was bij de dingen die misschien zouden gaan gebeuren.
'En als we de juwelen van de tsaar nooit vinden?' zei Nikolaj.
'Dan vinden we ze niet,' zei Florinda.
Nikolaj vertelde haar dat Vladimir gevangen zat bij Harry Lim, maar hij was niet in staat om te vertellen dat hij zijn vader daar ook had gezien.
'Vladimir en Anna zijn door twee verschillende groepen gevangengenomen. Wat zal er met hen en met jou gebeuren als die boeven nog steeds denken dat jij iets weet, ook al zeg je van niet?'
'Ik geloof dat ik heb gedaan wat ik kan. Iemand anders moet het sieraad maar vinden...'
Nikolaj keek haar verbaasd aan. Het leek wel of Florinda blij was. Hij wist natuurlijk niet dat ze Iduns stem had gehoord die nacht en dat ze had gevoeld hoe de lucht voor de spiegel had getrild. Alsof er een soort elektrisch spanningsveld hing.
Toen er weer werd aangebeld, kwam Lydia binnenstormen. 'Zeg Florinda, is Patrick hier geweest? Ah, mooi zo... je mag hem niet vertellen waar de juwelen van de tsaar zijn. Hij is ernaar op zoek, hij en mijn broer. Ik kan er niet meer tegen... ze praten alleen maar met me als ze me nodig hebben.'

'Maar, ik heb geen idee waar die juwelen zijn, Lydia. Ik kan hem onmogelijk iets geven dat ik niet heb.'
Toen ze Nikolaj zag, bleef Lydia op de drempel van de woonkamer staan.
'Wat doe jij hier?' vroeg ze aan Nikolaj.
Hij ergerde zich over haar vraag en zei: 'Ik ben bij mijn overgrootmoeder op bezoek.'
'Ga maar naar huis. Ik geloof niet dat wat er vanavond gaat gebeuren geschikt is voor kinderen.'
'Als iemand hier moet zijn, dan ben ik het wel, toch Florinda?'
'Ja, dat is zo,' antwoordde ze.
Lydia wilde net iets terugzeggen, toen ze Terry in het oog kreeg.
'Ben *jij* hier ook? Ken jij Nikolaj?'
'Hoe kennen jullie elkaar?' vroeg Nikolaj verbaasd.
'Dat... dat is een lang verhaal,' zei Lydia vaag.
'Dat vertel ik je later nog wel,' zei Terry tegen Nikolaj.
Het was duidelijk dat Lydia het niet prettig vond dat te horen.
Op dat moment werd er voor de derde keer aangebeld. Nu kwam Maxim binnen. Ze hoorden zijn stem in de hal.
'Er is vandaag en de afgelopen dagen zoveel gebeurd Florinda. Ik denk dat ik instort als ik het niet aan iemand kan vertellen. Ik heb niemand om mee te praten.'
Nikolaj zag dat zijn moeder plotseling verstijfde en haar handen voor haar gezicht sloeg. Hem kon het niet zoveel schelen op dit moment, want hij wist dat het waar was.
'Dat is toch niet helemaal waar wat je daar zegt,' zei Florinda.
'Heb je de juwelen gevonden?' vroeg Maxim. 'Er staan bijna honderd miljoen kronen op het spel voor mij.'
'Honderd mil... wat zeg je? Die juwelen zijn toch niet van jou?'
'Het is toch familiebezit?'
'Honderd miljoen,' fluisterde Lydia terwijl ze zich op een stoel liet vallen.

‘Ga maar naar binnen in de kamer, bij de anderen,’ zei Florinda.
‘De anderen?’ vroeg Maxim verbaasd. Hij zei niets meer en hij kromp even in elkaar toen hij zag wie er in de woonkamer zaten.
‘Dag pappa,’ zei Nikolaj.
Hij knikte terug. Hij keek Lydia niet aan. Toen hij Terry zag, slikte hij moeilijk en hij zei met een schorre stem: ‘Wat doe jij hier? Heeft Harry je gestuurd?’
‘Hoe goed ken *jij* Harry?’ vroeg Lydia verbaasd.
‘Nou ja, kennen, kennen, hij heeft me een beetje geholpen bij het zoeken naar die juwelen.’
‘Jou geholpen...?’ Lydia stond zo vlug op dat haar handtas op de grond viel.
‘Maar hij heeft míj toch...’ Ze zweeg en ging gauw weer zitten.
Maxim keek naar Terry. ‘Zo zo, dus je vader heeft weer eens dubbelspel gespeeld. Ik had kunnen weten dat hij niet te vertrouwen was.’
Terry beantwoordde zijn blik en zei: ‘Als hij mij iets belooft, houdt hij zich daar altijd aan.’
Weer werd er aangebeld. Iedereen in de woonkamer was stil en luisterde naar wat er in de hal gebeurde. Er kwamen een heleboel mensen tegelijk binnen. Het waren Patrick, Vera, Ellen en Anna. Toen ze de vier mensen in de woonkamer zagen, werden ze even stil.
‘Dat jij hier durft te komen,’ zei Lydia. Haar ogen schoten vuur.
‘Ik geloof dat je me verkeerd begrepen hebt Lydia, ik...’
Verder kwam Patrick niet, want Lydia onderbrak hem: ‘Ik weet precies wat jij bedoelde. Ik moest die juwelen zoeken en dan zouden Dieter en jij ermee vandoor gaan, misschien wilden jullie ook weg bij jullie vrouwen.’
‘Patrick,’ zei Vera dreigend, ‘dat was je toch niet van plan hè?’
‘Lydia overdrijft,’ zei Patrick met een zenuwachtig lachje. ‘Ik vind dat we het geld met z’n allen moeten delen als we het sieraad heb-

ben verkocht,' zei Patrick. 'En Anna heeft beloofd dat ze ons niet zal aangeven bij de politie als ze ook een deel krijgt.'
Anna knikte.
'Anna Olsen,' zei Florinda woedend, 'wat zeg je daar? Dat jij nog eens zo diep zou zinken dat je jezelf voor een paar armzalige kronen zou verkopen.'
'Florinda, ik beloof je dat ik nooit meer ruzie met je zal maken als je je mond houdt en meedoet.'
'Ik had toch gezegd dat ik jou en de anderen nooit meer wilde zien,' zei Maxim tegen Ellen, die haar hoofd in haar nek gooide en antwoordde: 'Ik denk toch dat je je erbij neer zult moeten leggen, Maxim, wij zijn in de meerderheid, jullie verliezen. Wij hebben ons met z'n vieren uitgesloofd om de juwelen zonder jullie te vinden. Dus eigenlijk is het heel gul van Patrick dat hij jullie mee wil laten doen.'
'Gul,' schreeuwde Lydia.
'Hij heeft geen ene mallemoer met dat sieraad te maken!'
'Ik wist dat je een verschrikkelijk mens was,' zei Florinda tegen Anna, 'maar niet dat je een monster was.'
Anna kreeg de kans niet om antwoord te geven, want er werd voor de vijfde keer aangebeld.
Vladimir en Harry Lim kwamen binnen.
'Lieve Florinda,' zei Vladimir, 'daar ben je dus. Weet je al wat meer over de juwelen? Ik heb mijn bewaker hier overgehaald om mij vrij te laten en mee hiernaartoe te komen. Ik heb hem gezegd dat we vast en zeker wel tot overeenstemming kunnen komen, zodat we de juwelen met z'n allen kunnen delen. Ik kan Harry een deel geven van het geld dat ik krijg; omdat hij mij heeft vrijgelaten... een soort losgeld dus eigenlijk...'
'Vladimir, ik geloof mijn oren niet,' zei Florinda geschokt. 'Ik wil niets meer horen. Ga maar naar binnen, naar de anderen.'
'Harry,' riepen alle volwassenen in de kamer, toen hij binnen-

kwam. Daarna keken ze elkaar achterdochtig aan. Toen hij zag wie er allemaal waren, keek Harry een beetje onzeker om zich heen. Toen hij Terry zag, schrok hij echt. Hij wilde wat zeggen, maar bedacht zich weer.
'Waarom heb je de gevangene mee hiernaartoe genomen, idioot,' siste Maxim, 'we zouden toch zorgen dat hij ons niet kon herkennen.'
'Maxim Sverd,' zei Lydia met een ijskoude stem. 'Ben jij achter mijn rug om op zoek gegaan naar die juwelen, ja heb je zelfs iemand ontvoerd, om er meer over te weten te komen? – zodat je ze helemaal voor jezelf kon houden?'
Hij spreidde zijn armen uit. 'Uiteindelijk heb ik er het meeste recht op.'
Patrick keek kwaad naar Harry. 'Zeg eens, voor wie heb jij eigenlijk allemaal gewerkt?'
Harry keek de kring rond, toen grijnsde hij breed en zei: 'Voor zover ik kan zien, zijn al mijn werkgevers hier in deze kamer.'
'Wat!' schreeuwde Lydia, 'en ik vertrouwde jou, je hebt me geholpen in het begin, je hebt me geleerd hoe je het makkelijkst een huis binnendringt en een kluis moet openm...'
Ze zweeg. De anderen staarden haar met open mond aan.
'Wat zeg je nou, Lydia,' zei Maxim terwijl hij naar haar toe liep en haar hardhandig bij haar arm pakte.
Ze jammerde: 'Niks, ik zei niks... laat me los.' Maar Maxim liet niet los. Patrick liep snel naar ze toe, pakte Maxim bij de kraag van zijn jas en zei dreigend: 'Laat haar los, anders zal ik ervoor zorgen dat jij de rest van de avond slaapt.'
'Hou op,' zei Florinda terwijl ze zich een weg baande door de zo langzamerhand aardig volle kamer, 'dit is míjn huis en ik wil dit niet hebben.'
'Is Dieter nog steeds in Parijs?' vroeg Vera met een achterdochtige klank in haar stem.

'Ja...' antwoordde Ellen zenuwachtig. 'Hij had gezegd dat hij vandaag terug zou komen, maar hij is er nog niet, ik weet niet wat er is gebeurd.'
'Ik heb namelijk zijn hotel gebeld. Je bent zo stom geweest om mij het nummer te geven,' zei Vera, 'en er was daar niemand die Dieter Wandel heette. Wat heb je daarop te zeggen.'
'Niets... hij heeft tegen mij gezegd dat hij daar zou logeren,' zei Ellen vlug en ze begon te huilen. Daar schrok iedereen een beetje van, zodat het even stil werd in de kamer.
In die stilte hoorden ze plotseling een zacht geknetter ergens in de flat.
'De spiegel,' fluisterde Florinda en ze vloog naar de boekenkamer. Nikolaj en Terry liepen vlug achter haar aan en de anderen volgden aarzelend.
In de deuropening bleven ze staan en ze keken verbaasd naar Florinda, die naar de spiegel liep, haar handpalmen voor haar borst tegen elkaar legde en eerbiedig voor de spiegel boog. Toen richtte ze haar hoofd op en staarde in het donkere spiegeloppervlak. De kamer werd zwak verlicht door een eenzame kaars op de tafel.
Florinda voelde dat haar lichaam begon te beven, haar bloed begon sneller door haar aderen te stromen. Haar gedachten begonnen in een cirkel rond te draaien, maar ze werd niet duizelig. Steeds vlugger gingen ze in het rond, de beelden in haar hoofd werden steeds vager en verdwenen. De woorden werden uit hun baan geslingerd en algauw waren haar gedachten niet meer dan een heftig ronddraaiende beweging die steeds kleiner werd, totdat hij eindigde in een trillend puntje binnen in de spiegel.
Het was een merkwaardig gevoel. Florinda's gedachten waren tegelijkertijd in haar hoofd en in de spiegel, waar het puntje zich samenvoegde met een ander puntje dat van de andere kant van de spiegel kwam. Toen werd het groter en kwam als het ware door

het glas dat uiteenweek. Langzaam werd er een weg zichtbaar, hij was nog onduidelijk. Op deze weg zag Florinda vaag een kleine gestalte die naar haar toe kwam lopen. Langzamerhand kreeg de gestalte een gezicht. Achter zich hoorde Florinda verbaasde geluiden.

Nikolaj ging helemaal op in wat hij zag. Zonder het te weten, stond hij op en liep naar zijn overgrootmoeder toe. Hij had nooit geweten dat ze zoiets kon. Het leek wel tovenarij. Het gezicht in de spiegel kwam steeds dichterbij. Het leek wel of de gestalte een heuvel afliep. Het gezicht daalde steeds verder af naar Florinda's gezicht.

Toen het gezicht heel dicht bij het hare was, deed Florinda een paar stappen achteruit en Nikolaj zag hoe de spiegel begon te rimpelen en te golven. Toen hoorde hij een geluid als van splinterend glas, maar hij zag niets op de grond vallen. En daar uit de spiegel, kwam de gestalte, een jonge vrouw, niet groter dan Florinda zelf. Ze had een blauw gewaad aan met een zilveren riem en zachte leren schoenen aan haar voeten. Haar haar werd bijeengehouden door een zilveren band met een halve maan midden op haar voorhoofd.

Nikolaj zag dat de onbekende vrouw haar ogen even dichtdeed. Toen deed ze ze weer open. Ze stond heen en weer te zwaaien alsof ze elk moment kon omvallen. Florinda schoot op haar af om haar te ondersteunen. Toen glimlachte de onbekende vrouw naar Florinda.

Achter Florinda was het doodstil. Ze geloofden geen van allen wat ze zagen, maar ze wisten ook dat ze het echt zagen. Hoe zou je zoiets als dit kunnen verklaren?

De onbekende vrouw deed haar mond open en zei in moeizaam Engels: 'Ik ben Eliam... ben jij Florinda... Olsen?'

'Ja, dat ben ik,' antwoordde Florinda, 'wat brengt jou hier en waar kom je vandaan?'

'Ik kom uit de maantempel op de vlakte tussen de bergen in Mongolië,' antwoordde ze. 'Ik ben gekomen om de maan te redden.'

Vera giechelde toen ze dat hoorde, waar had dat mens het in godsnaam over.

Nikolaj voelde dat zijn huid begon te prikken. Hij wist wat dat betekende. Uit het niets kwamen ze te voorschijn. Langzaam vormden zich uit flikkerende kleuren de gedaantes in de kamer: de ibisvrouw, de weefster, de engel en de jaguar.

Vlug keek Nikolaj de kamer rond. Hoe zouden de anderen reageren als ze die gestaltes zagen? Maar zij zagen ze niet, dat was duidelijk. Nikolaj keek weer naar de vier gedaantes. Ze hadden hun aandacht op Florinda en Eliam gericht.

Eliam zag ze. Nikolaj ontmoette haar blik en ze glimlachte naar hem. 'Jij bent Nikolaj?' vroeg ze en hij knikte.

'Waar ken je haar in godsnaam van?' fluisterde Lydia zenuwachtig. 'Je vertelt mij ook nooit iets...'

Nikolaj draaide zich niet eens om.

'Waarom moet de maan gered worden?' vroeg Nikolaj.

'In de maanspiegel tussen de monolieten op de vlakte kunnen wij zien dat het eigen licht van de maan aan het uitdoven is. Wij weten niet hoe dat komt, maar het is zo.'

'De maan heeft toch helemaal geen eigen licht,' fluisterde Maxim.

'De maan leent zijn licht van de zon, dat weet toch iedereen,' zei Patrick.

'Ik denk dat ze niet helemaal normaal is,' zei Harry, 'misschien is ze ergens weggelopen?'

Maar ze konden niet ontkennen dat ze door de spiegel was gekomen.

'Het eigen licht van de maan...,' fluisterde Florinda, 'ja, daar heeft mijn moeder het wel eens over gehad, maar ik begreep niet wat ze bedoelde.'

'Jij hebt de gave waarschijnlijk ook, net als ik – je hebt mij geholpen om de weg door de spiegel te openen.'
'Hoe kan het licht van de maan hersteld worden?' vroeg Florinda.
'Met behulp van de kracht die de maan heeft verzameld in de zeven maanstenen die ook wel de juwelen van de tsaar worden genoemd.'
'De juwelen van de tsaar,' herhaalden de anderen. Ze klonken opgewonden, ijverig, verbaasd, nieuwsgierig en begerig.
Op dat moment doken er een paar nieuwe schimmen op in de spiegel. Eliam ging opzij en twee gestaltes stapten de kamer in. Ze keken verbaasd om zich heen en lieten hun blik over alle aanwezigen glijden. De vrouw greep naar haar borst en Florinda pakte gauw een stoel, zodat ze kon gaan zitten.
'Welkom,' zei Eliam tegen de twee nieuwkomers, 'dit is Alia en dit is Olim, hogepriesteres en hogepriester van de halvemaantempels.'
Toen Olim zijn naam hoorde, boog hij. Nikolaj boog ook. Wat de anderen deden, wist hij niet.
Er doken meer gedaantes op in de spiegel en ze kwamen allemaal de kamer binnen. Algauw waren er nog twintig bijgekomen. Tien mannen en tien vrouwen. Ze waren allemaal gekleed in dezelfde blauwe cape met de zilveren riem en de zilveren haarband met de maan op hun voorhoofd en ze hadden een oorbel met een halve maan in een van hun oren.
Alia riep iets in de spiegel.
'Te veel tegelijk,' zei Eliam tegen Florinda.
'Met z'n hoevelen zijn jullie?' vroeg Florinda.
'Als het nodig is dat iedereen komt, zijn we met z'n tweehonderden,' antwoordde Eliam.
'Tweehonderd,' zei Florinda een beetje aarzelend. 'Ik ben bang dat hier geen plaats is voor zoveel mensen.'
Hoewel Alia had doorgegeven dat er niet meer moesten komen,

verschenen er toch een paar schimmen op de weg in de spiegel. Vier mensen stapten de kamer in.
'Idun,' fluisterde Florinda.
'Moeder?' zei Maxim verbaasd en voor zijn ogen verscheen het beeld van zijn vader naast zijn moeder. Was dit nou echt de moeder waar hij al die jaren zo vreselijk naar had verlangd, deze oude vrouw?
'Dieter,' riepen Patrick en Vera door elkaar heen. Ellen fluisterde zijn naam. Ze was zo blij dat hij weer terug was. Maar ze vond het griezelig dat hij door een spiegel was gekomen. En nu zou iedereen waarschijnlijk begrijpen dat ze op eigen houtje hadden geprobeerd de juwelen te vinden.
'Ben je niet in Parijs?' vroeg Vera koeltjes.
'Zo zo,' zei Patrick, 'dus jij bent naar de oorsprong gereisd om op het spoor van de juwelen te komen, zodat jij en Ellen ze voor jezelf konden houden.'
Ze hadden het zo druk met hun eigen geruzie, dat ze niet zagen wat er bij de spiegel gebeurde. Florinda liep op haar dochter af, die zich na een kleine aarzeling om haar nek wierp. 'Moeder,' fluisterde ze, 'o moeder, ik dacht dat ik nooit meer terug zou komen. Ik ben zo blij dat het me is gelukt. Ik kon niet komen voordat ik de weg door de spiegel had gevonden. Dat had ik al van jongs af aan in me. Ik ben een spiegelreiziger.'
Toen liet ze haar blik over de mensen op de achtergrond gaan. Hij bleef hangen bij Maxim. Idun liet haar moeder los en liep langzaam naar hem toe. Ze bleef op een afstandje staan.
'Maxim,' zei ze, 'ik zou je overal herkend hebben. Ik weet niet of je mij ooit kunt vergeven, maar ik vind het zo heerlijk om je weer te zien.'
Meer zei ze niet, ze bekeek hem alleen en streelde hem met liefdevolle blikken. Hij liet haar een poosje strelen en sloeg toen zijn ogen neer.

Idun draaide zich om en zei iets in het Mongools tegen de anderen. Eliam knikte en Idun draaide zich weer om. 'Dit is Dai-Chi, hij weet alles van de legendes rond de maanstenen. Dieter heeft ze al gehoord, maar ik geloof dat hij ze gewoon als sprookjes beschouwt.'
Dai-Chi was meteen naar een van de boekenkasten gelopen. Hij streek met zijn handen langs de ruggen van de boeken. Af en toe trok hij een boek uit de kast, bekeek het eerbiedig, sloeg het voorzichtig open en keek liefdevol naar de lettertekens die hij niet begreep.
Toen hij zijn naam hoorde, draaide hij zich met een ernstig gezicht om naar de anderen. Hij boog ook voor ze, net zoals Olim had gedaan. Zijn nichtje drukte zich angstig tegen hem aan.
'Ze zijn gekomen om de juwelen van de tsaar te zoeken,' zei Idun, 'maar ik ben bang dat ze die niet zullen vinden. Ik heb het nog niet tegen ze gezegd.'
'Dat is het sieraad dat ik jou als huwelijkscadeau heb gegeven,' zei Florinda.
'Ja,' antwoordde Idun, 'en het was een van de weinige dingen die ik heb meegenomen toen ik naar Rusland ging, maar helaas is het tijdens de reis daarheen gestolen. Ik heb geen idee waar het is.'
'Het is inderdaad gestolen,' zei Maxim met onvaste stem, 'maar niet tijdens jouw reis. Mijn vader heeft me vandaag iets anders verteld.'
Het werd heel stil.
'Zei je... mijn vader... en vandaag?' zei Idun alsof ze niet kon geloven wat ze daar hoorde.
'Ja,' antwoordde Maxim, 'hij zei dat ik het heb gepakt, zodat jij niet weg zou gaan, en dat ik ermee de kamer uit ben gelopen.'
'Maar... waar is hij dan al die tijd geweest?' zei Florinda. 'Ik dacht dat hij het land uit was gegaan, en...' ze zweeg.
'Wat heb je met het sieraad gedaan?' vroeg Idun.

‘Ik weet het niet,’ zei Maxim, ‘ik kan me niet eens herinneren dat ik het heb gepakt.’
Idun richtte zich tot Eliam en de andere maandienaars en ze legde uit wat er was gezegd.
Daarna keek Eliam naar Nikolaj en ze zei: ‘Hij moet het sieraad vinden, dat zeggen de tekens, want hij weet waar het is.’
Er klonk een verrast en wantrouwig gemompel van de groep bij de deur.
‘Ik?’ zei Nikolaj. ‘Maar ik heb het nog nooit gezien en ik was er in elk geval niet bij toen pappa het verstopte.’
Idun vertaalde het en Eliam luisterde. Ze dacht even na voor ze antwoord gaf: ‘Kun je geen enkele plek bedenken?’
‘Florinda heeft hier overal gezocht, en ook op zolder waar Iduns spullen liggen en ik...’
Nikolaj stopte en zijn mond viel open. Toen begon hij te lachen: ‘Ik *weet* waar het is. Of ik weet waar het kan zijn. Mag ik de sleutel van de zolder, Florinda.’
‘Moeten we mee?’ vroeg ze verbaasd.
‘Nee, ik ga alleen.’
Ze liep met hem mee de gang in en pakte de sleutel van het haakje bij de deur.
‘Weet je zeker dat je het kunt vinden?’ vroeg ze een beetje bezorgd. ‘Ik snap niet waar het kan zijn, ik ben toch samen met jou op zolder geweest en ik heb geen idee.’
‘Maar ik wel,’ zei Nikolaj en hij liep vlug naar de zolder. Hij deed de eerste hutkoffer die hij had doorzocht open en hij pakte de teddybeer die helemaal was versleten door liefkozende handen en knuffelende wangen. Nikolaj drukte hem tegen zijn eigen wang aan.
‘Dat jij zo’n groot geheim bij je draagt. En je hebt er helemaal niets van gezegd,’ zei hij zacht terwijl hij de beer voorzichtig over zijn hoofd en buik aaide.

‘Kom, ga mee naar beneden,’ zei hij, ‘het is niet gevaarlijk.’
Iedereen keek gespannen naar Nikolaj toen hij de kamer weer binnenkwam. Hij gaf de teddybeer aan Florinda. ‘Ik denk dat de juwelen van de tsaar in deze beer zitten,’ zei hij.
‘Waarom denk je dat?’ zei Florinda verbaasd.
Eliam boog zich voorover. Alia stond op van haar stoel en Olim en zij liepen naar Nikolaj toe om de beer te bekijken. Ze voelden eraan en keken elkaar en Eliam vragend aan.
Patrick drong zich naar voren. Dieter wrong zich achter hem aan, tot vlak naast Nikolaj, en legde opeens een stevige hand op zijn schouder. Dat beviel Nikolaj niet.
‘Laat die jongen los,’ zei Maxim scherp.
‘Straks ontvoeren ze Nikolaj nog om die juwelen te pakken te krijgen,’ fluisterde Lydia hees.
‘Lydia, ik ben toch je broer,’ zei Dieter beledigd.
‘Ja, precies, daarom zeg ik het ook,’ antwoordde Lydia en ze trok Nikolaj naar zich toe.
‘Laat die jongen met rust,’ zei Vera.
‘Júllie proberen er een slaatje uit te slaan,’ zei Ellen en plotseling stonden de twee vrouwen ieder aan een kant naast hem.
‘Er gaat hier helemaal niemand iets proberen,’ klonk de stem van Harry.
‘Jullie zijn allemaal verschrikkelijk,’ schreeuwde Florinda.
‘Jij hoeft heus niet zo uit de hoogte en onschuldig te doen,’ zei Patrick. ‘We weten best dat jij gewoon een spelletje speelt om al dat geld voor jezelf te houden.’
‘En...,’ begon Dieter.
‘Maar...,’ zei Florinda.
‘Laat me los en hou allemaal je mond,’ zei Nikolaj terwijl hij zich losrukte. Hij stond midden in de benauwde kring van boze mensen. Terry zag hij nergens meer.
Hij kon het niet opbrengen om de anderen aan te kijken. Nikolaj

bekeek hun benen en toen hij de groene broek van zijn vader herkende, keek hij op.
'Herinner je je deze nog, pappa?' vroeg Nikolaj terwijl hij de teddybeer omhoog hield.
Maxim knikte. Hij was niet in staat iets te zeggen.
'Ik kon zien dat hij heel veel geknuffeld en geaaid was en ik dacht: pappa was vast heel dol op deze beer. In een van de hutkoffers op zolder lag heel veel speelgoed van jou van vroeger en deze zag er het meest versleten uit. Misschien was dit je lievelingsspeelgoed. Toen dacht ik bij mezelf. Als ik jou was geweest toen, en de juwelen van de tsaar had weggepakt, zou ik ze op een hele slimme plek verstopt hebben. Een teddybeer is zo'n plek.'
'Maar hoe heb ik die juwelen er dan in gekregen Nikolaj, zit er ergens een gaatje in of is er een naad kapot?'
'Nee,' zei Nikolaj, 'dat snap ik ook niet.'
'kom eens,' zei Florinda ineens terwijl ze de beer pakte. 'Als ik het me goed herinner. Ja hoor, kijk maar... deze naad. Nu herinner ik me weer dat de naad op zijn rug was gescheurd. Ik moest hem weer dichtnaaien zodat de vulling er niet uit zou vallen... er was al wat uitgekomen, want ik heb er wat oude lapjes ingestopt.'
Idun vertaalde het voor de maandienaars. De anderen waren doodstil, alsof ze hun adem inhielden.
'Ik denk dat je hem open moet maken,' zei Nikolaj.
Florinda knikte. 'Maar ik beloof je dat ik hem weer netjes dicht zal naaien.'
Ze begrijpt vast dat ik hem wel wil, dacht Nikolaj, maar misschien wil pappa hem weer terughebben?
Florinda pakte een schaartje uit een la en knipte vlug de naad die ze veertig jaar geleden had dichtgenaaid open. Toen stak ze voorzichtig twee vingers in de rug, voelde de lapjes die ze erin had gestopt en daar, tussen de oorspronkelijke vulling, voelde ze iets hards. Ze trok het eruit.

Ze hield haar hand omhoog en tussen haar vingers bungelde een gouden ketting waar met ongelijke tussenruimtes zeven edelstenen aan hingen – de enige van hun soort op de hele wereld.
De groep mensen die rondom Nikolaj stond, fluisterde: 'Wat zijn ze mooi... en zo eenvoudig... dat ze hier al die jaren zijn geweest.'
Het *was* een prachtig sieraad. De ketting bestond uit twee dunne, in elkaar gedraaide gouddraden. Ze lagen dicht tegen elkaar aan en ze glansden bijna roodachtig in het kaarslicht.
Florinda liet de ketting langzaam door haar handen gaan, zodat elke steen afzonderlijk het licht opving en een diepe, dromerige glans kreeg. Nikolaj had nog nooit zoiets prachtigs gezien. Het leek wel of de kleuren niet aan de buitenkant van de stenen zaten, maar van binnenuit straalden, sterker en helderder dan de kleuren die hij kende.
Eliam stak een hand uit om de ketting te pakken, maar ze bedacht zich en keek naar Alia en Olim. Die gebaarden dat ze hem moest pakken. Met z'n drieën bekeken ze het sieraad nauwkeurig. Hun handen hadden iets eerbiedigs. Heel voorzichtig raakten ze de zeven maanstenen aan. Daar zat dus de kracht van de maan in.
'Nu kunnen we de maan redden,' zei Eliam eenvoudig in het Engels.
'Nikolaj heeft ze gevonden, dus het lijkt me duidelijk dat ze van de familie zijn,' zei Lydia.
'Ze zijn eigenlijk het meest van mij,' zei Maxim.
'Wat zouden ze waard zijn?' zei Vera.
'Er blijft meer dan genoeg over voor iedereen, zelfs als we het geld door elven delen,' zei Patrick.
'En moeten al die delen dan even groot zijn?' zei Ellen.
'Ik heb eigenlijk meer geïnvesteerd dan jullie,' zei Dieter.
'Ja, om er zelf beter van te worden,' zei Harry.
'Jullie toch ook,' antwoordde Dieter scherp.
'Geef die ketting maar hier, Nikolaj,' zei Maxim.

‘Eigenlijk is het sieraad van de maan,’ zei Idun.
‘Nikolaj,’ zei Lydia. Haar stem klonk zo warm als hij nog nooit eerder had geklonken.
‘Nikolaj, stel je eens voor wat we allemaal zouden kunnen doen met het geld dat we voor die juwelen krijgen,’ zei Maxim. Zijn woorden klonken als in een spel, terwijl ze nog nooit samen hadden gespeeld.
Nikolaj voelde de blikken van de anderen, krachtig, eisend...
‘Wij zijn toch je familie,’ zei Patrick.
‘En je familie is toch belangrijker dan die onzin over de maan,’ zei Dieter.
Toen draaide Nikolaj zich om naar Eliam. Het is te laat, dacht hij. Het enige wat ze interesseert zijn de juwelen. Hij snikte zachtjes. Zonder iets te zeggen, gaf hij de juwelen van de tsaar voorzichtig aan Eliam.
‘Nikolaj, niet doen,’ zei Lydia vertwijfeld.
‘We zouden het zo goed kunnen hebben de rest van ons leven, je zou alles krijgen wat je maar wilde,’ zei Maxim.
‘Ik heb altijd wel geweten dat die zoon van jullie niets waard is,’ zei Patrick.
‘Maar de rest van zijn familie van vaders kant is ook wel knap eigenaardig,’ zei Vera koeltjes.
‘Dat had ik niet van je gedacht, Nikolaj,’ zei Ellen boos.
‘Je had mij toch op z’n minst een van die stenen kunnen geven,’ zei Dieter, ‘ik heb er zoveel voor overgehad.’
‘Dan had ik er vier moeten krijgen,’ zei Harry, ‘ik heb voor jullie allemaal en met jullie allemaal gewerkt.’
‘Moeten jullie nu terug?’ vroeg Idun aan de maandienaars.
Eliam schudde haar hoofd. ‘De maanstenen moeten worden teruggegeven in het land waar ze zich bevinden, want daar is de kracht het sterkst. Het moet voor middernacht gebeuren, op een plek met uitzicht over water en hemel.’

'Het is al tien uur,' zei Florinda, 'wat moeten we doen?'
'We kunnen naar het schiereiland gaan, naar Bygdøy,' zei Nikolaj. 'Daar is het rustig en je kunt er de fjord en de hemel zien.'
Idun vertelde Eliam wat ze zeiden. Ze wees op de klok en Eliam knikte.
'We maken ons klaar en dan beginnen we meteen te lopen.'
'Moeten we lopen?' zei Maxim. 'Kunnen we niet met de auto gaan?'
'Het schijnt belangrijk te zijn dat je in een stoet loopt,' zei Idun.
'We, zei je?' zei Florinda. 'Ik dacht dat jullie geen belangstelling meer hadden voor de stenen, nu ze niet meer verkocht kunnen worden.'
'Er kan altijd iets misgaan zodat we ze toch nog kunnen krijgen,' zei Patrick, 'natuurlijk gaan we mee.'
Achter elkaar liepen ze de trappen af en de Bygdøy Allé in. Eliam riep door de spiegel dat de maandienaars die nog op de vlakte waren achtergebleven, konden komen en dus liepen er tweehonderdveertien personen over de stoep door de sneeuw die in de loop van de avond weer dichter was geworden. Af en toe kwamen ze voetgangers tegen die verbaasd bleven staan. Sommigen werden bang van de in gewaden gehulde mensen en maakten dat ze wegkwamen.
Voorop liepen Florinda, Nikolaj en Terry samen met Eliam, die de juwelen van de tsaar droeg. Daarachter kwamen Alia en Olim, die af en toe tevreden blikken wisselden en nieuwsgierig en vol verbazing om zich heen keken. Daarna kwam Idun samen met Dai-Chi en zijn nichtje. Zij liet Dai-Chi's hemd niet los. Voordat hij de spiegel in ging, had iemand een cape over zijn schouders geslagen en daar was hij nu blij om. Het was koud in dit vreemde land waar het nu al sneeuwde.
Daarna kwamen de eerste twintig maandienaars die achter Eliam aan door de spiegel waren gekomen. De mensen die bij de deur

hadden gestaan, liepen een beetje beschaamd en geïrriteerd in een fluisterend groepje bij elkaar en na hen kwamen de honderdzevenenzeventig maandienaars die hadden moeten wachten.
Nikolaj voelde zich geweldig. De sneeuw wervelde zo hard langs de straatlantaarns dat je er duizelig van werd. Als hij omhoog keek, leek het net of hij naar boven ging in plaats van dat de sneeuw naar beneden kwam.
De stoep was niet glad. Het geluid van de langsrijdende auto's was zachter, de sneeuw dempte het geronk van de motoren. De straten waren ijzig. Veel auto's remden plotseling als ze de stoet zagen. Een auto gleed tegen de stoep, een andere bleef tegen een kastanjeboom stilstaan en weer twee anderen gleden opzij tegen elkaar aan...
Ze zeiden niets terwijl ze liepen. Nikolaj zag geen wolken, maar hij wist dat de sneeuw niet ver hoefde te vallen om de aarde te bereiken, want de wolken die hij die morgen had gezien, waren dik geweest en hadden recht boven de stad gehangen.
Ze liepen over de Sjølystweg, langs zeilboten en motorboten die winterslaap hielden. De fjord rook zilt. Het leek wel of Nikolaj kleine golfjes zangerig fluisterend tegen de oever hoorde klotsten.
Lydia en Maxim liepen zwijgend naast elkaar.
'Zei je twintig miljoen?' vroeg Lydia opeens.
'Ja,' antwoordde Maxim voorzichtig terwijl hij snel van opzij een blik op haar wierp. Ze merkte het niet eens.
'Waar heb je dat vandaan?'
Hij vertelde haar van de ontmoeting met zijn vader. 'Maar nu heb ik alleen twintig miljoen kronen van mezelf op een Zwitserse bankrekening.'
'Ik heb er acht,' zei Lydia.
'Acht miljoen?' zei Maxim verbaasd. 'Ik wist niet dat jij een rekening had in Zwitserland.'
'Dan weet je het nu.'

Even was het stil. Lydia ving sneeuwvlokken op met haar tong. Elke keer dat het lukte, gaf het een koud kriebelend gevoel.
'Was je van plan om weg te gaan?' vroeg Maxim ineens.
'Nee,' antwoordde ze zonder te aarzelen.
'Waar had je die koffers dan voor nodig?'
'Is het niet genoeg dat ik nee zeg?' zei ze terwijl ze hem een arm gaf.
'Als we nou eens samen weggingen?' zei Maxim. 'Opnieuw beginnen in een ander land, ergens waar niemand ons kent, zodat we echt opnieuw kunnen beginnen.'
'Ja,' zei Lydia, 'dat vind ik een goed idee, en ik denk dat het ook heel goed zal zijn voor Nikolaj.'
'Geven we de juwelen van de tsaar dan op?' vroeg Maxim.
'Wat vind jij?' zei ze.
Ze keken elkaar aan.
'Nee,' zeiden ze allebei.
'We geven het niet op voordat we zien dat het zinloos is,' zei Maxim.
'Belachelijk, een kostbaar sieraad opofferen aan zoiets onwetenschappelijks als het licht van de maan redden.'
'Ja, het zou strafbaar moeten zijn,' zei Lydia.
Ze gingen de hoek om naar het schiereiland. Langzaam verstomden de geluiden van het verkeer achter ze. Aan de ene kant hadden ze het dichte, zware bos, aan de andere kant lag de fjord. Het bos was wit van de sneeuw, het gaf bijna licht in het donker. Ze kwamen niemand tegen, zelfs geen late wandelaar die z'n hond uitliet. De sneeuw rook zoetig, of was dat de heide waar nog bessen stonden?
Ze kwamen het bos uit. Voor hen lagen witte velden. Ergens ver weg op de fjord brandde een scheepslantaarn. Het water was donker. Af en toe golfden er witte strepen naar de kust toe.
Op de uiterste punt bleef de stoet staan. Toen iedereen er was, liep

Eliam naar Alia toe en gaf haar de maanstenen. 'Jij moet het ritueel uitvoeren. Dat kan ik niet. Jij bent de hogepriesteres.'
Alia klom op een steen. Olim en Eliam ondersteunden haar ieder aan een kant zodat ze niet zou uitglijden en vallen. Alia hief haar handen op naar de wolken en de sneeuw die dicht om haar heen viel.
Toen begon ze te praten. Haar stem had een zangerige klank.
'O maan, jij die voeding geeft aan de dromen van de mensen, die ze de moed geeft om nachtelijke paden te bewandelen en landschappen te bezoeken waar de grenzen van het daglicht vervagen.
O maan, jij die je schijnsel op ons verlangen werpt en onrust in onze geesten brengt, zodat we altijd op weg zijn, zelfs als we uitrusten bij het vuur.
O maan, jij die op de nachtelijke aarde neerschijnt en groeizaam licht de bevroren grond in zendt; alle groei begint immers met de droom van het ontstaan.
O maan, jij die sinds de oermorgen schijnt. Jouw eigen licht is als een lokkende, smeulende fakkel die de zon uit het donker tilt. Als dank daarvoor ondersteunt de zon 's nachts jouw licht.
O maan, wij hebben met zorg in ons hart gezien hoe jouw licht wordt bedreigd en wij weten dat wij mensen zonder jou niet langer zullen dromen, dat onze geest zal verstarren, zodat wij niet meer kunnen opstaan van het kampvuur en dat onze verlangens zullen uitdoven, zoals jouw licht, en dat de bevroren grond nooit meer zaadjes zal laten ontkiemen. Zonder jou zal ook de zon verdwijnen van de nachtelijke hemel en het evenwicht tussen dag en nacht zal verloren gaan.
O maan, wij hebben de bron van kracht gevonden die jij aan de mensen in bewaring had gegeven en nu is de tijd gekomen om die kracht te bevrijden.'
Nikolaj liep een eindje weg van de anderen. Hij keek rond. Waar waren de gedaantes uit de oude legendes? Ze stonden dicht bij el-

kaar in de sneeuw, maar hij wist niet zeker of de sneeuw ze raakte, want ook al waren ze hier en kon hij ze zien, ze bevonden zich nog steeds in hun legendes. Waarschijnlijk had de weefster altijd de geur van jasmijn om zich heen en de jaguar had misschien wel altijd sterrenstof in zijn zwarte vacht.

Ze leunden een beetje voorover, gespannen. Ze luisterden en wachtten. De staart van de jaguar zwiepte snel heen en weer. Ineens bedacht Nikolaj dat hij wel een beetje leek op een kat die iets lekkers zou krijgen. De engel had zijn zwaard geheven, zodat de punt naar de hemel wees. De ibisvrouw stond met haar vleugels gespreid, klaar om terug te gaan naar de tijd van de legendes zodra het ritueel voorbij was.

Nikolaj wilde naar ze toelopen. Na een paar stappen ontdekte hij verbaasd dat hij niet dichterbij kwam. Hij zag waar ze waren, maar het lukte hem niet om bij ze te komen.

Algauw zag hij de mensen achter zich niet meer. Alleen hijzelf, de engel met het zwaard, de weefster, de ibisvrouw en de jaguar bestonden nog.

'Waarom kan ik niet bij jullie komen?' vroeg hij.

Zijn huid begon weer te prikken en de jaguar gromde vriendelijk binnenin hem: 'Wij danken jou, Nikolaj Sverd, voor de hulp die je ons hebt gegeven. Zonder het licht van de maan zouden wij voor altijd zijn verdwenen. Legendes kunnen niet leven zonder maanlicht. Wij kunnen niet bij jou komen omdat we ons voorbereiden op de terugreis... Ga terug naar de anderen, Nikolaj Sverd...'

Er zat niets anders op voor hem.

Alia stond met haar handen uitgestrekt. Tussen die handen hield ze de maanstenen. Lydia sloeg haar handen voor haar oren en stond daar met haar mond open, maar ze schreeuwde niet. Maxim legde zijn arm om haar heen. 'Het is te laat,' fluisterde hij verdrietig.

Patrick kreunde en Dieter deed een zinloze stap naar voren. Vera en Ellen gleden door de sneeuw naar voren om Alia's handen tegen te houden. Harry fluisterde: 'Nee.' Vladimir dacht: Daar gaat een droom. Anna voelde zich eigenlijk opgelucht.
Toen tilde Alia haar rechterhand op, strekte hem zo ver mogelijk naar achteren en slingerde de maanstenen ver weg over de donkere, duistere fjord.
Nikolaj hoorde niet dat de maanstenen het water raakten, maar hij zag het wel. Zeven lichtgevende zuilen rezen op uit de fjord en plotseling hield het op met sneeuwen. De lichtzuilen die de kleuren van de zeven edelstenen hadden, stegen steeds verder omhoog naar de wolken, die openscheurden op het moment dat ze werden geraakt en steeds verder uiteenweken. De open plekken tussen de wolken werden opgevuld door de nachtblauwe sterrenhemel.
Daar kwam de maan te voorschijn uit een wolkenbank. De lichtzuilen kwamen bij elkaar, smolten samen en bogen naar de maan toe. De lichtzuilen van de juwelen verenigden zich met de maan in een regen van vonken die nieuwe sterren ontstak tussen de oude, die moe waren van het schijnen.
Toen de vonken waren uitgedoofd, scheen de maan precies zoals voorheen. Nikolaj zag geen verschil, maar hij wist dat er wat veranderd was. Hij keek of de engel, de jaguar, de weefster en de ibisvrouw er nog waren, maar ze waren verdwenen. Hij had ze niet zien vertrekken.
Nikolaj keek weer naar de maan. Het was goed om te weten dat die naast de weerspiegeling van het zonlicht ook zijn eigen licht had, al kon hij het licht waaruit de dromen ontstaan niet zien.

Terug in de Bygdøy Allé verdwenen de maandienaars weer in de spiegel. Eliam ging als laatste. Ze draaide zich om naar Nikolaj en zei: 'Bedankt Nikolaj, ik hoop dat jouw krachten op een keer vrij zullen komen. Dat lijkt soms best gevaarlijk, maar je moet je er niet tegen verzetten. Dat weet ik nu.'
Toen verdween ze in de spiegel en die sloot zich weer achter haar.
Daarna was het even heel erg stil in het huis van Florinda. Toen vertelden Maxim en Lydia aan Nikolaj wat ze van plan waren. Nikolaj wilde niet met zijn ouders meegaan om opnieuw te beginnen. Hij vertrouwde hen niet, geloofde niet dat het hen zou lukken. Hij wilde bij Florinda blijven.
Zijn ouders wilden naar huis en Nikolaj voelde zich opgelucht.
'Je kunt bij ons komen,' zei Vera.
'Of bij ons,' zei Ellen.
Maar hij wilde bij Florinda blijven.
'Daar moeten we eerst eens over praten,' zeiden zijn ouders.
Harry keek naar Terry. 'Ga je mee naar huis?' vroeg hij. Ze gaf geen antwoord. 'Ik wil graag dat je mee naar huis gaat,' zei hij. Toen stond ze op en ging met hem mee.
Bij de deur bleef ze staan en zei: 'Misschien tot morgen, Nikolaj.'
'Tot morgen, Terry.'
Anna was een ander mens toen ze afscheid nam. Ze lachte en zei dat ze haar hele leven nog nooit zoveel spannends en interessants had meegemaakt en ze vroeg of Florinda woensdag op de koffie wilde komen. Florinda zei ja.

Vera, Patrick, Ellen en Dieter stonden elkaar eerst een beetje kwaad aan te kijken, maar toen besloten ze toch om samen een taxi naar huis te nemen en misschien een flesje wijn open te trekken om de belevenissen van die nacht te laten bezinken.
Vladimir wierp een liefdevolle blik op Florinda en een nog liefdevollere blik op Idun.
'Ik had niet gedacht dat ik je ooit nog zou zien. Blijf je nu hier?'
'Ja,' zei Idun, 'nu blijf ik. Ik moet zoveel dingen inhalen en rechtzetten en goedmaken.'
Vladimir gaf ze alle drie een kus op hun wang toen hij wegging en hij zei dat hij Florinda een samowar zou geven, dan hoefde ze er zelf niet meer aan te denken dat ze er een moest kopen.
'Wil je hier wonen?' vroeg Florinda.
'Tot ik zelf iets heb gevonden,' zei Idun. 'Nu ben ik moe, is er een plek waar ik kan slapen?'
Florinda lachte zachtjes. 'Ik heb de logeerkamer altijd klaar.'
Idun keek naar haar moeder, toen lachte ze en omarmde haar zonder woorden.
Nikolaj en Florinda waren alleen. Hij zou vannacht bij haar op de bank slapen. Hij dacht dat dat het beste was, want zijn ouders hadden vast een heleboel te bepraten en ze wilden waarschijnlijk liever alleen zijn in het grote huis – als het ze tenminste zou lukken om met elkaar te praten.
'Florinda?' zei Nikolaj.
'Ja?'
'Als ik nou niet bij jou mag blijven?'
'Waarom zou dat niet mogen?'
'De autoriteiten,' antwoordde hij.
'Ja, de autoriteiten,' zuchtte Florinda, maar toen lachte ze geheimzinnig. 'Als het te moeilijk wordt, kunnen we twee dingen doen.'
'Wat dan?'

'Of we gaan ervandoor, naar het buitenland, en beginnen daar opnieuw, net als je ouders.'
'Dat wil ik niet, en bovendien hebben we daar geen geld voor.'
'Of we blijven hier en vechten voor wat we willen. Wij willen bij elkaar wonen en dan zullen we ook bij elkaar wonen.'
'Maar waar moeten we van leven?' zei Nikolaj. 'Jij hebt toch alleen maar je pensioen en wat spaargeld en ik moet naar school en ik verdien niets.'
'Ach...' zei Florinda terwijl ze tevreden achterover leunde in haar stoel. Ze stak een hand in haar broekzak en haalde er iets uit. Nikolaj kon niet zien wat het was.
'Herinner je je nog toen ik je vertelde dat ik met mijn vader bij de tsaar was?'
'Ja, en dat je naar de tafel met speelgoed liep en bang werd voor iets dat je je niet kon herinneren.'
'Precies,' zei Florinda. 'Toen wij de juwelen van de tsaar zochten op zolder, heb ik datgene gevonden wat mij zo bang maakte toen ik eraan dacht.'
'Wat was dat dan?'
'Toen ik bij die tafel kwam, zag ik iets glinsteren tussen de poppen en het speelgoed. Het was een gouden armband met rode steentjes. Het waren vast robijnen.'
'Ja?'
'Die vond ik op zolder toen we aan het zoeken waren,' zei Florinda en ze deed haar hand open. Daar lag de prachtige armband.
'Heb je hem gestolen?' vroeg Nikolaj ontzet.
Florinda knikte. 'Ja, ik herinner me nu dat ik hem zó mooi vond, ik moest hem gewoon hebben. En voordat ik erbij na had gedacht, had ik hem al in mijn jurk verstopt. Dus het was niet zo vreemd dat ik bang werd toen ik aan die tafel met speelgoed dacht en me niet kon herinneren wat er was gebeurd. Ik had iets gestolen en dat was ongeveer het ergste wat je kon doen.'

'Kun je hem niet teruggeven?'
'Aan wie? Ze zijn al jaren dood.'
'Ga je hem dan houden?'
'Ja, vind je niet? Ik weet niet wat hij waard is, maar hij kan ons goed van pas komen als we krap komen te zitten.'
'Maar we verkopen hem pas als het echt niet anders kan,' zei Nikolaj.
'Hoeveel robijnen zijn het?'
'Het zijn er... vijftien.'
'Vijftien? Stel je eens voor, al de legendes die daarbij horen... Heb jij de legendes over de juwelen van de tsaar wel eens gehoord?'
'Nee, maar ze staan vast wel ergens opgeschreven. Daar kunnen we morgen achter proberen te komen.'
'Misschien hebben deze robijnen ook elk een legende.'
'Misschien.'
'We geven het niet op voor we ze gevonden hebben,' zei Nikolaj.
'Nee,' zei Florinda.
'Ook al moeten we ons hele leven zoeken.'
'Ja, dat vind ik ook,' zei Florinda. 'Nu nemen we nog een kop thee voor we naar bed gaan. Dan slapen we veel beter.'